Mônica de Castro
ditado por Leonel

Com o amor não se brinca

Diretor de arte: Luiz A. Gasparetto
Capa: Katia Cabello
Diagramação: Cristiane Alfano
Revisão: Melina Marin

1ª edição — 12ª impressão
20.000 exemplares — março 2012

Dados Internacionais de Catalogação na Publicação (CIP)
(Câmara Brasileira do Livro, SP, Brasil)

Leonel (Espírito).
Com o amor não se brinca / ditado por Leonel;
[psicografado por] Mônica de Castro. -- São Paulo : Centro de
Estudos Vida & Consciência Editora.

ISBN 978-85-85872-80-9

1. Espiritismo 2. Psicografia 3. Romance espírita I. Castro,
Mônica de. II. Título.

09-02332 CDD-133.9

Índices para catálogo sistemático:
1. Romances espírita : Espiritismo 133.9

Este livro adota as regras do novo acordo ortográfico (2009).

Editora Vida & Consciência
Rua Agostinho Gomes, 2.312 — São Paulo — SP — Brasil
CEP 04206-001
editora@vidaeconsciencia.com.br
www.vidaeconsciencia.com.br

Para meus sobrinhos, Fernando e Felipe,
filhos do meu coração.

Mônica de Castro, além de escritora de grande sucesso, é procuradora do trabalho. Nasceu no Rio de Janeiro, em 1962 e psicografa romances espíritas desde 1999. Seus livros, quando lançados, rapidamente figuram na lista dos mais vendidos do país. A escritora sente grande responsabilidade ao divulgar suas obras, considerando que muitas pessoas se espelham naquilo que escreve. Por isso, empenha-se em divulgar, ao máximo, os ensinamentos espiritualistas. Já publicou, pela Editora Vida & Consciência, catorze romances e, recentemente, a edição revisada de seu primeiro romance *Uma história de ontem*.

Leonel é um espírito muito querido. Nasceu e viveu na Inglaterra, em sua última encarnação, assim como nas anteriores. Em *Segredos da Alma*, ele narra um pouquinho da sua história. Sua proposta é a do crescimento e da disseminação do amor. É para isso que trabalha, é nisso que acredita e nos faz também acreditar. Sem a esperança e a certeza na consolidação do amor, a vida não tem razão de ser. E o instrumento que ele encontrou para a realização desse propósito, no momento, foi a psicografia. Assim como Mônica de Castro, Leonel escreve por amor a si mesmo e ao próximo.

Capítulo 1

O dia amanheceu chuvoso e frio, mas todos estavam de pé logo cedo, prontos para seguir a urna funerária até o pequeno cemitério da fazenda, onde Licurgo seria enterrado ao lado da filha, Aline, e do genro, Cirilo. O cortejo seguia em silêncio, Palmira estampando no semblante toda a dor e a tristeza de haver perdido o companheiro de tantos anos. A seu lado, os filhos, Fausto e Rodolfo, tentavam ampará-la e consolá-la da melhor forma possível. Um pouco mais atrás, Camila, filha de seu primeiro casamento, ia cabisbaixa ao lado do marido e dos filhos, Dário e Túlio, talvez recordando as agruras por que passara naquelas terras. Junto de Palmira, sua irmã, Zuleica, já bastante idosa, seguia de braços dados com a filha Berenice.

Ao fundo, Terêncio, o capataz, chorava em silêncio. Amara seu Licurgo e sentiria muito sua falta. Sabia que nem todos ali gostavam dele e muita coisa ele já fizera a seu serviço, mas Licurgo sempre estivera a seu lado, protegendo-o e defendendo-o, até da própria filha. Mas agora, o que seria dele? Já estava velho também. O que faria se o mandassem embora? Abaixou a cabeça e começou a chorar, até que sentiu uma mão pousar sobre seu ombro e virou-se bruscamente. Era Aldo, o outro capataz, que lhe sorriu compreensivo. Ele respondeu ao sorriso com outro, meio sem jeito, e desvencilhou-se do companheiro, indo postar-se bem atrás de dona Palmira.

Parada um pouco mais além, uma mulher ocultava o rosto no manto de veludo negro e puído que lhe caía sobre as costas. Assistia a tudo a distância, e apenas seus olhos eram visíveis. Havia muita gente no enterro, e ninguém lhe prestou atenção. Apenas Terêncio, ao passar por ela, fitou seu rosto, e uma sombra de reconhecimento perpassou-lhe a mente. Aquela mulher era familiar, mas não se lembrava de onde a conhecia. No entanto, aqueles olhos... onde já vira aqueles olhos escuros, de um verde quase cinzento?

Terminada a cerimônia fúnebre, todos voltaram para casa, e Palmira ia pensando em sua vida. O marido morrera já bem idoso e lhe deixara dois filhos maravilhosos. Olhando para eles, sentiu um aperto no coração. Eram gêmeos idênticos, e ela quase morrera ao dar à luz. Lembrou-se do parto difícil que tivera e do dilema para amamentá-los, tendo que contar com o leite de Tonha para não matar seus meninos de fome.

Assim como Palmira, a negra Tonha também tivera um parto dificílimo, e a criança, pobrezinha, não resistira. Josefa e a velha

Maria, antigas escravas da fazenda, tudo fizeram para salvá-lo, mas o pequeno nascera mesmo sem vida. Tonha erguera o corpo do filhinho morto e chorara. Fora melhor assim. Ao menos a criança não teria o desgosto de viver como escrava. Seu filho nascera livre. Ao morrer, sua alma se libertara, e ele jamais conheceria o peso da chibata.

Por uma estranha coincidência, Palmira estava para dar à luz na mesma época em que Tonha. Quatro dias depois de o bebê de Tonha nascer, quando ela já havia voltado para a senzala, sentindo ainda as dores do parto, Palmira começara a sentir as contrações, e a parteira fora chamada às pressas. Palmira tivera gêmeos e precisava de uma ama de leite para alimentá-los. Mandaram chamar Josefa, indagando-lhe quem tivera filhos pela mesma época e que pudesse amamentar os pequenos. Contavam com uma negra forte e robusta, de nome Jacinta, que tivera filho poucos dias antes. Jacinta, no entanto, não resistira ao parto e morrera. Josefa, acabrunhada, respondera:

— Sinto muito, sinhá, mas a única escrava assim é Tonha. Jacinta teve criança, mas morreu...

— Tonha? Não quero aquela negra nojenta.

— Então, a sinhá me desculpe, mas não tem outra, não.

— Não é possível que ninguém mais tenha dado cria por esses dias — objetara Licurgo.

— Não deu não, sinhô. Tenho certeza.

— E agora, Licurgo — considerara Palmira —, o que vamos fazer? Não tenho leite para os meninos.

Josefa abaixara os olhos, à espera de que lhe dissessem o que fazer. Licurgo mandara que saísse e esperasse na cozinha. Resolveriam e, então, mandariam chamá-la. Logo que ela saíra, Palmira voltara-se para o marido e exclamara:

— Não vou aceitar o leite daquela negra assassina!

— Palmira, pense bem. A ideia também não me agrada, mas não temos escolha. Nenhuma outra escrava deu cria por esses dias, só Tonha.

Não, não quero. Mande Terêncio à vila comprar uma escrava leiteira.

— Mas, minha querida, e se não houver nenhuma à venda?

— Então, mande-o à vila vizinha. E mande Aldo a outra. Alguém há de encontrar uma ama de leite.

— E, enquanto isso, nossos filhos morrem de fome? Pense bem, Palmira, uma escrava leiteira não é assim tão fácil de se encontrar. E isso pode levar dias.

— Oh! Licurgo, por que não pensou nisso antes de nossos filhos nascerem?

— Eu pensei. Jacinta seria nossa ama de leite, mas teve que morrer. Que azar!

— E agora?

— Sinto muito, meu bem, mas não vejo outra saída. Temos que chamar Tonha.

— Já disse que não quero aquela negra. Perdemos três filhos por causa dela, não haveremos de perder outros dois.

— Palmira, seja razoável. Na verdade, sabemos que Tonha não matou ninguém.

— Como é que sabe? Afinal, só ela sobreviveu. Não acha isso estranho?

— Por que ela faria isso? Estava apaixonada, ganharia a liberdade. Não vê que isso não faz sentido?

— Não sei. Vingança. Como vou saber o que se passa no coração desses negros ingratos? Não, meu caro, desculpe, mas tenho todos os motivos do mundo para odiá-la e não a querer perto de nossos filhos.

Licurgo, durante alguns segundos, estacara e ficara olhando para a mulher. Não fazia nem um ano que perdera Aline, sua filha, e lembrava-se de tudo como se fosse ontem. Lembrava-se de que dera Tonha de presente a Aline quando ela era ainda menina, e que a escrava passara a ser sua protegida. As meninas cresceram juntas e, por uma cruel ironia do destino, Inácio, sobrinho de Palmira, por ela criado como se fosse seu próprio filho, acabara se apaixonando pela negra Tonha, com quem mantivera sigiloso romance. Aline, por sua vez, casara-se com Cirilo, filho do primeiro casamento de Palmira e irmão de Camila. Contudo, Constância...

Ele se lembrava bem de Constância. Uma moça linda, filha de Zuleica, irmã de Palmira, era uma das preferidas no coração da mulher. Constância também se apaixonara por Inácio e tudo fizera para afastá-lo de Tonha. Não fosse seu ódio por Aline também, e ele, Licurgo, nem teria se importado com suas maldades para com a escrava. Mas Constância pretendia atingir também Aline, e isso ele não podia permitir, e acabara por expulsá-la dali. Depois, soubera que a moça voltara para a corte e que fugira logo após o casamento de Aline. Para onde fora? Ninguém sabia.

Os olhos de Licurgo encheram-se de lágrimas quando se lembrou da noite de núpcias da filha. Ele fora chamado às pressas por causa de um incêndio na fazenda Ouro Velho, para onde ela e Cirilo haviam ido, juntamente com Tonha e Inácio. Inexplicavelmente, um incêndio começara, talvez por causa de um monte de palha seca deixado sob a janela do quarto dos noivos. O incêndio destruíra toda a ala sul da mansão, e Aline, Cirilo e Inácio padeceram sob as chamas. Apenas Tonha se salvara. Disseram-lhe que Aline, tentando salvar a negra, empurrara-a para fora do quarto no exato instante em que uma pesada viga desabara sobre ela. Fora uma tragédia horrível e só Tonha sobrevivera.

Pensando nisso, Licurgo não podia recriminar Palmira. Fora muito estranho, era verdade, e ele quase mandara matar a negra. Em vez disso, optara por fazê-la sofrer todas as dores e humilhações de sua condição de escrava, atirada na senzala, experimentando na carne a ponta afiada do chicote.

Voltando à realidade, Licurgo considerara:

— Eu sei. Não tiro seus motivos. Em todo caso, não acredito que tenha sido ela. E depois, creio que ela já pagou um preço muito alto por seu atrevimento. Vamos, Palmira, reconsidere, pelo amor de Deus! As crianças estão famintas e precisam de leite. Ou quer que elas morram de fome?

Ao ouvir isso, Palmira não teve outro remédio senão aceitar o leite de Tonha. Afinal, era uma escrava e estaria apenas cumprindo suas ordens. Desse dia em diante, Tonha abandonara a senzala e voltara para dentro de casa, alojando-se no quarto dos meninos. Seria responsável por sua criação, mas que não contasse com favores especiais. Cumpriria seu dever com zelo e perfeição, porque era uma escrava e devia obediência a seus senhores. Mas que não fosse esperando tratamento especial por causa disso. Ela fora chamada apenas porque as crianças precisavam de leite, e não por uma deferência ou preferência pessoal. Era apenas um dever que tinha de cumprir, e Palmira esperava que ela o desempenhasse da melhor forma possível. Caso contrário, voltaria para a senzala, mas não sem antes passar pelo tronco.

Assim, Tonha passara a ama-seca dos meninos. A princípio, seria responsável por eles apenas durante o período de amamentação e, logo em seguida, voltaria para a senzala. No entanto, Tonha desvelara-se em atenção e carinhos para com Fausto e Rodolfo, e os meninos acabaram se apegando a ela. Embora Palmira e Licurgo tudo tivessem feito para levá-la de volta à senzala, o fato é que as crianças viviam a chamá-la e só iam para a cama se ela fosse junto, para contar-lhes as histórias maravilhosas que conhecia. Palmira não deixara de sentir uma pontadinha de ciúmes, mas acabara cedendo à vontade dos filhos, e Tonha fora ficando. Mesmo depois que cresceram, ela continuara como escrava de dentro, substituindo a velha Josefa, que falecera alguns anos antes.

Nesse ponto, alcançaram a casa grande, e Palmira pediu licença para se retirar. Estava cansada e precisava repousar. Afinal, já ultrapassara os setenta anos e as fortes emoções dos últimos dias acabaram por deixá-la extremamente fatigada. Já ia subindo as escadas quando ouviu a voz da filha atrás de si:

— Quer que lhe faça companhia, mamãe?

— Não, Camila, obrigada. Preciso ficar sozinha um pouco.

Subiu vagarosamente. A cada degrau que avançava, ia pensando na filha. Camila fora uma moça bonita e inteligente, embora não tivesse juízo algum. Perdera a honra para um canalha de nome Virgílio, a mando de Basílio, um antigo namorado, que armara uma trama para levá-la ao altar só para ficar com seu dinheiro. Mas Camila, para surpresa geral, não aceitara desposá-lo, optando por entregar a vida a Deus e enclausurando-se num convento em São Paulo. No entanto, poucos anos após sua partida, Palmira recebera a notícia de que ela se casaria. Fora um alvoroço geral. Ninguém podia compreender o que havia se passado. Mais tarde, quando Palmira e Licurgo chegaram para o casamento, souberam de tudo. O rapaz, Leopoldo, era sobrinho da madre-superiora e se encantara com ela, tendo sido logo correspondido. A princípio, a madre não quisera permitir, julgando aquele amor uma blasfêmia. Mas depois, vendo que os jovens se amavam sinceramente, e não tendo Camila ainda feito os votos, resolvera ceder. Os dois se casaram em cerimônia simples e sem luxo, e continuaram a viver em São Paulo, onde Leopoldo era dono de próspero negócio.

Apesar de tudo, Palmira ficara feliz. Não desejava mesmo que a filha terminasse seus dias num convento, embora concordasse que, dada sua condição de moça desonrada, aquela seria a melhor solução. No entanto, se Camila encontrara um homem que a aceitara do jeito que era, e que não se importava em desposar uma moça já deflorada, para ela estava tudo bem. Licurgo também ficara satisfeito. A enteada já lhe havia dado trabalho demais, e seria um alívio saber que estaria segura e bem cuidada por um homem que a amasse e a sustentasse.

Palmira chegou a seu quarto e se deitou, virando-se para a janela e olhando o horizonte. Já era quase meio-dia, e o céu continuava cinzento, com nuvens ameaçando chuva. Estava cansada, muito cansada. Vivera muitos anos ali, naquela fazenda, sob a guarda de Licurgo, e fora feliz com ele. Ao contrário do que muitos diziam, ele não fora um homem impiedoso e cruel; fora justo. Ainda com a imagem do marido no pensamento, adormeceu. Já não o tinha mais, mas ao menos possuía filhos. Eles, com certeza, não a abandonariam, e ela podia estar certa de que terminaria seus dias ali, junto dos seus.

Capítulo 2

Fausto entrou na sala no exato momento em que a porta da frente se abria, dando passagem a uma jovem, que entrava esbaforida. Chegava acompanhada de um escravo e, logo que entrou, soltou no chão o bauzinho que levava, suspirando aliviada.

— Oh, meu Deus, até que enfim! — desabafou.

— Perdão, senhorita — observou Fausto —, mas não creio que a conheça.

A moça olhou-o atordoada. Entrara tão apressada que nem sequer percebera a presença de alguém ali. Mais que depressa, tratou de se apresentar.

— Oh! senhor, queira me desculpar. Meu nome é Júlia Massada, e sou irmã de Leopoldo, marido de Camila. Conhece-a?

Fausto acenou com a cabeça, e ela continuou:

— Pois é. Vim aqui para o enterro do padrasto de Camila, mas creio que cheguei um pouco tarde.

— Sem dúvida. Mas vamos, entre. Venha descansar.

Júlia sentou-se na poltrona e suspirou. Estava exausta. Viajara o dia inteiro e, ainda por cima, acabara se perdendo no caminho. Ela olhou rapidamente para o escravo, que permanecera de pé, segurando a bagagem, e prosseguiu:

— O senhor é dono da casa?

— Sou sim. Chamo-me Fausto, e Licurgo era meu pai.

— Oh! Sinto muito. Meus sentimentos.

— Obrigado.

Ela ficou a olhá-lo, meio constrangida, até que continuou:

— Senhor Fausto, será que podia chamar minha cunhada? Sei que me demorei demais e não quero incomodar, mas...

— Não é incômodo algum. Camila nos avisou de sua chegada, mas não a esperávamos mais.

— É verdade. Peço que me perdoe. Não conhecia a estrada e acabei por me perder.

— Se me permite a indiscrição, senhorita, por que não veio com seu irmão e sua cunhada? As estradas são perigosas para mocinhas desacompanhadas.

— Mas não vim só. Trajano me acompanhou — e indicou o escravo, que permanecia ainda na mesma posição. — Trajano! Ponha essas coisas no chão!

O escravo obedeceu e continuou ali calado, sem dizer nada, até que Fausto continuou:

— Pois é, senhorita Júlia, até agora não me disse por que veio só...

— Oh, é mesmo. Bem, é que tive que resolver uns problemas lá em São Paulo e só então pude vir.

— Não pretendo ser intrometido, mas que problemas seriam esses, que tiveram que retardar sua viagem?

— Que problemas? Oh, sim, problemas.... Bem, senhor Fausto, digamos que eu estava ocupada com meus... afazeres pessoais.

Fausto, percebendo que ela se esquivava de revelar o motivo de sua demora, achou melhor não insistir. Não queria parecer indelicado, ainda mais porque a moça o impressionara sobremaneira. Ela era linda, e ele estava admirado diante de tanta beleza.

A porta da frente se abriu e Camila entrou em companhia de Leopoldo. Tinham ido dar um passeio a fim de desanuviar o pensamento quando avistaram a carruagem de Júlia parada na porta.

— Júlia, querida! — exclamou Camila, abraçando-a. — Já estávamos preocupados. Por que demorou tanto?

Ela se deixou abraçar e fitou Fausto pelo canto do olho. Ele a olhava com ar divertido, cheio de curiosidade.

— Perdoem-me, mas é que tive uns contratempos — finalizou Júlia.

Júlia lançou para eles um olhar extremamente significativo, que tanto o irmão quanto a cunhada pareceram compreender, e eles mudaram de assunto, deixando Fausto frustrado em sua curiosidade. Virando-se para Trajano, Leopoldo acrescentou:

— E então, Trajano, cuidou dela direitinho?

— Cuidei sim, sinhô. A sinhazinha Júlia é uma ótima moça e não deu trabalho algum.

— Muito bem.

— Vejo que já conheceu meu irmão... Fausto, não é? — indagou Camila, e ele assentiu.

— Conheci, sim.

— Fausto — disse Leopoldo —, como pode perceber, Júlia é minha irmã mais moça. É a caçula de onze filhos. Por isso nossa diferença de idade é tão grande. Júlia poderia ser minha filha.

— E é como se fosse — acrescentou Camila. — Depois que meus sogros morreram, Júlia foi morar conosco, e nós nos afeiçoamos muito a ela. É um amor de menina.

— Obrigada, Camila.

Nesse momento, Palmira entrou na sala amparada por Rodolfo, e foi sentar-se ao lado de Júlia, perguntando a Camila:

— Quem é a mocinha?

— Deixe que lhe apresente, mamãe. Esta é Júlia, irmã de Leopoldo, de quem já lhe falei.

— Júlia... Júlia. Ah, sim, Júlia, sua cunhada. Como vai, minha filha?

— Vou bem, obrigada. E a senhora?

— Como vê, nada bem — respondeu de má vontade. — Como pode uma viúva estar passando bem, não é mesmo?

— Desculpe-me, senhora. Não quis aborrecê-la.

— Não aborreceu. Eu é que lhe peço desculpas. Não quis ser grosseira. É que ainda não me acostumei.

— Deixe disso, mamãe — cortou Rodolfo, impressionado com a figura de Júlia.

— Júlia, esse é meu irmão Rodolfo — apresentou Fausto. — Somos gêmeos.

— Sim, eu sei, Camila me disse. E mesmo que não soubesse, não poderia deixar de notar. A semelhança entre ambos é extraordinária!

— É sim, minha filha — concordou Palmira. — Mas não se preocupe. Com o tempo irá se acostumar e aprenderá a diferenciá-los. Se observar bem, verá que Fausto possui as maçãs do rosto um pouco mais salientes do que Rodolfo. Além disso, Rodolfo tem um sinal perto da orelha esquerda, que Fausto não tem.

— É verdade — disse Júlia, estudando-lhes os rostos. — Mas a diferença é muito sutil. Ninguém nota.

— Bem, por ora chega — disse Camila. — Vou mostrar a Júlia o seu quarto. Ela deve estar cansada.

— Obrigada, Camila. Estou realmente exausta. Trajano, pode trazer minhas coisas, por favor?

O escravo apanhou a bagagem de Júlia e saiu atrás dela. Já na escada, Camila observou:

— É melhor não falar assim com Trajano por aqui.

— Assim como?

— Não seja tão educada. Já lhe disse que os escravos aqui não são tratados feito gente.

— Mas eu não falei nada de mais.

— Não importa. Mamãe não gosta de negros, e não queremos dar-lhe motivos para começar uma questão, não é mesmo?

— Claro que não. Mas onde ele ficará?

— Na senzala, junto com os outros escravos.

— Mas, Camila, Trajano é escravo de dentro.

— Não aqui. Não há escravos de dentro aqui. Só as mulheres trabalham na casa grande.

Júlia olhou para Trajano com olhar penalizado, e este a consolou:

— Não se preocupe, sinhazinha, estarei bem.

Ela suspirou e entrou no quarto que Camila lhe indicara. Não gostava daquilo, mas o que poderia fazer? Trajano era um escravo meigo e dócil, e fora seu amigo e protetor durante toda a sua vida. Como poderia deixá-lo sozinho naquela senzala imunda? No entanto, teve que concordar com a cunhada. Era melhor não facilitar. Despediu-se de Camila e de Trajano e entrou, desabando na cama logo que a porta se fechou e adormecendo imediatamente. Estava exausta e só podia pensar em dormir.

Júlia só despertou no dia seguinte, bem cedo. Levantou-se da cama e desceu para a cozinha. Estava com fome e saiu em busca de um café bem quentinho. Ao chegar, viu que uma escrava preparava o café enquanto cantava uma música numa língua que ela não conhecia. Achou aquela música muito bonita e, quando a negra terminou, cumprimentou da porta:

— Bom dia!

A escrava assustou-se e voltou-se para ela.

— Oh! Sinhazinha, perdão. Não sabia que estava aí.

— Não foi nada. Achei muito bonita a sua música.

— A sinhazinha gostou?

— Hum, hum. Onde a aprendeu?

— Ah, sinhazinha, são cantigas lá da minha terra. Ninguém se lembra mais...

— Como é o seu nome?

— Tonha, sinhá.

— Tonha? Você é que é a Tonha?

Tonha a olhou meio espantada. De onde é que aquela sinhazinha a conhecia? Ela nunca a vira por ali. Sequer estivera presente no enterro. Quem seria ela? Um pouco desconfiada, respondeu hesitante:

— Sou, sim. Por que a sinhazinha quer saber?

— Oh! Desculpe-me, nem me apresentei. Sou Júlia, cunhada de Camila. Cheguei ontem.

— Ah, então a sinhazinha é que é a irmã de sinhô Leopoldo?

— Sou eu mesma. É que me atrasei e não consegui chegar a tempo para o enterro.

Tonha olhou para ela e sorriu. Aquela menina, além de linda, era também muito amável. Tinha um semblante sereno, um ar assim de quem respeita a vida.

— A sinhazinha quer café? — perguntou afinal.

— Por favor. Cheguei ontem à tarde e estava tão cansada que nem comi. Caí na cama e dormi até hoje.

— Se a sinhazinha não se importar de comer na cozinha, sente aí que lhe preparo um café da manhã especial.

Júlia sentou-se e Tonha serviu-lhe café, leite, pão, manteiga, queijo, bolo e outras guloseimas que havia preparado. Gostara muito daquela menina e queria agradá-la apenas para ver seu ar de satisfação. Estava parada, admirando Júlia comer, quando escutou batidas na porta. Voltou-se e deu de cara com Trajano, cabeça baixa, segurando nas mãos o chapéu amassado.

— Ah! Trajano, entre! — chamou Júlia. — Está com fome?

Ele assentiu, e ela o convidou a sentar-se à mesa. Tonha, desacostumada àquelas intimidades, disse alarmada:

— Sinhazinha, perdoe-me o atrevimento, mas sinhá Palmira não vai gostar nadinha de saber que a sinhá tomou café com um escravo.

— Ora, Tonha, mas o que é isso? Dona Palmira está dormindo.

— Mas ela pode ficar sabendo...

— Deixe de bobagens, Tonha. Trajano é meu amigo. E depois, quem contaria a ela? Você?

— Deus me livre, sinhá, que não sou dada a mexericos.

— Então não se preocupe. Trajano está acostumado a sentar-se à mesa conosco e não fará feio. Você verá.

— Não duvido disso, sinhá. Mas é que me preocupo também com o rapaz. Sinhá Palmira pode se zangar e...

— Sinhá Palmira não é dona de Trajano e nada pode fazer contra ele.

— Eu sei, mas pode ficar de birra com ele. É isso o que quer? Que ela implique com o moço?

Júlia pensou por alguns instantes e concordou:

— Tem razão, Tonha. Não vale a pena provocar dona Palmira. Trajano, pegue seu café e vá tomá-lo lá no terreiro. É melhor.

— Também acho, sinhá. Não quero criar problemas.

Trajano pegou sua refeição e saiu. Era um bom rapaz e gostava muito de Júlia para causar-lhe qualquer tipo de aborrecimento. E depois, não se importava. Era escravo mesmo, e lugar de escravo era na senzala. Eram poucos os que, como os Massada, tratavam negro feito gente.

Depois que ele saiu, Tonha indagou, curiosa:

— A sinhazinha vai me desculpar, mas não acha que esse seu jeito de tratar o escravo pode acabar mal?

Júlia olhou-a com ar divertido. Conhecia a história de Tonha e disse:

— Ora, Tonha, mas logo você? Pelo que soube, tinha uma amizade um tanto quanto especial com a filha de seu Licurgo, Aline.

Tonha parou estarrecida e, escolhendo as palavras, respondeu:

— Desculpe, sinhazinha, mas como sabe de Aline?

— Sei de tudo o que aconteceu nesta casa. Minha cunhada me contou.

— Ah, sinhá Camila, é verdade. Ela conhece a história toda.

— Conhece sim. E gosta muito de você.

— Eu sei. Também gosto muito dela, e fiquei com muita pena quando...

— Pode falar, Tonha, sei disso também. Meu irmão e eu sabemos tudo sobre Camila e não nos importamos. Ela é como uma mãe para mim.

Tonha lembrou-se de Aline, do quanto era sua amiga e do quanto se amavam. Por que tivera que morrer? Subitamente, duas lágrimas rolaram de seus olhos, e ela voltou o rosto para a janela, tentando ocultá-lo de Júlia.

— Você está chorando! Oh, sinto se a deixei triste. Não devia ter tocado nesse assunto.

— Não foi nada, sinhazinha, deixe estar. É que senti saudades...

— Posso imaginar. Mas, então, não falemos mais nisso. Não vale a pena desenterrar os mortos, porque eles não podem se levantar e voltar a viver entre nós.

— Tem razão, sinhazinha, desculpe.

— Deixe de bobagens. Você não tem nada do que se desculpar.

— Sinhazinha?

— Hum? O quê?

— E esse rapaz, o Trajano?

— O que tem ele?

— É um bonito rapaz, não é mesmo?

— É sim, Tonha, muito bonito.

— A sinhazinha e ele... quero dizer... vocês não... vocês não estão...

Júlia soltou uma gargalhada e respondeu, gracejando:

— Enamorados, você quer dizer? Não, Tonha, claro que não. Não que isso fosse impossível. Trajano é mesmo um rapaz muito bonito, e eu não tenho nada contra os negros. No entanto, Trajano e eu fomos acostumados um ao outro desde pequenos. Quando minha mãe morreu, eu era ainda muito criança e fui morar com meu irmão. Trajano ajudou a cuidar de mim, e tornamo-nos muito amigos.

— Fico feliz em saber disso, sinhazinha. O amor entre um branco e um negro pode ser muito doloroso...

— Eu sei, Tonha, nem precisa dizer. Camila me contou sobre seu romance com o primo dela, Inácio, e o quanto você sofreu com sua morte.

— Foi muito triste, sinhá. Todos aqui passaram a me acusar, até que os meninos, Rodolfo e Fausto, nasceram.

— Eu sei, Tonha.

— Sabe, sinhá, eu tive um filho, mas ele morreu...

— Sei disso também, e sinto muito. O destino, às vezes, pode ser bem cruel.

— Será? Será que não foi melhor ele morrer ainda bebezinho? Ao menos assim não tive que sofrer vendo o sofrimento dele.

— Não sei. Mas, por favor, não pense mais nisso. Não falemos mais de coisas tristes.

De repente, a sineta tocou e Tonha foi atender. Era sinhá Palmira, mandando servir o café. Como Júlia já havia comido, levantou-se da mesa, apressada, e saiu para o terreiro.

— Diga a Camila e aos demais que saí para dar uma volta — pediu.

— Pode deixar, sinhá.

— Obrigada, Tonha.

Júlia saiu para o terreiro e foi ao encontro de Trajano, convidando-o para um passeio. O escravo levantou-se sorridente e saiu em companhia da moça, seguindo pela estradinha que conduzia à estrada principal.

À mesa do café, a família encontrava-se reunida: Palmira, Leopoldo, Camila e os filhos, Rodolfo, Fausto, Zuleica e sua filha Berenice.

— Tia Palmira — iniciou Berenice —, mamãe e eu devemos partir amanhã pela manhã.

— Mas, já? — indagou Palmira, surpresa. — Pensei que fossem se demorar ainda um pouco mais.

— Sinto, titia, mas Miguel ficou sozinho cuidando dos negócios para que pudéssemos viajar. Partiremos para Lisboa daqui a quinze dias, e sabe como são os homens sem suas esposas, não é mesmo?

— Pretendem demorar-se?

— Um pouco. Miguel já está há muito tempo longe e sente saudades da família.

— Tem razão, minha querida. Vão. Compreendo. E vocês, Camila, não vão ficar?

Leopoldo olhou para a sogra e respondeu:

— Eu não, dona Palmira, apenas Camila. Ela decidiu passar uns dias fazendo-lhe companhia, e os rapazes podem ficar com ela. Eu, porém, tenho que voltar. Tenho negócios em São Paulo. Creio que a companhia da família lhe fará muito bem.

— Papai tem razão — concordou Dário. — Penso que vovó ficaria feliz se estivéssemos todos juntos.

— Ficaria sim, meu filho — tornou Palmira.

— E Júlia também pode ficar, se quiser — acrescentou Leopoldo. — Por falar nisso, onde está?

— Tonha disse que foi dar uma volta — respondeu Dário.

— Então, quando chegar, perguntaremos a ela.

Quando Júlia voltou, ficou muito feliz em poder passar uns dias ali na fazenda. Tinha planos e precisava de tempo para colocá-los em prática. E depois, havia Fausto. Ela mal o conhecia, mas sentira uma emoção especial ao vê-lo e pensou que seria maravilhoso conhecê-lo melhor.

Dário olhou pela janela com ar amuado. A manhã fria e chuvosa o impedia de sair pela fazenda, e ele não gostava de ficar trancado dentro de casa. Ouviu batidas na porta e disse sem maior interesse:

— Pode entrar.

A mãe entrou sorridente, sentou-se a seu lado e disse:

— E então, meu filho, dormiu bem?

— Otimamente, mamãe. Pena que está chovendo novamente. Gostaria de caminhar um pouco mais pela fazenda.

— Não se preocupe, querido, haverá ainda bastante tempo para isso.

— Quanto tempo pretende ficar?

— Não sei bem. O suficiente para deixar Ezequiel e Rebeca à vontade na fazenda Ouro Velho.

— Acha que encontrarão algum tipo de problema?

— Não creio. Seu tio Fausto tem bom coração. Creio que não criará embaraços ao arrendamento da fazenda.

— E vovó?

— Sua avó não pode saber. Ao menos enquanto o negócio não estiver concluído.

— E Júlia, conseguiu alojá-los?

— Sim. Pelo que me disse, ela acomodou os três na estalagem da vila. Creio que hoje mesmo teremos notícias deles. A propósito, onde está seu irmão?

— Não sei, mamãe. Não o vi.

A porta do quarto se abriu e Júlia entrou apressada. Estava ansiosa e não conseguira dormir durante quase toda a noite. A preocupação com os amigos a deixara acordada, pensando na sorte que o destino reservara à pobre Sara.

— Oh! Camila — começou a dizer —, que bom que a encontrei aqui. Estou tão nervosa!

— Fique calma, minha querida. Tudo vai dar certo.

— O que faremos? — perguntou Dário.

— Creio que o melhor a fazer é conversar com Fausto — ponderou Camila.

— Sim, creio que sim — concordou Júlia. — Você vai falar com ele?

— Vou sim.

— Posso ir junto? — pediu Dário.

— É claro, meu bem.

— Também gostaria de ir — acrescentou Júlia.

— Pois, então, vamos todos agora mesmo procurá-lo.

Os três saíram em busca de Fausto, que se levantara cedo e estava no estábulo, vistoriando os animais. Quando viu Júlia, seu rosto se iluminou. Ele já podia perceber que seu coração começava a se render aos encantos da concunhada e estava deliciado com sua presença ali, em sua casa. Quando eles chegaram, cumprimentou-os:

— Bom dia. O que os traz aqui logo pela manhã?

— Fausto — principiou Camila —, temos algo importante para lhe falar.

— Comigo?

— Será que podemos ir para algum lugar mais sossegado?

— Sim, claro que sim. Vamos para o gabinete que era de papai. Ninguém nos incomodará lá.

Os quatro seguiram em silêncio. Fausto não podia atinar no assunto que levara sua irmã, o filho e a cunhada a quererem falar com ele. Será que precisavam de dinheiro e, agora que o pai morrera, resolveram pedir-lhe ajuda? Não, certamente que não. Pelo que sabia, Leopoldo estava muito bem de vida e não precisava de nada. Mas, então, o que poderia ser? Bem, fosse o que fosse, o fato é que levara para perto dele a menina Júlia, por quem demonstrava um interesse forte e genuíno. Ao entrarem no gabinete, Fausto fechou a porta e fez com que eles se sentassem, sentando-se bem à sua frente. Eles olharam-no por alguns instantes, sem dizer nada, até que ele os encorajou:

— Bem... o que têm de tão importante para me falar?

Camila olhou para ele e tossiu. Tinha medo da reação dele ao conhecer o motivo que os levara até ali.

— Fausto — começou —, a fazenda Ouro Velho, que pertencia a meu pai, hoje é administrada por você e Rodolfo, não é mesmo?

Ele a olhou com ar interessado e respondeu:

— Sim, por quê? Por acaso tem algum interesse nela?

— Bem, sim e não.

— Como assim? Ouça, Camila, sei que parte daquelas terras lhe pertence, talvez até mais do que a mim. Afinal, você herdou um bom quinhão quando seu pai morreu, e nós não temos a intenção de lesá-la ou tomar o que é seu. Nós apenas a administramos, como você bem disse, porque você se mudou para longe, e a fazenda ficou abandonada. Contudo, se você veio reclamar sua parte, é mais do que justo. Afinal, tem filhos, e eles também têm seus direitos...

— Por favor, Fausto, não se justifique. Sei que vocês não têm a intenção de me lesar, e não é sobre isso que vim falar. Tampouco pretendo reivindicar a posse de nada. Meus filhos e eu, com a graça de Deus, não precisamos da fazenda. No entanto, há algo que gostaria de pedir.

— Verdade? O que é? Pode falar.

— Bem, a fazenda está abandonada, não é mesmo?

— Abandonada, não. Está desabitada. Mas nós continuamos a tratar da casa, e as terras continuam a ser cultivadas. Por quê?

— Bem, vou falar logo, porque sei que você é um homem sensato e de bom coração. Nós temos uma família, muito nossa amiga, que está passando por sérios problemas.

— Sim? Que tipo de problemas? Financeiros?

— Não. Eles são ricos e não precisam de dinheiro.

— E de que precisam, então?

— Digamos que precisam de... saúde.

— Saúde? Não estou entendendo. Aonde quer chegar, Camila?

— Por favor, Camila, pode deixar que eu conto tudo — apressou-se Júlia. — Afinal, Sara é muito mais minha amiga do que de vocês.

— Sara? Mas do que se trata, pelo amor de Deus?

— Bem, Fausto, é o seguinte. Lá em São Paulo, temos um casal de amigos cuja filha está seriamente doente e, por recomendação médica, devia procurar um lugar nas montanhas onde pudesse se restabelecer. O médico acha que o ar puro e o contato com a natureza poderiam ajudá-la a se curar.

— E daí?

— E daí que, quando resolvemos vir para cá, Camila se lembrou de que a fazenda Ouro Velho estava vazia e pensou que seria boa ideia arrendá-la para eles.

— Ah! Mas é só isso? Por que não falaram logo?

— Porque eles são judeus.

Fausto levantou a sobrancelha, espantado. Não esperava por aquilo. Não que tivesse alguma coisa contra os judeus, não era isso. Nem tinha contato com eles, não conhecia nenhum. Mas conhecia muito bem sua mãe e sabia que ela não gostava de ninguém que não fosse católico. Nem protestantes, muito menos judeus. Ele se levantou e caminhou para a janela, falando para Júlia, sem se virar para ela:

— Foi por isso que se atrasou, Júlia?

Ela hesitou, mas vendo o ar de aprovação de Camila, respondeu:

— Foi... foi sim. Tive que acomodá-los.

— Bem, Júlia, você não conhece minha mãe, mas Camila sim. Sabe que será impossível convencê-la.

— Eu sei — concordou Camila. — Foi por isso que vim falar com você e não com ela ou com Rodolfo. Sei que você é uma boa pessoa e saberá compreender nossos motivos.

— Compreender, eu compreendo. Mas como acha que poderei convencer minha mãe a aceitar um negócio desses?

— Por que não trata de tudo você mesmo? — sugeriu Dário. — Vovó não precisa ficar sabendo.

— Sim — acrescentou Júlia. — Diga-lhe apenas que há interessados em arrendar a fazenda. Você não precisa especificar quem são. Você é o administrador legal, pode muito bem realizar o negócio.

— Eu, sozinho, não. A fazenda é administrada por mim e por Rodolfo. E não creio que ele concorde.

— Ele também não precisa saber — disse Dário, ansioso. — Por que teria que lhe contar?

— Sinto, mas o que me pede é impossível.

— Não é impossível — contestou Júlia. — Se você quiser, poderá muito bem fazê-lo.

— Não posso.

— Por que não diz que não quer? Tem medo?

— Não é isso. Mas não posso trair o mandato que me foi outorgado...

— Não se esqueça de que eu também sou uma das outorgantes — disse Camila. — E eu o estou autorizando a realizar o negócio.

— Por favor, tio Fausto, não seja tão duro — suplicou Dário. — Não se sente condoído pela dor alheia?

— Não se trata disso.

— E do que se trata, então? — indagou Júlia com ar incisivo. — De má vontade? Orgulho? Ou preconceito mesmo?

Fausto voltou-se para eles e encarou-os firmemente. Primeiro Júlia, depois Camila e Dário, até que levantou os ombros em sinal de resignação e disse:

— Está bem. Verei o que posso fazer.

— Oh, obrigada! — exclamou Júlia, ao mesmo tempo em que se atirava ao redor de seu pescoço, estalando-lhe um beijo na face. — Sabia que você não nos decepcionaria.

Ele levou a mão ao rosto enrubescido e retrucou:

— Tenham calma. Não estou lhes prometendo nada.

— Só a compreensão já é o suficiente para tentar — concluiu Camila.

Saindo dali, Fausto foi procurar a mãe e o irmão, levando-lhes a notícia de que havia pessoas interessadas em arrendar a fazenda Ouro Velho. Tratava-se de um casal com uma filha doente, conhecidos de Camila, que gostariam de passar uns tempos nas montanhas, em contato com a natureza. Palmira, a princípio, quis recusar. A fazenda fora de seu primeiro marido, e ela vivera ali muitos anos. Além disso, fora ali que perdera o filho, a nora e o sobrinho, mortos naquele incêndio fatídico. Como permitir que estranhos ocupassem a casa como se fossem seus donos? Rodolfo, porém, sem de nada desconfiar, acabou por concordar com o irmão.

— Creio que Fausto tem razão, mamãe. A fazenda foi reformada, mas está vazia há anos. Por que não arrendá-la? Com o dinheiro, podemos pagar os impostos. Isso sem falar no fato de que haveria alguém morando lá, que a conservaria para nós.

— Sim, mamãe, é isso mesmo. E, depois, por que ficar apegada ao passado, a coisas e pessoas que se foram e que não voltam mais?

— Não fale assim de seu irmão, Fausto, você nem o conheceu. Quando ele morreu, você ainda nem era nascido.

— Por isso mesmo. Será que vale a pena fazer de uma casa o túmulo sagrado da lembrança de pessoas que já se foram?

— Vamos, mamãe, concorde. Será só por uns tempos.

— Está bem — disse Palmira por fim. — Que seja. Mas avise a essas pessoas que não vou tolerar abusos em minha casa. Não quero que tirem um só móvel do lugar nem que modifiquem nada.

— Pode deixar, mamãe. Cuidarei disso pessoalmente, se Rodolfo não se importar.

— Ora, meu irmão, vá em frente. Você tem todo o meu apoio.

Dali, Fausto foi em busca de Camila e partiu com ela, Júlia e Dário para a vila, ao encontro de Ezequiel e Rebeca Zylberberg. Na estalagem, fecharam o negócio, e ficou acertado que a família se mudaria no dia seguinte. Foi uma felicidade geral. Ainda mais para Dário, cuja amizade por Sara há muito se estreitava. Os dois eram inseparáveis e poderiam continuar a se ver. Dário tinha certeza de que ali, a seu lado, Sara melhoraria e, com a ajuda de Deus, logo se restabeleceria daquela enfermidade maldita, que lhe ia minando as forças e o alento.

Capítulo 3

O Sol finalmente se firmou, e os jovens resolveram sair para um piquenique. Apesar do frio, fazia uma linda manhã, e todos se animaram. Trajano foi junto; não se separava de Júlia e dos meninos, como os chamava. Com eles, Etelvina, uma escrava bonitinha, de seus dezenove anos, que ia carregando as cestas com a comida.

Já no terreiro, Dário perguntou à mãe:

— Não quer vir conosco, mamãe?

— Não, meu filho. Prefiro ficar fazendo companhia a sua avó. E depois, a ocasião é para os jovens. Vão e divirtam-se.

Eles começaram a caminhada rumo ao córrego que corria mais abaixo, seguindo a trilha no meio do mato. Fausto ia ao lado de Júlia, sem nem se dar conta do olhar de reprovação que Rodolfo, de quando em vez, lançava para eles. A moça, alegre e extrovertida, foi logo puxando conversa:

— Perdoe-me a indiscrição, Fausto, mas já que Camila falou em jovens, não pude deixar de observar que você e Rodolfo já não são assim tão moços.

Ele sorriu meio sem jeito e considerou:

— É verdade. Quando nascemos, minha mãe tinha mais ou menos quarenta anos. Como sabe, somos filhos de seu segundo casamento.

— Eu sei. Por falar em casamento, por que não se casaram?

— Por quê? Não sei ao certo. Creio que porque não houvesse por aqui muitas moças disponíveis. Ou, pelo menos, alguma que valesse a pena... até agora.

Ela corou e abaixou os olhos, falando envergonhada:

— O que quer dizer? Está interessado em alguém?

— Não notou?

— Não sei dizer...

— Pois então, eu mesmo lhe direi. Até agora, nunca havia conhecido moça alguma que me interessasse. No entanto, quando vi você, confesso que fiquei impressionado.

— Impressionado com o quê?

— Com sua beleza, com sua bondade, com sua sensibilidade, com sua coragem. Isso basta?

— Não acha que está exagerando?

— Não, não acho. Acho que nem todos os elogios do mundo seriam suficientes para descrevê-la.

— Por favor, Fausto, está me encabulando.

— Desculpe-me, mas é a verdade.

— É sempre assim tão direto?

— Só com quem me interessa. E você, mais do que qualquer outra coisa, despertou em mim um enorme interesse.

Ela já ia responder quando ouviu atrás de si uma voz familiar, muito parecida com a de Fausto, dizendo num gracejo:

— Posso saber sobre o que falam os pombinhos? — era Rodolfo que, um pouco mais atrás, escutara toda a conversa.

— Sobre nada de especial — disse Fausto em tom vago. — Por que quer saber?

— Por nada. Apenas gostaria que não privasse os demais da companhia de tão agradável jovem.

Fausto olhou-o surpreso. Só então percebeu que o irmão também se interessara por Júlia e ficou desconcertado. Era uma situação delicada, e ele não queria magoá-lo. No entanto, não abriria mão da moça. Gostava dela e tencionava cortejá-la. Ainda que isso desagradasse o irmão.

A verdade, porém, era que Rodolfo não estava propriamente interessado em Júlia, e sim em competir com Fausto. Desde a mais tenra idade, Rodolfo desenvolvera uma inveja desmedida do irmão que nem mesmo ele sabia explicar. O fato era que tinha que possuir tudo o que Fausto quisesse ou possuísse. Era uma necessidade. E se Fausto desejava Júlia, Rodolfo decidiu que teria que tê-la. Além do mais, ela era linda, e não seria nenhum sacrifício tomá-la do irmão.

Júlia, por sua vez, também notara o interesse de Rodolfo e, pedindo licença a ambos, apertou o passo, indo juntar-se aos sobrinhos. Discretamente, achegou-se a eles e tomou o braço de Dário, que caminhava pensativo.

— O que há com você? — indagou. — Parece triste.

Ele sorriu acabrunhado e, olhando para o chão, disse:

— Quer mesmo saber?

— É claro que quero. Pode confiar em mim. Além de sua tia, sou também sua amiga. Temos quase a mesma idade.

— Pois é...

— E então? O que o aflige?

— É Sara.

— Sara? O que tem ela? Que eu saiba, ela e a família já se instalaram na fazenda Ouro Velho. Assim que puder, irei vê-los.

— Sara e eu estamos apaixonados, Júlia.

— Eu sei.

— E penso que já chegou a hora de nos casarmos.

— Mas isso é maravilhoso! E quando será?

— Não sei. Ainda não falei com seus pais.

— Pois fale logo. Vocês já estão namorando há algum tempo, e tenho certeza de que eles darão seu consentimento.

— Quisera eu estar assim tão certo.

— Por quê?

— Primeiro, porque nós somos católicos. E segundo, porque ela está gravemente enferma.

— E daí? Sabe que não temos nenhum preconceito, nem nós, nem a família de Sara. E quanto à enfermidade, tenho fé em Deus que ela irá se curar.

— Mas, e vovó? Será que aceitará?

— Dário, perdoe-me pelo que vou lhe dizer. Sua avó já está velha e não pode mandar em você. Nós moramos longe daqui, e ela pouco sabe a seu respeito ou de seu irmão. Não creio que tenha força suficiente para impedir seu romance.

— Espero que você esteja certa.

— Ora, pare de se preocupar e ponha um sorriso nesse rosto. Não quer que os outros desconfiem, quer?

— Não, claro que não.

O grupo alcançou o córrego e Trajano foi ajudar Etelvina a estender a toalha para o piquenique. A escrava estava distraída, arrumando as comidas sobre a toalha, e nem notou a presença de Túlio que, um pouco mais atrás, fitava-a com olhar de cobiça. Subitamente, como se fosse guiada pela intuição, ela se voltou e deu de cara com ele, assustando-se. Havia algo de estranho naquele olhar, e ela teve medo. Não conhecia aquele moço, mas logo percebeu suas más intenções.

Trajano, por sua vez, conhecia-o muito bem. Ajudara a criá-lo e sabia de suas tendências. Olhou para ele com ar de reprovação e pediu a Etelvina que fosse chamar os sinhôs para o lanche. Ela dirigiu-lhe um olhar de agradecimento e foi chamá-los. Não gostara daquele moço e não queria ficar perto dele. Trajano, logo que ela se afastou, sentou-se ao lado de Túlio e disse em tom de reprovação:

— Sinhozinho, veja lá o que vai fazer. Etelvina parece uma moça direita.

— Mas o que é isso, Trajano? Por acaso pedi sua opinião? E depois, não estou fazendo nada.

— Eu conheço o sinhô e sei muito bem o que se passa na sua cabeça. Não pode ver rabo de saia.

— E daí? Por acaso a negrinha é alguma coisa sua, é? Ou você também está de olho nela?

Disse isso piscando um olho e dando um tapinha de leve no ombro do outro. Trajano, porém, respondeu calmamente:

— Não, sinhô. Mas ela é uma boa menina, e não quero que se magoe.

— Como é que sabe, hein? Por acaso a conhece? — Ele balançou a cabeça. — Então não se preocupe. Ou melhor, não se meta.

— Desculpe, sinhô, mas eu só estou falando porque depois o sinhozinho vem correndo, pedindo para eu consertar suas besteiras.

— Não faz mais do que sua obrigação. É para isso que serve.

Trajano olhou-o magoado e acrescentou:

— O sinhozinho é um ingrato, isso sim. Mas deixe estar, que vou contar tudinho a sua mãe.

Levantou-se rapidamente para ir embora, mas Túlio chamou-o de volta.

— Espere, Trajano. Para que isso? Eu só estava brincando.

— Não estava não. Conheço o sinhozinho muito bem e já vi esse olhar antes.

— Olhe, está bem. Não vou bulir com a negrinha, está bem? Não precisa contar nada a mamãe, está certo?

— Se o sinhô prometer...

— Prometo.

Trajano não disse mais nada. O grupo ia se aproximando animado, e ele não queria que ninguém soubesse o que estava se passando. No entanto, ficaria de olho em Túlio. Ele não era digno de confiança, e não valia a pena facilitar. Fitando Etelvina pelo canto dos olhos, Trajano pôde perceber o quanto ela era bonita. Ela, por sua vez, lançava-lhe olhares discretos, contente em se ver admirada por ele. Só o que não lhe agradava eram os olhos de sinhô Túlio, que também não paravam de segui-la.

Já era tarde da noite, e Júlia não conseguia conciliar o sono. Por mais que quisesse, não podia parar de pensar em Fausto. Ele era um rapaz maravilhoso. Bonito, maduro e, acima de tudo, dono de uma alma boa e generosa. Lembrou-se do piquenique do outro dia, do quanto riram e gargalharam juntos. Estava feliz. Gostava dele e sabia que ele também gostava dela. Quem sabe, finalmente, não poderia amar alguém de verdade? Ela também já não era mais nenhuma menininha. Já passara dos vinte e cinco anos e ultrapassara, em muito, a idade de se casar. No entanto, jamais se apaixonara por alguém. Todos os homens que conhecia eram frívolos e fúteis, e nada tinham a oferecer. Júlia, ao contrário das outras moças, não se importava em ficar solteira. O que não queria era casar-se por medo ou obrigação. Não precisava de ninguém, e pouco lhe importava a opinião que faziam a seu respeito. Se quisessem, que a chamassem de solteirona. Mas ela não se casaria sem amor. Isso nunca. Só que Fausto... era diferente. Era íntegro, honesto, interessante, e ela já não conseguia esconder de si mesma a atração que sentia por ele.

Em seu quarto, Fausto também não parava de pensar em Júlia. Ela era maravilhosa! Linda, meiga, alegre e decidida. Tudo o que um homem feito poderia desejar numa mulher. Assim como Júlia, Fausto também se apaixonara. Sabia que seu coração ansiava por encontrá-la novamente e sentia como se tivessem nascido um para o outro. No entanto, havia ainda Rodolfo. Ele conhecia o irmão muito bem para saber que ele também se interessara por ela. Mas, o que diria Júlia? Eles eram gêmeos, e será que ela já teria firmado uma preferência entre eles? Fausto sorriu intimamente. Estava certo de que Júlia gostara dele e não do irmão. Eles não ficaram quase tempo nenhum juntos. Ele sentiu pena de Rodolfo. Se também estivesse apaixonado, sabia que sofreria, porque ele não abriria mão da amada por ninguém.

Rodolfo, por sua vez, passeava no jardim. Ia fumando seu charuto, caminhando vagarosamente, penetrando por entre a escuridão que a madrugada sem lua deitava sobre a Terra. Também ia pensando. Júlia era uma moça encantadora, e ele não podia esconder seu interesse. Sabia, porém, que o coração dela já estava preso ao de Fausto. Pudera perceber que o irmão gostava dela e que era correspondido nesse sentimento. Pensando nisso, sentiu uma pontada de raiva, e o ciúme começou a doer dentro do peito. O que fazer? Ele ficou ali, imaginando um meio de acabar com aquele encantamento entre Fausto e Júlia. Precisava tomá-la do irmão a qualquer preço. Depois que conseguisse separá-los, veria o que fazer com ela.

Quando o dia amanheceu, Fausto e Rodolfo se encontraram, ambos carregando no rosto as marcas de uma noite mal dormida.

— Nossa! — exclamou Fausto. — O que houve com você? Está horrível. Por acaso não dormiu?

Rodolfo olhou para ele com ar de mofa e respondeu:

— Você também não está lá essas coisas. O que foi que houve? Alguém lhe roubou o sono?

Fausto sentiu um quê de ironia nessa indagação, mas fingiu não perceber. Tentando mudar de assunto, perguntou:

— Já tomou seu café?

— Já, sim.

— Então, podemos ir?

— Sim, claro.

Dali, partiriam para a plantação. Já estavam saindo quando escutaram a voz de Júlia, que ia correndo atrás deles.

— Esperem! Esperem! — gritava.

— Júlia! — fez Rodolfo espontaneamente. — Mas que surpresa. Aonde vai?

— Gostaria de dar uma volta e procuro companhia — disse, olhando para Fausto pelo canto do olho, e ele sorriu em resposta. — Será que posso acompanhá-los?

— Ora, mas será um prazer desfrutar de tão bela companhia — apressou-se Fausto em dizer.

Como se esquecessem da presença de Rodolfo, os dois puseram-se a caminhar lado a lado, indo em direção às cocheiras.

Iam alegres e sorrindo, e Fausto, de quando em vez, pegava sua mão e a levava aos lábios, o que irritou profundamente Rodolfo. Só faltava se beijarem. E qual não foi o seu espanto quando Fausto, de repente, estacou na porta da cocheira e, tomando a cabeça de Júlia entre as mãos, pousou-lhe um beijo carinhoso e apaixonado, que a moça correspondeu sem relutar.

— Perdoe-me, Júlia... — começou Fausto a gaguejar logo que a soltou — ...não sei o que deu em mim... É que sua presença... seu perfume... Júlia, desculpe-me pelo que vou lhe dizer... mas é que... é que...

— Sim? — indagou Júlia, aflita. — Vamos, diga logo. É que o quê?

— É que... bem... é que... eu acho que... acho que a amo...

Ele olhou para ela com tanto amor, que ela não se conteve e atirou-se em seus braços, chorando de emoção.

— Oh! Fausto — exclamou entre lágrimas. — Nem pode imaginar o quanto fico feliz em ouvir isso.

— Quer dizer então que... que também me ama?

— Sim, estou certa que sim. Desde o primeiro dia em que o vi, senti que havia algo especial em você e não pude mais parar de pensar em seu jeito, sua voz. Se isso não é amor, não sei o que é, então!

— Minha querida. Minha doce Júlia. Quero pedir permissão a minha irmã para fazer-lhe a corte. Será que consentirá?

— Camila, além de minha cunhada, é também minha amiga. Tenho certeza de que não só concordará, mas também dará todo o seu apoio.

Beijaram-se novamente. Estavam tão entretidos um com o outro que se esqueceram completamente da existência de Rodolfo e nem se deram conta quando ele se acercou deles, falando com azedume:

— Ora, ora, mas então os pombinhos resolveram colocar as asinhas de fora, é?

Os dois afastaram-se meio sem jeito, Júlia corando, até que Fausto respondeu:

— Não é nada disso, Rodolfo. E não sei por que está sendo sarcástico. Júlia e eu nos amamos e vamos assumir compromisso.

— É mesmo? Mas que notícia maravilhosa! Meus parabéns, meu irmão, e que vocês sejam muito felizes.

Sem esperar resposta, Rodolfo montou no cavalo que o escravo lhe oferecia e saiu a galope, rumo à plantação. Júlia olhou para Fausto preocupada e comentou:

— Acho que Rodolfo não gostou da novidade.

— Creio que você tenha razão. Pelo que pude perceber, Rodolfo também se interessou por você e deve estar se sentindo rejeitado.

— Já que você disse, também notei algo diferente em seu olhar. Contudo, apesar de vocês serem idênticos fisicamente, meu coração pendeu para o seu, pois sua alma me parece diferente da dele, e sinto como se já o amasse há muito tempo.

— Engraçado, também sinto a mesma coisa. — Ele a beijou novamente e indagou: — Acha-nos mesmo assim tão parecidos?

— Sem dúvida.

— Ainda não consegue nos distinguir?

— Quando estão próximos, sim. Mas de longe, confesso que não sei dizer quem é quem.

— É natural. Mas não se preocupe. Com o tempo, você irá se acostumar a perceber nossas diferenças.

— É o que espero.

— Eu também. Não gostaria de vê-la nos braços de meu irmão pensando que está nos meus.

Ela riu e apertou suas bochechas, falando num gracejo:

— Tolinho, isso nunca vai acontecer. Posso confundi-los na aparência, mas só você consegue balançar meu coração.

— Será mesmo?

— É claro que sim. E agora, pare com essa preocupação. Rodolfo é seu irmão e, por mais que tenha se interessado por mim, sei que isso é passageiro e, logo, logo, ele vai superar.

Fausto não disse mais nada, mas o fato é que estava preocupado. E se Rodolfo não se conformasse? E se ficasse com raiva? A rejeição, muitas vezes, estimula sentimentos que nem sequer conhecemos. E, depois, Rodolfo sempre lhe parecera um tanto quanto invejoso. Desde pequenos, sempre cobiçara seus brinquedos, suas roupas. Fausto achou melhor não pensar naquilo. Talvez Júlia tivesse razão, e ele estivesse fazendo mau juízo do irmão. Era só esperar e tudo se resolveria. Ou, ao menos, tudo se definiria.

Fausto não tocou mais no assunto e ajudou Júlia a montar no cavalo, saindo com ela em direção ao cafezal. Ela era exímia amazona, e ele ficou admirado. Gostava de mulheres que sabiam montar e cavalgar, e não daquelas que se limitavam a sentar no cavalo e se deixar conduzir. Júlia era perfeita.

Quando chegaram à plantação, Rodolfo estava gritando com os escravos e distribuindo ordens ao capataz, nitidamente de má vontade. Rodolfo olhou para Júlia discretamente, mas ela fingiu não perceber. Estava claro que Rodolfo sentia ciúme e procurava descontar sua frustração nos escravos. Chegou mesmo a dar umas chicotadas em alguns deles.

Júlia não gostou nada daquilo e, virando-se para Fausto, arrematou:

— Creio que não tenha sido boa ideia vir até aqui. Seu irmão está zangado, e não gosto de presenciar crueldades.

— Sinto muito, Júlia. Não sabia que isso poderia acontecer.

— Não é culpa sua. No entanto, prefiro me retirar.

— Sinta-se à vontade. Compreendo seus motivos e não lhe tiro a razão.

— Obrigada. Será que posso ficar com o cavalo por mais algumas horas? Gostaria de visitar minha amiga, Sara.

— Claro, nem precisava perguntar. Ele é todo seu.

Júlia despediu-se de Fausto e partiu rumo à fazenda Ouro Velho, onde Sara estava alojada em companhia dos pais. No coração, uma angústia que não sabia definir. Sim. Ela estava certa. Apesar de Rodolfo e Fausto serem absolutamente idênticos, estavam muito distantes em seus valores morais, e ela ficou feliz porque seu coração soubera escolher exatamente aquele que poderia compartilhar de seus ideais.

Capítulo 4

Sara estava sentada em um banco do jardim quando viu um cavalo se aproximando. Pelas roupas, podia perceber, mesmo ao longe, que se tratava de uma mulher. Quando se certificou de que era Júlia, levantou-se ansiosa, esfregando as mãos com nervosismo. Júlia chegou e apeou, entregando o cavalo nas mãos de Juarez, escravo da família, para ser cuidado. Ele segurou o animal e sorriu, e ela sorriu de volta. Ele era um bom rapaz, quase da mesma idade que Trajano, e tomava conta de Sara nas brincadeiras.

— Como está Laurinda? — indagou, fazendo referência à sua mulher.

— Muito bem, sinhá, obrigado. Vou agora mesmo avisar que a sinhazinha chegou, e ela vai lhe preparar aquele bolo especial.

— Excelente ideia!

Juarez saiu para cuidar do animal, e Júlia correu ao encontro de Sara. Ela estava pálida, apesar do Sol que lhe banhava as faces. Segurou-lhe as mãos gentilmente e indagou:

— E então, minha amiga, sente-se melhor?

— Ainda não pude sentir muita diferença. Faz pouco tempo que chegamos, e o ar da montanha ainda não limpou meus pulmões.

— Mas limpará, tenho certeza.

Sara, voltando-se para a casa grande, começou a chamar, com uma vozinha fraca:

— Mamãe! Mamãe! Venha ver quem está aqui.

A mãe apareceu na porta e, vendo Júlia em companhia da filha, saiu apressada, falando enquanto caminhava:

— Júlia, minha filha, há quanto tempo! Por que não veio logo nos visitar?

— Sinto muito, dona Rebeca, mas só agora pude sair.

— Não faz mal. O importante é que você está aqui. E Dário, não veio?

— Não. Está ajudando mamãe e vovó com alguns papéis, mas virá depois. E seu Ezequiel? Não está?

— Está descansando. Acho que estranhou um pouco os novos ares...

— Não está se sentindo mal, está?

— Não, não, minha filha. O mal dele é a idade. Bem, agora vou entrar e deixá-las a sós. Devem ter muito o que conversar. Mas não fiquem muito tempo aqui fora. Apesar do Sol, ainda faz frio.

— Pode deixar, dona Rebeca. Daqui a pouco entraremos.

Sara olhou para Júlia com ar de ansiedade. Queria saber notícias de Dário, mas não tinha coragem de perguntar. A outra, porém, adivinhando-lhe os pensamentos, adiantou-se:

— Dário, em breve, virá vê-la.

Ela corou e perguntou:

— Ele lhe contou?

— Sim.

— E o que você acha?

— Acho que vocês não terão problema algum. Tanto seus pais quanto os dele não se importam com essas bobagens de raça ou religião. Você sabe disso tão bem quanto eu. Aliás, nem entendo o porquê dessa preocupação, já que estão namorando há tanto tempo. Não acha que se alguém tivesse algo a opor, já o teria feito?

— Sim, creio que sim. Mas não é exatamente com isso que me preocupo.

— Não? Então com o que é?

— Com minha doença.

— Ora, Sara, mas que tolice. Você vai ficar boa.

— Não sei não, Júlia. Desconfio que esteja tísica.

— Deus me livre! Nem me fale uma coisa dessas. Você tem os pulmões fracos, e só.

— Mas por quê? Por que são fracos, se sou tão jovem?

— Não sei, Sara. São coisas de Deus, que não podemos compreender. Agora pare de pensar nessas bobagens. Você vai ficar boa, tenho certeza.

Sara desviou os olhos, que já começavam a se encher de lágrimas, e mudou de assunto para disfarçar:

— E dona Palmira, como vai?

— Bem, apesar da idade.

— Sabe, Júlia, fiquei muito feliz em saber que dona Palmira não se importou de nos arrendar a fazenda, sabendo que somos judeus.

Júlia abaixou a cabeça um tanto quanto desconcertada e disse meio sem jeito:

— Sara, posso lhe contar uma coisa? Você jura que não conta a seus pais e que não ficará zangada?

— Sabe que sim. Vamos, Júlia, pode confiar em mim.

— Eu sei. Bem, é que dona Palmira e Rodolfo não sabem que vocês são judeus.

— Não? Meu Deus, Júlia, mas por quê?

— Porque talvez não aceitassem. Dona Palmira é uma mulher extremamente preconceituosa e não concordaria em tê-los aqui.

— Mas o senhor Fausto... ele foi pessoalmente tratar dos papéis. Não é possível que não tenha percebido.

— Fausto sabe, e só ele. Por favor, Sara, não fique zangada. Nós achamos que seria melhor.

— Não sei não, Júlia. Não gosto de fazer nada escondido, muito menos papai e mamãe. Tenho certeza de que, se descobrirem, não irão querer mais ficar aqui.

— Eu sei. Por isso é que lhe peço para não lhes contar.

— Não contarei. Eu prometi. Embora não concorde, prometi não contar e não o farei. Mas que não está certo, não está.

— Tente compreender. Nós queríamos muito que vocês viessem, e foi a única solução que encontramos. Se você não falar, ninguém precisa ficar sabendo.

— Será mesmo, Júlia? A verdade sempre encontra um meio de se dar a conhecer.

— Não pense nisso. Se ninguém falar nada, dona Palmira nunca descobrirá.

— Está certo, Júlia, você é quem sabe.

— Agora, fale-me de você.

— O que há para falar? Essa doença maldita parece que não quer ceder, e confesso que às vezes chego a perder as esperanças.

— Pois não perca. Tenho certeza de que você vai se recuperar.

— Não estou bem certa. Às vezes me sinto tão mal que chego a pensar que vou mesmo morrer.

— Nem me fale uma coisa dessas. Você é ainda muito jovem e não vai morrer. Vai viver muitos anos, vai se casar com Dário, vai ter muitos filhos e conhecer seus netinhos. Agora vamos, deixe de bobagens e vamos entrar.

Depois do almoço, Júlia voltou para a fazenda São Jerônimo e saiu logo à procura de Dário. Ele estava em seu quarto, lendo, e ela entrou:

— Ah! Júlia! — exclamou. — Onde esteve? Ficamos preocupados.

— Fui visitar Sara.

— Você foi? E não me disse nada? Mas por quê? Poderia tê-la acompanhado.

— Perdoe-me, Dário, mas nem eu sabia. Resolvi de repente, quando estava andando a cavalo pela fazenda, e você estava aqui, com mamãe e vovó.

— E como ela está? Melhor? Diga-me. Estou ansioso por vê-la.

— Não sei ao certo. Creio que só o tempo poderá nos dizer.

— Quero vê-la.

— Pois vá logo. Ela está com muitas saudades de você.

— Também morro de saudades dela. Mal posso esperar para tê-la em meus braços, como minha esposa.

— Eu sei. Só que ela pensa que vai morrer.

— Morrer? Mas isso é um absurdo!

— Também acho. E é por isso que vocês devem se casar o mais rápido possível.

— Tem razão. Falarei com mamãe agora mesmo e, se ela concordar, irei ter com seu Ezequiel e lhe pedirei a mão de Sara em casamento.

— Isso mesmo, vá. E depois me conte como foi.

Ele saiu apressado e Júlia levantou-se para ir embora, quando algo do lado de fora da janela chamou sua atenção. Ela podia ver, ao longe, a figura esguia da escrava Etelvina, que ia chegando, trazendo nas mãos um cesto de roupa lavada. A seu lado, Túlio ia animado e sorridente, falando-lhe coisas que, embora ela não pudesse ouvir, sabia bem do que se tratava. Etelvina, porém, mantinha os olhos pregados no chão e não parecia nada satisfeita com aquela insistência. Ela passou pela lateral da casa, caminhando pela estradinha, sempre com Túlio a seu lado, até que se dirigiu para o terreiro atrás da casa, e ela os perdeu de vista. Seu coração se comprimiu e ela sentiu um leve tremor. Será que Túlio estava interessado em Etelvina? Que Deus a perdoasse, mas dessa vez ela não consentiria. Estava disposta a tudo para evitar que o sobrinho destruísse a vida de mais uma mocinha. Ela virou as costas para a janela e saiu decidida. Precisava falar com Camila. A cunhada com certeza saberia como agir.

Camila recebeu a notícia com certa apreensão. Amava o filho, mas conhecia-o muito bem e tinha medo de suas tendências. Em outra ocasião, Túlio envolvera-se com Raimunda, uma das escravas de sua casa, e a moça acabara por falecer ao dar à luz um filho seu. A criança, pobrezinha, também não resistira e morrera logo em seguida à mãe. Túlio, embora um tanto quanto abatido, não se deixara impressionar, e logo tornara a voltar os olhos para as escravas jovens e bonitas.

Júlia, interrompendo o pensamento da cunhada, perguntou após alguns minutos:

— E então, Camila, o que faremos?

— Não sei, Júlia. Confesso que estou deveras preocupada. Será que já aconteceu alguma coisa?

— Acho que não. Não houve tempo ainda.

— Então precisamos evitar que o pior aconteça. Por favor, Júlia, vá chamar Trajano. Quero falar com ele.

— Vai pedir-lhe ajuda?

— Sim. Ele também lamentou o que aconteceu no passado e gosta muito de Túlio. Afinal, viu-o nascer e crescer. Tenho certeza de que nos ajudará.

Júlia saiu e voltou logo em seguida, em companhia de Trajano, que ainda não suspeitava do assunto que o levava até lá. Ao entrar, cumprimentou Camila com um sorriso, e ela foi logo dizendo:

— Trajano, mandei chamá-lo porque preciso que me preste um favor.

— Pois não, sinhá. Basta a sinhá pedir que eu faço.

— Sei disso. Você é um bom moço e muito fiel a nossa família, não é mesmo?

— Sim, sinhá. Por que pergunta?

— Bem, Trajano, gosto muito de você e confio muito em sua discrição para fazer-lhe uma pergunta. Você sabe de alguma coisa entre Túlio e uma escrava de nome Etelvina?

Trajano sobressaltou-se. Ele não dissera nada a ninguém, mas do jeito que Túlio agia, com certeza, alguém notara. Ele prometera não contar nada a Camila, mas não podia mentir. Cuidadosamente escolhendo as palavras, retrucou:

— Por que pergunta, sinhá?

— Porque preciso saber. Mas não me responda com outra pergunta. Diga-me, você sabe de alguma coisa ou não?

Trajano estava confuso e embaraçado. Não sabia o que fazer. Era leal, sim, e não queria perder a confiança nem de Camila, nem de Túlio. Júlia, percebendo o conflito que lhe ia na alma, resolveu intervir:

— Ouça, Trajano, está claro, por seus gestos, que você sabe de algo. E se sabe, não precisa ter medo. Pode nos contar.

— Não é medo, sinhá. É que prometi ao sinhozinho...

— Prometeu o quê?

— Prometi não falar nada, principalmente com a sinhá sua mãe.

— Pois eu o estou liberando dessa promessa — interrompeu Camila. — Vamos, Trajano, diga-nos.

Ele não falava, até que Júlia resolveu chamá-lo à razão:

— Escute, Trajano, você se lembra muito bem do que aconteceu com Raimunda, não lembra? — Ele assentiu, sem tirar os olhos do chão. — E quer que isso se repita? Quer?

— Não, sinhá, por Deus. Raimunda era uma menina; não merecia aquilo.

— Pois então? — continuou Camila. — O que está esperando para nos contar o que sabe?

— Bem, não sei muita coisa. Mas no dia do piquenique, sinhozinho Túlio não tirava os olhos de Etelvina. A moça até se assustou.

Camila olhou para Trajano com ar de preocupação e prosseguiu:

— Pois muito bem, Trajano. Não queremos que Etelvina tenha o mesmo destino de Raimunda, não é?

— Não, sinhá.

— Pois, então, você tem que nos ajudar. Vigie os passos de Túlio. Não o deixe sozinho com a moça.

— Hoje mesmo eu os vi juntos — contou Júlia. — E foi isso o que me chamou a atenção.

— Pois é — tornou Camila. — Por isso é que você deve vigiá-lo constantemente. Mas não deixe que ele perceba. Faça amizade com a moça, acompanhe-a. Você não é escravo daqui, e ninguém pode impedi-lo de ir aonde quiser. Você promete?

— Prometo, sinhá. Mas posso pedir uma coisa?

— Claro, fale.

— Gostaria que as sinhás não falassem nada disso com sinhô Túlio. Não quero que ele fique com raiva de mim.

— Não se preocupe. Túlio não vai ficar sabendo de nada. Isso ficará apenas entre nós três, está certo?

— Sim, sinhá, obrigado.

— Agora pode ir, Trajano, e obrigada por sua compreensão.

— Ora, sinhá, não precisa agradecer, não. Faço isso porque gosto das sinhás e dos meninos.

— Sei disso, Trajano, e agradeço. Agora pode ir. Procure-o e, disfarçadamente, fique por perto. Não o perca de vista um só minuto.

— Não, sinhá, pode deixar. Não se preocupe, que farei tudo direitinho.

Ele saiu em direção ao terreiro, onde as escravas estavam trabalhando. Ao passar pela cozinha, porém, quase esbarrou em Terêncio, que ia entrando, atrasado para o almoço. Acabara de chegar do Rio de Janeiro, onde fora buscar umas encomendas, e chegava morto de fome. Trajano, acabrunhado, murmurou baixinho:

— Desculpe, moço.

E saiu. Terêncio, que nunca vira por ali aquele negro, resolveu indagar de Tonha:

— Quem é esse?

— É Trajano, escravo de sinhá Camila.

Depois de comer, levantou-se mal-humorado, saindo atrás de Trajano. Foi encontrá-lo no terreiro atrás da casa, conversando com Etelvina. Terêncio não gostou daquilo. Não era de bom-tom os escravos ficarem de prosa, ainda mais quando se tratava de um desconhecido. Com voz ríspida, chamou:

— Etelvina, venha até aqui!

Etelvina largou a vassoura com que batia nos tapetes, estirados sobre o muro, e correu para onde ele estava.

— Sim, seu Terêncio — disse humilde.

— Que história é essa de ficar proseando na hora do serviço? Não quero isso aqui, não.

— Por favor, moço — interrompeu Trajano —, não brigue com ela. Fui eu que puxei conversa.

— Pois não devia. Você não é daqui e, pelo visto, não faz nada. Mas nossos negros estão acostumados ao trabalho, e sinhá Palmira não gosta que fiquem de prosa. Atrapalha o serviço.

— Sim, senhor, desculpe. Isso não vai se repetir.

— Acho bom mesmo. E agora, Etelvina, volte ao serviço.

— Está bem, seu Terêncio.

Etelvina voltou a seus afazeres, e Trajano pediu licença para se retirar, quando Terêncio o alertou:

— Escute aqui, negro, fique longe das escravas, principalmente de Etelvina. Dona Palmira não gosta de namoricos entre os negros, e eles só se acasalam com a sua autorização.

Trajano mordeu os lábios e respondeu, os olhos se enchendo de lágrimas de raiva:

— Sim, senhor. Não precisa se preocupar que não quero nada com Etelvina. Estava apenas conversando.

— Acho bom. Caso contrário, serei obrigado a tomar providências, digamos, um pouco mais drásticas. Entendeu?

— Sim, senhor. Entendi muito bem.

— Ótimo. Você me parece um escravo esperto. Continue esperto aqui e vamos nos dar muito bem.

Terêncio virou-lhe as costas e saiu em direção à sua casa. Estava cansado e precisava dormir. Ia caminhando devagar e já estava na porta quando um vulto, esgueirando-se por detrás de uma árvore, saltou à sua frente, encarando-o com um sorriso sarcástico. Ele deu um salto para trás e já ia sacando a pistola, presa à cinta, quando o vulto levantou a cabeça e afastou o capuz, mostrando-lhe o rosto envelhecido. Terêncio levou um susto. Fitou demoradamente aquele rosto, tentando lembrar de onde o conhecia, até que soltou uma perplexa indagação:

— Você?

Terêncio olhou de um lado para outro, mas não viu ninguém. Estavam sós. Acenou para que o vulto o seguisse e com ele entrou em casa. Fechou a porta rapidamente, e a mulher surgiu, deixando cair o manto e o capuz.

— Dona Constância! — exclamou surpreso. — Há quanto tempo! Julgava-a morta.

Ela olhou para ele com raiva e retrucou:

— Pareço morta?

— Bem, devo dizer que está um pouco... digamos... mudada.

Constância fez um ar de desdém e desabou na cadeira. Estava mudada sim, mas, internamente, continuava a mesma. Vendo uma cômoda no quarto contíguo, acima da qual estava pendurado um espelho velho e oxidado, correu para ele e, afastando os cabelos grisalhos e oleosos, exibiu profunda cicatriz, que lhe descia desde a altura da sobrancelha esquerda até a ponta da orelha.

— Aposto como está curioso para saber como ganhei isto — disse, apontando para a cicatriz.

— Estou sim. Não posso negar. Da última vez em que a vi, era uma moça bonita, esbelta, viçosa. Mas agora...

— Agora sou uma velha gorducha, com a cara marcada. — Ele não disse nada, e ela prosseguiu: — Tenho uma longa história para contar...

— Imagino. Gostaria de saber por onde andou durante todos esses anos. Seus pais tudo fizeram para encontrá-la, mas foi em vão.

— Ora, o que poderia eu fazer? Fui expulsa daqui por seu Licurgo. Como poderia viver em sociedade, coberta pela vergonha?

— Para onde foi?

— Não imagina?

— Não, não imagino.

Ela hesitou durante alguns instantes antes de continuar:

— Não sei se posso confiar em você. Depois de tudo o que me fez, é bem capaz de me trair novamente.

Constância virou-se para o outro lado. Não queria que ele visse as lágrimas que brotavam em seus olhos. Em silêncio, chorou baixinho, lembrando-se de que Licurgo a expulsara dali porque Terêncio a delatara, contando-lhe que fora pago por ela para facilitar sua vingança.

Vendo que ela não respondia, Terêncio disse, cortando-lhe os pensamentos:

— Isso foi há muito tempo. Ninguém mais se lembra dessa história.

— Será que não? Nem Tonha?

— Tonha é apenas uma escrava. Quem se importa com o que pensam os escravos?

Ela suspirou e perguntou:

— E tia Palmira?

— Está em casa.

— Será que me receberia? Hoje não sou mais aquela menina de antes. Receio que ela me repudie, tendo em vista minha atual condição.

— É, pelo visto, a vida lhe foi madrasta.

— Você nem imagina o quanto.

— Por que não me conta o que lhe aconteceu? Talvez possa ajudar.

Ela olhou para ele com ar malicioso. Afinal, o que tinha a perder?

— Bem — começou ela pausadamente —, depois que saí daqui, consorciei-me a Basílio...

— O quê? Casou-se com o homem que desgraçou a vida de dona Camila?

— Casar-me? Não. Mas Basílio e eu passamos a viver juntos. Éramos iguais, ambos fracassáramos em nossos propósitos, o que nos proporcionou um ótimo entendimento. Quando eu fugi, saí levando apenas algumas joias, que garantiram nosso sustento por algum tempo. Mas, depois, quando o dinheiro acabou, fui obrigada a me utilizar de outros recursos para sobreviver. Basílio, vendo a pobreza se aproximar, abandonou-me, e eu passei a viver da troca de favores com os homens. Até que um dia, um marinheiro enciumado deixou-me esta marca no rosto.

— É. É uma história bastante triste. E por que resolveu voltar agora?

— Porque seu Licurgo morreu, e pensei em pedir auxílio à tia Palmira, contando com sua discrição. Não suporto mais essa vida e não tenho coragem de voltar para casa.

— Entendo... Sabe que Camila está aqui?

— Eu a vi no enterro, com os filhos. Teve sorte de encontrar alguém que ainda a quisesse, não é mesmo?

O capataz meteu um pedaço de fumo de rolo na boca, mastigou e cuspiu no chão, e Constância virou o rosto, enojada. Apesar de tudo, ainda era uma dama.

— Escute, dona Constância, por que não espera enquanto vou chamar dona Palmira?

— Oh, não sei se poderia!

— É claro que poderia. Não foi para isso que veio?

Terêncio saiu e voltou sozinho, quase uma hora depois. Palmira não quisera acompanhá-lo e não acreditara quando ele lhe dissera que sua sobrinha, Constância, estava de volta. No entanto, ele jurou que o que dizia era a mais pura verdade, e ela mandou que ele levasse a mulher até ali.

Constância entrou sozinha no quarto de Palmira. Ela estava só, sentada numa poltrona, perto da janela. Palmira permaneceu durante longo tempo a estudá-la, sem que Constância ousasse mexer um músculo sequer. Até que, subitamente, olhos rasos d'água, ela abriu um sorriso e estirou os braços. Constância correu para ela e atirou-se a seus pés, escondendo a cabeça em seu colo e chorando, como há muito tempo não fazia.

Capítulo 5

Dário acordou ansioso. Mal dormira na noite anterior, pensando na conversa que teria com Ezequiel. Levantou-se cedo e se aprontou, esmerando-se na vestimenta. Queria estar bonito para Sara. Ele a amava e estava decidido. Já conversara com a mãe; falaria naquele dia mesmo com os pais da moça e pediria sua mão em casamento. Já se amavam há muito, e não havia mais motivos para esperar.

Quando chegou à fazenda Ouro Velho, a família se encontrava reunida na sala. Ezequiel lia o jornal da manhã, e as moças bordavam toalhas para a mesa. Dário entrou, cumprimentou a todos e disse, encabulado:

— Seu Ezequiel, será que eu podia falar a sós com o senhor?

— Aconteceu alguma coisa, meu filho? — perguntou ele. — Sua mãe está bem?

— Sim, senhor, todos estão passando muito bem, obrigado. O assunto não é esse, mas tem uma certa urgência.

Ezequiel fez cara de dúvida, mas aquiesceu:

— Está bem. Se é assim tão urgente, venha até a biblioteca.

Os dois saíram, e Rebeca olhou para Sara pelo canto do olho. A moça apertava as mãos com nervosismo. Será que ele resolvera, finalmente, pedir a mão da filha em casamento? Ela sorriu intimamente e voltou a atenção para o bordado que tinha em mãos. Gostava muito de Dário e de sua família, e ficaria muito satisfeita em tê-lo como genro.

Na biblioteca, Ezequiel indicou a Dário uma poltrona, sentando-se em outra a seu lado.

— E então? — começou. — Do que se trata?

— Seu Ezequiel — começou meio sem jeito —, nossas famílias são amigas há muitos anos, não é mesmo?

— Sim. Por quê?

— Bem, como o senhor sabe, Sara e eu, já há algum tempo, dedicamo-nos mútua afeição...

— Sim? — fez ele, interessado.

— Por isso gostaria de me casar com ela, se o senhor consentir, é claro.

Ezequiel deu um salto e levantou-se, correndo para a porta e escancarando-a. Dário, assustado, pensou que ele o expulsaria dali e já ia atrás dele, tentando arranjar alguma desculpa, quando escutou a voz do outro, soando tonitruante na sala ao lado:

— Rebeca! Rebeca! Venha cá, mulher, levante-se!

— Mas o que foi que houve, meu Deus? — perguntou ela, espantada. — Por que tanto alarde?

— Rebeca, hoje tive a notícia mais feliz da minha vida. Dário finalmente pediu a mão de nossa Sara em casamento.

Dário, que ia chegando logo atrás, quase desmaiou. Não esperava que ele ficasse tão contente e parou, estupefato. Ezequiel, porém, voltou-se para ele e o abraçou, enquanto Sara chegava, pálida feito cera. Dário tomara aquela decisão sem consultá-la, e ela ficara um pouco surpresa.

— Papai, o que houve?

— Não ouviu, minha filha? Dário disse que se amam e quer se casar com você. Não está feliz?

Ela começou a chorar, e o pai abraçou-a com carinho. Rebeca, ainda paralisada, balbuciou:

— É uma notícia... maravilhosa.

— Oh, papai, o senhor nos dará seu consentimento?

— É claro, minha filha. Dário é como um filho para mim, e fico muito feliz com seu pedido. Sei que cuidará muito bem de você e que a fará feliz.

— E minha doença? Será que não morrerei antes?

— Nem pense nisso, minha querida — protestou Dário, estreitando-a nos braços. — Vamos nos casar e viver felizes para sempre.

— É verdade — concordou Ezequiel. — Você já está bem melhor. A cor até já voltou às suas faces.

— Mas tenho medo.

— Medo de quê, meu Deus?

— Medo de contaminar alguém.

— Ora, querida, mas que bobagem — objetou o pai. — Se tivesse que contaminar alguém, não acha que já o teria feito?

— Mas o doutor...

— O doutor não sabe de nada. Você está doente, é verdade, mas não é nada assim tão sério. Tenho certeza de que Dário não contrairá sua enfermidade.

— Mas e se for...

— Por favor, Sara, não diga mais nada. Não sabemos o que é.

— Mas papai...

— Nem mais nem menos. Você vai se casar e pronto. Ou será que não o corresponde nesse sentimento?

— É claro que sim. Amo Dário, e ele sabe disso.

— Então, querida — tornou ele —, por que não podemos nos casar? Pensei que fosse isso o que quisesse.

— É claro que quero. Mas não agora. Não antes de ter certeza de que minha doença não é contagiosa.

— Meu amor, como seu pai mesmo disse, se fosse contagiosa, todos nós já a teríamos contraído. Vamos, deixe de tolices. Nós nos amamos, você vai ficar boa e seremos muito felizes.

— Seus pais já sabem? — quis saber Rebeca.

— Já, sim. Mamãe ficou muito contente e já escreveu a papai, contando-lhe tudo.

— Meu filho — tornou Ezequiel em tom grave —, tem certeza de que é isso mesmo o que quer?

— Ora, seu Ezequiel, então não me conhece? Não acredita em meu amor por sua filha?

— Não é isso. Mas é que você é ainda muito moço, e sei como é o coração dos jovens.

— Já vou fazer vinte e três anos e sei muito bem o que sinto. Amo sua filha mais do que tudo neste mundo e só posso ser feliz a seu lado.

— E você, minha filha, também o ama assim?

Ela olhou para Dário com os olhos úmidos, cheios de amor, e respondeu:

— Sem sombra de dúvida, papai. Amo-o além desta vida.

— Pois bem. Então está feito. Dário, assim que seu pai vier, poderemos marcar uma data para o noivado.

— Realizar-se-á aqui mesmo, na fazenda?

— Provavelmente. Ainda vamos nos demorar por aqui, e creio que não querem esperar.

— É claro que não, seu Ezequiel.

— Ótimo. Assim sua avó poderá vir com seus tios. À exceção do senhor Fausto, ainda não os conhecemos.

Dário teve um estremecimento. Não havia pensado naquilo. A avó ainda não sabia que Sara e a família eram judeus. Será que aceitaria? Contudo, achou melhor não pensar nisso no momento. A mãe, como sempre, saberia resolver aquele problema.

No dia seguinte, Dário saiu em busca de Camila, e ela prometeu pensar num meio de contar tudo a Palmira. Afinal, eles se amavam, e ela tinha que compreender. No entanto, aquele não seria o melhor momento para revelar-lhe a verdade. Ela já estava bastante idosa, e era preciso preparar-lhe o espírito. Camila procurou Rebeca e Ezequiel e contou-lhes seus temores.

— Mas, Camila — protestou Ezequiel —, não podemos concordar. Não está direito.

— Por favor, Ezequiel, tente entender. Eu não lhes pediria algo assim se não fosse extremamente importante e necessário.

— Mas nós pensávamos que ela já sabia de tudo a nosso respeito. Não posso concordar em permanecer incógnito. Não tenho do que me envergonhar.

— Não se trata disso.

— Trata-se de quê, então?

— De uma caridade. Caridade para com uma senhora velha demais para começar a entender certas coisas.

— Hum... não sei, não.

— Por favor, Ezequiel, é só por um tempo. Pense em nossos filhos, em como sofreriam se tivessem que se separar. E Sara? O que seria dela?

— Camila tem razão — intercedeu Rebeca. — Temos que pensar na saúde e na felicidade de Sara.

Ezequiel apertou as mãos, vencido. Embora não aprovasse aquela atitude, teria que concordar. Pelo bem de sua filha, não diria nada.

Saindo da casa dos amigos, Camila foi em busca de Trajano. Precisava saber como estava indo a vigilância sobre Túlio. Trajano estava ajudando Tonha, cortando lenha para o fogão, quando ela chegou por trás e disse:

— Olá, Trajano, como está?

Ele se voltou sorridente e respondeu em tom jovial:

— Muito bem, sinhá, obrigado.

— Será que poderia me acompanhar por uns minutos?

— Claro, sinhá. Eu só estava ajudando Tonha porque não tinha nada para fazer, e a senhora sabe que não gosto de ficar à toa.

Ele foi em direção à cozinha e chamou Tonha, avisando-lhe que precisaria interromper o serviço. Depois que voltou, os dois se afastaram, caminhando lado a lado pela estradinha.

— E então, Trajano, como está se saindo o meu menino?

— Túlio?

— Sim. Você tem feito como mandei, não tem?

— Direitinho, sinhá. Não perco o menino Túlio de vista um só instante. Hoje ele ainda não saiu.

— E aí?

— Para ser sincero, ele bem que anda atrás da Etelvina. Mas quando percebe que estou por perto, fica furioso e se afasta.

— Não faz mal. Antes assim. Você não lhe contou nada, não é?

— Deus me livre, sinhá. Sinhozinho Túlio é até capaz de me matar.

— Não diga tolices. Túlio não seria capaz de matar ninguém. Não é mau. É apenas meio doidivanas.

— A sinhá está certa. Sinhozinho Túlio tem bom coração, mas ainda não sabe disso.

— É verdade, Trajano. E nós precisamos mostrar-lhe, não é mesmo? Ele precisa que nós lhe indiquemos o caminho do bem. Bem, agora vou voltar. Obrigada pela informação, e continue a vigiá-lo.

— Não se preocupe, sinhá.

No caminho de volta, Trajano avistou Etelvina voltando do riacho, carregando uma cesta de roupa lavada. Ficou encantado ao vê-la. Ela era linda. Mais que depressa, correu ao seu encontro, tomando-lhe das mãos o pesado cesto.

— Deixe que ajudo você — disse solícito.

— Obrigado, Trajano. Você é muito gentil.

— Ora, Etelvina, o que é isso?

— É sim. Você é fino, tem educação. Bem se vê que não foi criado em senzala.

— Acha mesmo?

— Acho sim. Mas, diga, o que faz por aqui?

— Eu? Nada. Estava ajudando Tonha com a lenha.

Os dois seguiram conversando, até que avistaram Túlio saindo de casa. Ia ligeiro, segurando nas mãos uma vara de pescar. Ao passar por eles, cumprimentou:

— Olá, Trajano.

— Bom dia, sinhozinho. Vai pescar?

— Vou sim.

— Posso acompanhar o sinhô?

— Acompanhar-me? Depende. Se Etelvina vier junto, pode sim.

Etelvina abaixou os olhos e respondeu com voz sumida:

— Perdão, sinhô, mas tenho que cuidar da roupa.

— A roupa pode esperar — concluiu ele, puxando-a pelo braço.

Ela se assustou e começou a chorar, até que Trajano, segurando o braço de Túlio, disse pausadamente:

— Sinhô Túlio, está assustando a moça.

— Estou? Ora, Etelvina, desculpe-me — zombou —, não tive a intenção. Apenas pensei que gostaria de descansar um pouco da lida.

— Agradecida, sinhô, mas não posso, não. Seu Terêncio me castiga.

— Pode deixar que falo com ele.

— Sinhô Túlio — interrompeu Trajano —, a moça disse que não pode. Por que não a deixa ir embora?

— Não se meta, Trajano. Já estou farto de ver você me seguindo por aí. Vá arranjar o que fazer.

— Sinto, sinhô, mas não vou deixar que maltrate a menina Etelvina.

— E quem disse que vou maltratá-la? Ao contrário, vou tratá-la com muito carinho — e soltou estrondosa gargalhada, olhando para ela com olhar lúbrico.

Etelvina, assustada, pediu licença e desatou a correr. Tinha medo de sinhozinho Túlio e não gostava de ficar perto dele. Ao vê-la correr desabalada, Túlio virou-se para Trajano e disse, furioso:

— Viu o que você fez? Seu idiota.

— E o que você tem com isso? Por acaso é pai dela? Não, claro que não. Você está é interessado nela, não é? Mas não se preocupe. Não pretendo tomá-la de você. Só o que quero é me divertir. Ela é uma cadelinha no cio e deve estar louquinha para ser possuída. Depois conto-lhe tudinho como foi. Quem sabe até não abro caminho para você, e você pode servir-se dela? Depois de mim, é claro.

Trajano, perplexo, não conseguiu conter a indignação e acertou em cheio um soco no queixo de Túlio, que imediatamente tombou no chão, pondo-se a gritar. Na mesma hora se arrependeu e abaixou-se para ajudá-lo a se levantar. Túlio, porém, desfigurado pela raiva, revidou o golpe, desferindo no outro murros e pontapés, sem que Trajano se defendesse. Com a gritaria, todo mundo acorreu, e foi Palmira quem primeiro disse:

— Mas o que é que está acontecendo aqui, posso saber?

Vendo a avó ali parada, apoiada em sua bengala, ao lado de sua mãe, Túlio soltou o escravo e respondeu com rispidez:

— Nada de mais, vovó. Estou apenas dando uma lição nesse negro.

— O que foi que ele fez?

— Desrespeitou-me. Levantou a mão para mim, o insolente!

— Túlio, não acredito em você — contestou a mãe. — Conheço Trajano e sei que ele não seria capaz de desrespeitar ninguém. E, mesmo que o tivesse feito, não seria motivo para espancá-lo.

— Mas ele me bateu primeiro!

— Mentira. Trajano não é violento e jamais bateu em ninguém.

— Mas é verdade. Pergunte a ele.

Camila olhou para Trajano, que abaixou os olhos, já inchados de tanto apanhar. Sem esperar pela pergunta, ele foi logo falando:

— É verdade, sinhá. Eu perdi a cabeça e bati no sinhozinho Túlio.

— Você o quê? — indignou-se Palmira. — Como se atreveu a encostar a mão em meu neto, negro imundo?

— Perdão, sinhá, isso não vai se repetir.

— Ora, mas não vai mesmo. Terêncio! Terêncio! Venha cá!

Terêncio apareceu em poucos minutos.

— Chamou, dona Palmira?

— Chamei sim. Quero que leve este negro para o tronco e lhe dê uma lição.

— Sim, senhora.

— Espere, Terêncio — protestou Camila. — Isso não será necessário. Eu mesma resolverei esta questão.

— Mas, Camila, ele bateu em seu filho. Não acha que merece um castigo?

— Não, mamãe, não acho. Conheço muito bem os dois e sei que, se Trajano tomou uma atitude dessas, deve ter tido seus motivos, e bem fortes.

— Mas que horror! Como pode defender um escravo, colocando-se contra seu próprio filho? Você enlouqueceu?

— Não, mamãe, não enlouqueci. Mas, creia-me, sei o que estou fazendo.

— Mamãe — retrucou Túlio abismado —, vai defender esse negro?

— Vou, meu filho, e você sabe bem por quê.

— Camila, minha filha, não vejo que motivos possam existir para impedir o castigo do escravo que bateu em seu próprio filho. Seja o que for, não está direito.

— Por favor, mamãe, sei o que estou fazendo. E agora, Túlio, venha comigo. Você e Trajano. Precisamos ter uma conversa.

— Sinto muito, mamãe, mas não vou aceitar uma reprimenda por causa de um escravo que, além de insolente, ainda me esmurrou.

Sem dar tempo a Camila para que esboçasse qualquer resposta, Túlio se levantou e se afastou, seguindo em direção à trilha que ia dar no riacho. Foi tão depressa que ninguém teve tempo de impedi-lo. Palmira, satisfeita, olhou para a filha com ar de reprovação e disse:

— Camila, você me surpreende e me decepciona. Onde já se viu ficar contra seu filho, meu neto, e a favor desse negro? — Ela não disse nada, e Palmira continuou: — Pois muito bem. Vou dar-lhe um aviso. Ou você manda castigar esse escravo insolente, ou terá que mandá-lo embora. Não quero mau exemplo aqui.

— Mamãe, a senhora não pode me obrigar!

— Você também não pode me obrigar a tê-lo em minha fazenda. Se aceitar o que ele fez sem nenhum castigo, os outros pensarão que amoleci ou, pior, que não há mais ordem em minha casa. E isso não posso e não vou permitir.

Camila ficou abismada. Não sabia como proceder numa situação como aquela. Castigar Trajano estava fora de cogitação. Mandá-lo embora, impossível. Trajano, sem saber o que fazer, permaneceu calado e imóvel, parado junto a Júlia, que o incentivava com o olhar. Tentando apelar para a caridade, ela ainda arriscou:

— Dona Palmira, a senhora não conhece bem seu neto. Trajano é nosso amigo e foi quem ajudou a nos criar, a mim, inclusive. Tenho certeza de que Túlio fez algo de muito grave para que Trajano tomasse a atitude que tomou.

Palmira olhou-a com desprezo e retrucou com azedume:

— Não importa que meu neto não tenha sido criado perto de mim e que, por isso, não o conheça muito bem. O que realmente tem importância é que ele carrega em suas veias o meu sangue e de meu primeiro marido, Gaspar, que Deus o tenha. E tanto eu quanto ele, e também Licurgo, jamais aceitaríamos tamanha barbaridade. Um escravo sempre será um ser inferior, não importa o quanto possa ter tentado agir corretamente. E enquanto eu for viva, jamais, jamais um neto meu será humilhado por um negro sem o devido castigo, ouviu bem? E quanto a você, mocinha, é uma estranha nesta casa, e peço que se coloque em seu lugar, evitando dar opiniões quando não solicitadas. Devo lembrá-la de que a recebi aqui em consideração a minha filha, mas posso muito bem mudar de ideia e mandá-la embora junto com esse negro que você se atreve a chamar de amigo.

Palmira voltou-lhe as costas e se foi, espumando de raiva, seguida por Terêncio. Então aquela atrevida ainda ousava questioná-la? Camila, por mais errada que estivesse, ainda era sua filha, e ela tinha que tolerar. Mas uma estranha? Isso não. Apesar da idade e da bengala, ela atravessou o terreiro feito uma bala, dando de cara com Tonha, que permanecera afastada, presenciando aquela cena com uma pontada de amargura. Ao passar por ela, Palmira estacou e, olhando fundo em seus olhos, esbravejou:

— Deve estar satisfeita, não é, negra? Pensa que se vinga de mim com isso? Pensa que só porque minha filha e aquela mocinha se voltaram contra mim você pode me espezinhar? Pois está muito enganada. Ponho todos para fora daqui, inclusive você. Não pense que vou admitir sem-vergonhices entre negros e brancos em minha casa novamente. Não está satisfeita com o que me fez, roubando de mim a vida de meu filho e de Inácio? Pretende ainda desforrar-se de mim, acobertando pessoas que aqui vieram para me humilhar? Pois não vai, ouviu? Mato-a antes disso.

Tonha abaixou a cabeça, envergonhada. Podia sentir em suas palavras todo o rancor daqueles anos em que vivera naquela casa sob o ódio mal-disfarçado de Palmira. Ela ainda a acusava pela morte de Inácio e de Cirilo, e aquela situação, não sabia por que, evocara todo o ressentimento que vinha ocultando dentro de si, fazendo com que voltasse contra ela sua ira desenfreada, como se ela fosse a culpada por aquele infeliz incidente.

Palmira nunca pudera perdoar Tonha pela morte de seus meninos. Mas a verdade é que, desde que Constância ali chegara, pobre e envelhecida, o ódio de Palmira só fizera crescer. Ninguém sabia de sua presença ali. Ela apenas dissera que recebera a visita de uma amiga que chegara para passar uns dias. Contara que a senhora estava velha e só precisava de um lugar para repousar. Por isso, ninguém deveria incomodá-la. A princípio, todos ficaram curiosos, mas, com o passar dos dias, ela acabou caindo no esquecimento, e ninguém mais parecia se lembrar daquela velhinha. Contudo, Constância estava ali, e sua presença avivava o ódio de Palmira por Tonha e pelos escravos.

Nesse instante, Rodolfo e Fausto, que iam chegando da plantação, ainda puderam escutar parte da agressão da mãe e estacaram, admirados.

— Mas o que é que está acontecendo aqui? — perguntou Fausto, indignado. — Por que está brigando com Tonha desse jeito?

— Nada! — gritou a mãe. — E saiam da minha frente. A última coisa de que preciso no momento é de mais um defensor de negros!

E empurrou-os para o lado, passando por eles feito um furacão. Rodolfo e Fausto entreolharam-se e deram de ombros, demonstrando que não haviam entendido nada daquela cena. Contudo, quando olharam mais adiante, avistando a família parada no terreiro, tiveram certeza de que algo muito sério deveria ter acontecido.

Rodolfo, mais que depressa, saiu atrás da mãe na esperança de que ela lhe contasse algo. Fausto, por sua vez, foi ter com Júlia. A moça estava chorando, abraçada a Camila, que acariciava seus cabelos, tentando consolá-la. Preocupado, aproximou-se e indagou:

— Será que alguém pode me dizer o que está acontecendo por aqui?

Júlia olhou para ele em lágrimas e virou-lhe as costas, tomando a direção da casa grande. Ele tentou detê-la, mas foi impedido por Camila que, segurando-lhe o braço, disse com voz pesarosa:

— Deixe-a, Fausto. Ao menos por enquanto.

— Mas o que foi que houve? Preciso saber.

— Venha comigo e lhe contarei.

Trajano, que permanecera quieto durante o desenrolar de todo aquele drama, levantou-se de súbito e disse:

— Sinhá Camila, perdoe-me, eu não queria...

— Sei que não, Trajano.

— O que a senhora pretende fazer comigo?

Ela o olhou cheia de pena e disse para o filho:

— Dário, leve Trajano para a fazenda Ouro Velho e explique tudo a Ezequiel. Peça-lhe que o deixe ficar lá até que resolvamos o que fazer.

— Está bem, mamãe — concordou Dário. — Ia mesmo sugerir isso.

Os dois saíram em direção à senzala, onde Trajano pegou suas coisas, e partiram em seguida para a casa de Ezequiel. Camila, depois que eles se foram, puxou Fausto pelo braço e saiu em direção ao jardim, caminhando enquanto falava. Minuciosamente, contou-lhe tudo o que acontecera, desde quando escutara os gritos de Túlio, até aquela cena horrorosa que ele e Rodolfo haviam presenciado.

— Pobre Júlia — lamentou Fausto. — Mamãe sabe ser cruel quando quer.

— Júlia está arrasada. Francamente, mamãe não precisava ter falado com ela daquele jeito.

Fausto, estarrecido, ainda perguntou:

— Mas por que, meu Deus? Por que Trajano foi fazer isso?

— Não sei, mas desconfio. No entanto, ele não teve tempo de se explicar. Mais tarde, depois que a poeira abaixar, irei até a casa de Rebeca para descobrir o que realmente aconteceu.

— Desconfia de quê?

— Sabe aquela escrava bonitinha, que vive pra cima e pra baixo com uma cesta de roupas, a Etelvina?

— Sei. O que tem ela? Não vá me dizer que Túlio está atrás da menina.

— Isso mesmo.

— Ora, Camila, desculpe-me, mas não creio que isso seja motivo para Trajano bater nele.

— Isso porque você não conhece o seu passado.

— Como assim?

Camila narrou-lhe os antecedentes do filho. Fora um caso triste e trágico, a moça morrera na flor da idade, e ela não queria que isso se repetisse. Por isso mandara Trajano vigiar Túlio. Para impedir que uma nova desgraça sucedesse, repetindo aquela tragédia do passado.

— Compreendo — disse Fausto, pensativo. — Mas, ainda assim, minha irmã, não creio que Trajano tenha agido direito. Afinal, é um escravo. Deveria tê-la procurado e contado tudo.

— Fausto, não o julgue. Não sabemos o que realmente aconteceu. Túlio, com certeza, fez algo de extrema gravidade para que Trajano lhe batesse.

— E o que pretende fazer?

— Não sei. Preciso pensar. Acho que o melhor a fazer seria irmos todos embora daqui.

— Você não pode fazer isso!

— Por que não?

— Porque... porque... Júlia e eu... nós nos amamos...

Ela o encarou e suspirou. Fausto era um bom rapaz, e ele e Júlia pareciam feitos um para o outro. Ambos já não eram mais crianças e saberiam construir uma vida segura e sólida. No entanto, havia o problema com Trajano. Como poderia admitir que ele fosse expulso? Castigá-lo, ela jamais faria. Fausto, amargurado, replicou:

— Ouça, Camila, não estou pedindo para castigar o escravo. Nem que o expulse daqui. Mas se você já o mandou para a fazenda Ouro Velho, por que não deixá-lo lá por uns tempos? Mais tarde mamãe voltará atrás. Conversarei com ela, farei com que veja o quanto foi injusta.

— Acha que poderá?

— Tentarei. Não posso viver sem Júlia, e se ela partir, meu coração partirá com ela.

— Por que não vem conosco? Sabe que será muito bem-vindo em minha casa.

— Eu sei, Camila, e agradeço. Mas não posso partir assim, deixando a fazenda só com Rodolfo. Tenho minhas obrigações aqui e gosto de administrar nosso patrimônio. Mais tarde, quem sabe? Mas agora, não. Mamãe precisa de mim.

— Entendo... Mas eu, sinceramente, não sei o que fazer. Júlia, provavelmente, está trancada no quarto, chorando. Não sei se vai querer ficar aqui depois disso.

— Deixe-me falar com ela. Nós nos amamos e vamos encontrar uma solução.

Ele abraçou a irmã e partiu em busca de sua amada. Júlia, conforme Camila previra, estava trancada no quarto e não queria falar com ninguém. Mas Fausto tanto bateu e tanto insistiu, que ela acabou cedendo e abriu a porta. Ele entrou rapidamente e, tomando-a nos braços, beijou-a com ardor.

— Oh, minha querida — sussurrou em seu ouvido. — Já sei de tudo. Camila me contou.

Ela se apertou ainda mais contra ele e continuou a chorar, cada vez mais sentida.

— O que vou fazer, Fausto? Não posso mais ficar aqui depois do que aconteceu.

— Pode sim. Isso vai passar. Tenho certeza de que mamãe só disse aquilo na hora da raiva. Ela vai reconsiderar, você vai ver.

— Não estou interessada em sua reconsideração. Sua mãe me ofendeu, humilhou-me, e isso não posso permitir. Tenho meus brios, meu orgulho. Não vou me sujeitar a esperar seu perdão ou sua condescendência. Prefiro antes partir, ainda que tenha que ficar longe de você.

— Por favor, minha querida, não se vá. Não posso viver sem você.

— Também não quero deixá-lo. No entanto, é a única solução possível.

— Deixe-me falar com mamãe primeiro. Tenho certeza de que ela vai cair em si e virá falar com você, pedindo-lhe desculpas. Ela já está velha e deve estar um pouco senil.

— Sua mãe estava muito lúcida quando me atirou na face aquelas barbaridades. Além disso, ainda tem Camila. Com certeza, ela também desejará partir.

— Já falei com minha irmã, e ela concordou em esperar.

— Concordou?

— Sim. Eu praticamente lhe implorei.

— Ainda assim, não posso ficar. Não quero.

— Por favor, Júlia, você está sendo infantil.

— Infantil? Acho que estou sendo sensata. Não preciso me expor a esse tipo de constrangimento.

— Sei que não. Mas você não me ama?

— Você sabe que sim.

— Então, por que não me dá uma chance? Por que não dá uma chance a minha mãe? Deixe-me falar com ela. Se ela se recusar a pedir desculpas, você poderá partir, e eu irei com você. Caso contrário, você fica. Então, que tal? Não é uma proposta razoável?

Júlia pensou por alguns segundos, até que concordou:

— Está bem. Mas só esperarei até hoje à noite. Se ela não se conscientizar da injustiça que cometeu, partirei amanhã de manhã, com ou sem você.

— Está certo, querida, obrigado. Verá que não vai se arrepender.

Enquanto isso, no quarto de Palmira, Rodolfo tomava as dores da mãe, inflamando-a contra o escravo. Não gostara dele desde o início. Sempre andando de um lado para outro, de olho nas escravas de dentro. Não fazia nada, vivia a vagabundear pela fazenda. Não entendia por que Camila o trouxera. Ele era um inútil, não servia para nada. E depois, bater em seu sinhô? Era uma afronta que não merecia perdão.

Palmira, animada por suas palavras, cada vez mais se enchia de ódio por Trajano, julgando-o um verdadeiro demônio, que enfeitiçara sua filha para se apoderar de seus netos. Quem sabe até não fosse algum degenerado? Estimulada pela inveja de Rodolfo, que pretendia com isso vingar-se de Júlia, Palmira ia cada vez mais acreditando em suas fantasias e já pensava mesmo em mandar matar o escravo, quando ouviu batidas na porta. Maquinalmente, ordenou:

— Entre.

A porta se abriu e Fausto entrou. Olhou para ela, depois para Rodolfo e disse:

— Como está, mamãe?

— Como queria que eu estivesse? Feliz?

— Não, claro que não. Foi um lamentável incidente.

— Chama de lamentável a ousadia de um negro que encosta a mão em um branco? Chama de incidente o fato de esse mesmo negro haver batido em seu próprio sobrinho? Por muito menos seu pai mandou um escravo para o tronco, só porque se atreveu a segurar em meu braço.

— Não vim aqui para questionar isso, mamãe. Não quero me envolver nessa história.

— Ah, não? E por que veio, então?

— Para falar de Júlia.

Ao ouvir o nome de Júlia, Rodolfo apurou os ouvidos. O que estaria pretendendo o irmão? Mal contendo a surpresa e a ansiedade, indagou:

— De Júlia?

— Sim, de Júlia.

— O que quer? — retrucou Palmira, fuzilando de ódio. — Defendê-la? Ela é uma atrevida e uma intrometida, isso sim. Não pertence a nossa família e não tinha o direito de se meter.

— Mas o escravo é dela...

— Pare, Fausto, não vou permitir! — cortou Rodolfo. — Se veio aqui para defendê-la, pode ir dando o fora. Ela insultou nossa mãe, e você deveria ser o primeiro a não apoiá-la.

— Ela não insultou ninguém. Apenas tentou defender Trajano.

— Com que direito? Ela é tia de Túlio. Deveria ter tomado sua defesa, assim como nós estamos fazendo.

— Será? Será que ele merecia mesmo ser defendido?

— É claro que sim. Um negro o esbofeteou, e isso já é o suficiente para defendê-lo.

— Está certo, Rodolfo, não vamos brigar nós dois.

— Não quero brigar. Mas não vou admitir que você contrarie mamãe só para ficar do lado daquela vagabunda que, provavelmente, até já se deitou com o negro!

Nesse instante, Fausto não conseguiu se conter. A exemplo de Trajano, desferiu violento golpe no queixo do irmão, que rodopiou e bateu contra a parede, espumando de ódio. Ele se recompôs rapidamente e partiu para cima de Fausto, e os dois puseram-se a brigar, distribuindo socos e pontapés. Palmira, horrorizada, começou a gritar:

— Parem com isso! Já não basta aquele escravo ter batido em meu neto? Agora vou ter que presenciar também uma briga entre meus filhos por causa de uma mulher?

— Foi ele quem começou — disse Rodolfo, entre dentes.

— Não importa quem começou. Não vou permitir que meus filhos se matem por uma estranha.

— Mas, mamãe — objetou Fausto —, Rodolfo chamou Júlia de vagabunda. Acusou-a de se deitar com Trajano. Nunca ouvi ofensa maior.

— E daí? O que isso lhe diz respeito? Ela é cunhada de sua irmã. Não tem laços conosco. Túlio sim. É meu neto, seu sobrinho, sangue de meu sangue. Você devia se envergonhar de bater em seu irmão por causa de uma moça cuja reputação, ao que parece, é bastante duvidosa.

Fausto já ia retrucar quando Rodolfo, em tom sarcástico, antecipou-se:

— Deixe, mamãe. Sei por que Fausto a está defendendo. É porque estão namorando, não é? Ela já se deitou com você também?

Fausto encarou-o com ódio. Quase partiu para cima dele de novo, não fosse a mãe intervir perplexa.

— O quê? Meu filho, envolvido com uma defensora de negros? Jamais permitirei.

— Estou envolvido com Júlia sim, mas é porque nos amamos. E ela nada tem de vagabunda, nem nunca se deitou com ninguém. É uma moça honesta e decente, e pretendo casar-me com ela.

— O quê? Ficou louco? Se seu pai estivesse vivo, com certeza já lhe teria dado um corretivo.

— Acontece, mamãe, que papai está morto, e eu já estou bem grandinho para receber corretivos de quem quer que seja. Sou um homem, não um menino.

— É um tolo, isso sim. Aquela moça não presta, não é mulher para você.

— Posso saber por quê?

— Porque está do lado dos negros, e quem é a favor dos negros é contra mim.

— Lamento muito que a senhora pense assim, mamãe, mas já tomei minha decisão. Se não aceitá-la, vou-me embora daqui amanhã mesmo.

Palmira estacou, indignada. Amava os filhos, eram as únicas pessoas que tinha no mundo, e não admitiria perdê-los para nenhuma aventureira. Um pouco hesitante, murmurou:

— Não pode estar falando sério.

— Jamais falei mais sério em toda a minha vida. Amo Júlia e ela me ama, e não podemos mais viver separados. Se não aceitá-la, partirei com ela.

— Deixe que vá, mamãe — atalhou Rodolfo. — Será melhor para todos.

— Quieto, Rodolfo, você não sabe o que diz. — Voltando-se para Fausto, acrescentou: — Você não faria isso. Está blefando.

— Acha mesmo? Então experimente expulsá-la.

— Meu filho, por favor, não faça isso — revidou em tom de súplica. — Não suportarei perdê-lo.

— Não se preocupe. A senhora ainda terá Rodolfo, com quem poderá contar sempre.

— Mas você é tão meu filho quanto ele. Não posso prescindir de nenhum dos dois. Vocês são minha vida. São tudo o que tenho. Por favor, meu filho, não me mate. Se você for embora daqui, esteja certo de que não poderei aguentar e morrerei logo em seguida.

— Mamãe, está sendo dramática. A senhora não vai morrer.

— Será que não? Quer experimentar? Será que vai suportar carregar essa culpa pelo resto de sua vida?

Fausto titubeou. É claro que amava a mãe e não queria que ela sofresse, muito menos que viesse a morrer. Contudo, não podia abrir mão de sua amada, e respondeu, hesitante.

— Não... claro que não quero que a senhora morra... Contudo, não vou ceder ao seu apelo ou às suas chantagens.

— O que quer que eu faça? Que reconsidere e a deixe ficar?

— Não exatamente. Quero que vá falar com ela e lhe peça desculpas.

Ela levantou-se, indignada.

— Isso nunca! Jamais descerei tão baixo!

— Mamãe, deixe de lado o orgulho e peça-lhe perdão. A senhora errou, foi injusta.

— Já disse que não. Peça-me o que quiser, menos isso.

— Mas por quê? É tão difícil assim desculpar-se com alguém?

— Nesse caso, é. Ela me fez uma desfeita, e não posso perdoá-la.

— Foi a senhora quem a desrespeitou, mamãe, humilhando-a na frente de todos.

— Pouco me importa.

— É a sua última palavra?

— Sim.

— Pois então, sinto muito. Não tenho mais nada a fazer aqui. Amanhã mesmo deixarei esta casa em companhia de Júlia.

Ele virou-lhe as costas e dirigiu-se para a porta, passando por Rodolfo, que o olhava triunfante. Já ia girar a maçaneta quando a mãe o chamou de volta.

— Fausto, por favor, não faça isso, eu imploro.

Ele parou e indagou, sem se voltar para ela:

— Vai fazer o que pedi?

— É isso o que quer?

— É isso.

— É a única maneira de mantê-lo ao meu lado?

— Sim.

Ela suspirou, deixando que os braços tombassem, numa atitude de pura resignação, e disse com voz sumida.

— Então está bem. Se é o que quer, seja feita a sua vontade. Falarei com ela e pedirei perdão. Mas não me peça que goste dela.

— Obrigado, mamãe — agradeceu emocionado. — Com o tempo, tenho certeza de que a senhora esquecerá tudo e verá que moça maravilhosa ela é.

— Duvido muito. No entanto, não posso perdê-lo para ela, e se essa é a única maneira de impedir que você faça a besteira de partir daqui, eu me curvarei à sua vontade e me desculparei com Júlia.

Rodolfo, que até então permanecera calado, não podendo mais conter o ódio e a indignação, deu um salto na frente de Palmira e explodiu:

— Mamãe, a senhora não pode estar falando sério! Não vou permitir que se rebaixe, pedindo perdão àquela... àquela...

Mas não concluiu. Olhando para Fausto, resolveu voltar atrás. Não queria começar nova briga.

— Não se meta, Rodolfo. O que faço é para o bem de todos. O seu, inclusive.

E saiu, em companhia de Fausto, dirigindo-se ao quarto de Júlia, a fim de pedir-lhe perdão. Embora Palmira naquele momento sentisse um ódio desmedido pela moça, o fato é que soube muito bem disfarçar e falou com ela amistosamente, como se estivesse realmente arrependida da injustiça que cometera. Pediu-lhe desculpas, justificando suas palavras com a lembrança do filho e do sobrinho, que haviam padecido muitos anos atrás, vítimas de nefasto incêndio provocado por uma escrava.

Júlia, alma boa e generosa, embora não se tivesse convencido das palavras de Palmira, achou melhor não contestar. Também ela não queria deixar Fausto, tampouco queria forçá-lo a abandonar suas obrigações. Assim, calou em seu íntimo a dúvida acerca da sinceridade daquele gesto e aceitou o pedido de desculpas com simplicidade e humildade, permanecendo na fazenda, o que só serviu para inflamar ainda mais a raiva de Rodolfo.

Capítulo 6

No dia seguinte, Camila foi ter com Júlia. Estava preocupada com Túlio e com Trajano. O filho sumira no meio do mato. Ninguém sabia de seu paradeiro. E Trajano, àquelas horas, com certeza já estava alojado na fazenda Ouro Velho.

— E então? — começou Camila a dizer. — Vamos saber notícias de Trajano?

— Sim, acho melhor irmos logo. Acha que ele está bem?

— Creio que sim. Rebeca é uma boa mulher, e Dário disse que ela o acolheu de boa vontade.

— E Túlio? Alguma notícia dele?

— Seu sobrinho desapareceu. Estou preocupada, mas sei que está bem. Do jeito que é, deve estar esperando a poeira assentar para aparecer.

— Tem razão. Mas onde andará?

— Não sei. Na vila, talvez. Com certeza, deve estar afogando as mágoas nos braços de alguma prostituta.

— É verdade, Camila. Por que será que Túlio é tão sem juízo?

— Não sei, minha filha. Mas deve ser culpa nossa. Minha e de seu irmão. Sinto que falhamos com ele em alguma coisa.

— Oh, não, Camila, não diga isso! Você e Leopoldo são pais maravilhosos. Veja Dário, e até eu, que fui criada por vocês desde pequenina. Não creio que tenham falhado com Túlio. Creio que ele é que não saiba reconhecer e agradecer pelos pais que tem.

— Você é muito gentil, minha querida. Quisera pensar como você. Bem, já está pronta? Então vamos.

Quando saíram, Dário já as estava esperando. Ele mesmo guiaria a charrete que os conduziria até a fazenda Ouro Velho.

— Tudo pronto, meu filho? — perguntou Camila.

— Sim, mamãe. Podemos partir.

— Aonde é que vocês vão? — indagou Rodolfo, que chegava de dentro de casa. As moças tiveram um sobressalto, mas Camila respondeu:

— Vamos dar um passeio.

— Posso saber onde?

— Não sei. Por aí. Agora, com licença, Rodolfo. Estamos com pressa.

Sem dar-lhe tempo de responder, elas subiram na carroça, ao lado de Dário, e partiram. Júlia se foi sem nem ao menos falar com ele, e Rodolfo indignou-se. Não era possível que ela preferisse o irmão a ele. Eram iguaizinhos, por que não gostara dele? Pensando nisso, Rodolfo imaginou que seria muito fácil afastar Fausto de seu caminho. Ele tinha que tomar Júlia do irmão. Jamais poderia permitir que Fausto tivesse algo que ele não possuísse. Eram idênticos, e ela se afeiçoaria a ele tanto quanto se afeiçoara ao irmão. Em sua cegueira, não podia perceber que Júlia os distinguia não pela aparência, mas pela nobreza de sentimentos. Depois de tudo o que vira e ouvira, ela estava certa de que Fausto era de um caráter nobre e digno, ao passo que Rodolfo lhe parecia extremamente egoísta, mesquinho e maldoso.

Quando chegaram à fazenda Ouro Velho, o próprio Trajano fora recebê-los. Ia cabisbaixo, uma ruga de preocupação no rosto e profundas olheiras, demonstrando que quase não dormira. A seu lado, os amigos Juarez e Laurinda, que tentavam a todo custo animá-lo. Ele ajudou as moças a descer, e Camila perguntou:

— Como está, Trajano?

— Bem, sinhá, obrigado. E sinhozinho Túlio?

— Ainda está sumido, mas não se demora a aparecer.

Júlia, vendo o ar de tristeza estampado em seu rosto, resolveu consolá-lo:

— Não se preocupe, Trajano, ele está bem. Depois que tudo se acalmar, com certeza, ele volta.

— Foi o que dissemos a ele — acrescentou Juarez. — Mas ele não nos dá ouvidos...

— Não é isso, Juarez — objetou Trajano. — É que sinhozinho Túlio é um menino ainda. E depois, a culpa foi minha. Não devia ter batido nele. Não tinha esse direito.

Nesse instante, Rebeca chegou em companhia de Sara, e Dário correu para abraçá-la. Ela estava um pouco pálida e não se sentia muito bem. Depois dos habituais cumprimentos, o grupo entrou em casa, e foi só então que Trajano os colocou a par de tudo o que acontecera. No dia anterior não conseguira falar nada. Fizera todo o trajeto em silêncio, um brilho de tristeza no olhar, e se recolhera logo que instalado. Não quisera conversar com ninguém. Apenas com Juarez, que além de seu amigo, era também de sua raça e o único ali capaz de entender o que lhe ia na alma.

Ao final da narrativa, Camila olhou para ele com ar grave e ponderou:

— Não posso dizer que fez bem, Trajano, mas entendo seus motivos. Qualquer um, no seu lugar, teria feito o mesmo.

— Não, sinhá. Eu sou negro e escravo, e jamais poderia ter batido em sinhozinho Túlio.

— Deixe disso — cortou Júlia. — Você só é escravo porque quer. Leopoldo bem que quis alforriá-lo.

— Isso não vem ao caso, sinhazinha. O que faria sendo livre? Sou feliz onde estou e não saberia o que fazer com a liberdade. Para mim, a única coisa que importa é servir sinhá Camila e sua família.

— Sei disso, Trajano, e agradeço — disse Camila, emocionada. — E agora, não pense mais nisso. Deixe tudo por minha conta.

— Está bem, sinhá, mas o que será de mim?

— Por enquanto, é melhor que fique aqui, se Ezequiel e Rebeca não se importarem.

— É claro que não nos importamos — Ezequiel tratou logo de dizer. — Não é mesmo, Rebeca?

— Não, claro que não. Trajano sempre foi um bom rapaz, e vocês são nossos amigos.

— Então está ótimo.

— Mas até quando, sinhá?

— Por que, Trajano? — indagou Rebeca. — Por acaso não gosta de nós?

— Deus me livre de tamanha ingratidão, sinhá! Não é nada disso. Mas é que sinto falta dos meninos, principalmente de sinhazinha Júlia.

Júlia sorriu e retrucou:

— Pois não precisa. Dário e eu estaremos sempre por perto. Sara é minha amiga e está quase noiva de Dário.

— Por falar em noivado — cortou Sara —, ouvi dizer que você também está comprometida.

— Não é bem assim — contestou ela, corando. — Fausto e eu ainda não assumimos nenhum compromisso formal.

— O que não demorará muito a acontecer — acrescentou Camila, sorrindo.

De repente, Sara empalideceu e começou a tossir. Era uma tosse rouca, e ela parecia que ia engasgar. Seu semblante, de pálido foi passando a roxo, e todos pensaram que fosse sufocar. Foi um desespero geral. Rebeca, apavorada, dava-lhe tapinhas nas costas, tentando fazer com que o catarro se soltasse e liberasse passagem para o ar. Foi terrível. Ninguém sabia o que fazer, até que Camila tomou sua mão e tentou acalmá-la, pedindo a todos que se aquietassem. Com voz suave, dizia:

— Calma, Sara, devagar. Não fique nervosa. É só uma crise e vai passar. Procure manter a calma e respirar profunda e tranquilamente, sem pressa, sem afobação.

Sara fez como Camila lhe dizia e, aos poucos, foi recobrando o alento, e a respiração pareceu quase normalizar. Mas ela ficara exausta e deixara a cabeça tombar sobre a almofada, quase desfalecida. A palidez voltou ao seu rosto, e ela ficou ali, de olhos fechados, parecendo dormir. Dário, apavorado, andava de um lado para outro, enquanto a mãe corria a preparar-lhe um chá. Camila, assustada, ainda indagou:

— Mas o que será que tem essa menina?

— O médico não sabe ao certo — respondeu Ezequiel, que não tirava os olhos da filha, certificando-se de que respirava.

— Mas nem desconfia? Não é possível que não tenha nenhuma suspeita.

— Ele não quer dar nenhum diagnóstico precipitado ou equivocado.

— Sim, mas o que ele pensa que é?

Ezequiel encarou-a com amargor e respondeu, desolado:

— Ele pensa que ela está tísica.

— Meu Deus!

— Mas ela não está! Sei que não está!

— Por favor, Ezequiel, acalme-se — disse Rebeca, que chegava da cozinha. — Isso não vai ajudá-la em nada. E depois, você sabe que ela mesma pensa assim.

— Mas ela está enganada. Deve ser uma outra coisa qualquer. Ela não pode estar tísica. É tão jovem, vai se casar. Isto é, se Dário ainda a quiser...

— Escute, seu Ezequiel — interrompeu Dário. — Amo sua filha acima de qualquer coisa na vida, estando doente ou não.

— Mas todos sabem que a tuberculose é contagiosa.

— Não estou preocupado com isso. Em primeiro lugar, porque não creio que ela esteja tísica. Em segundo lugar, porque não me importo.

Ezequiel olhou para Camila com ar interrogativo. O que ela pensaria de tudo aquilo? Afinal, era mãe e, com certeza, não gostaria de ver o filho padecer daquela doença horrorosa. Camila, adivinhando-lhe os pensamentos, foi logo tranquilizando-o.

— Não se preocupe com isso, Ezequiel. Deus sabe o que faz. E se meu Dário tiver que adoecer, não creio que seja por culpa de ninguém.

— Como não? Se ele adoecer, com certeza terá contraído a doença de minha filha.

— Não estou bem certa disso. Acredito que as enfermidades tenham uma razão de ser, mas também creio que só as contraem aqueles que delas necessitam.

— Não entendo você, Camila — objetou Rebeca. — Quer dizer que acha que Sara precisava ficar doente?

— Não é bem assim. Creio que as doenças servem para nos alertar de algo, só não sei o que é. E não é que Sara precisasse ou merecesse ficar doente. Em absoluto. Apenas penso que essa doença deve estar sendo útil a ela de alguma forma.

— Mamãe! — protestou Dário, indignado. — Por acaso enlouqueceu, é? De onde tirou essas ideias?

— Da observação, da experiência. Todas as pessoas que adoecem possuem uma enfermidade na alma.

— Mas que enfermidade na alma? — contestou Ezequiel, que já começava a se zangar. — Quer dizer que minha Sara possui algum tipo de vício ou defeito?

— Não, não é isso. Mas se vocês observarem bem, Sara sempre foi uma menina fechada, triste, amarga. Pouco sorri, e mesmo quando criança, não raras eram as vezes em que se isolava, afastando-se das brincadeiras e dos folguedos.

— Sim, mas, e daí?

— E daí que, durante os anos em que estive naquele convento, ajudei a cuidar de vários doentes dos pulmões, e todos tinham uma característica em comum: eram todas pessoas tristes, solitárias, que se sentiam abandonadas por tudo e por todos.

— Francamente, Camila — censurou Rebeca —, acho que você está imaginando coisas.

— Será mesmo? Pois bem. Prestem atenção ao comportamento de Sara e depois me digam se não é verdade.

— Camila tem razão — concordou Júlia. — Lembro-me muito bem de que Sara sempre foi dada a tristezas profundas, que nem ela sabia explicar.

— Bem, de qualquer forma — objetou Ezequiel —, ainda que isso seja verdade, não acha que ela já se modificou? Tem o amor de todos nós, tem até um noivo que a ama. Não vejo por que se sentir tão triste ou abandonada.

— Você não está entendendo, Ezequiel. Esses sentimentos vêm da alma, e não do corpo. São muito mais profundos do que podemos compreender. Talvez nem ela mesma saiba o porquê de tanta solidão. Mas o fato é que nós, muitas vezes, sentimos coisas que não sabemos definir e cujas origens não podemos precisar. Quem sabe por quê?

— Deus, talvez — arriscou Júlia.

— Com certeza, minha filha, Deus é único e soberano, e conhece todos os seus filhos, mesmo aqueles mais calados e distantes.

— Talvez você tenha razão, Camila — começou Rebeca a concordar. — De hoje em diante, prometo prestar atenção em Sara.

— Faça isso. Tente falar com ela, fazer com que se abra e se sinta amada. Creio que só assim poderá se livrar desse mal que a aflige.

Nesse instante, Sara tossiu levemente e abriu os olhos, dando de cara com Dário, que estava sentado ao seu lado. Ela se levantou, ainda sentindo-se fraca, e Laurinda chegou com o chá, que ela bebeu rapidamente. Estava com sede e sentiu-se melhor. Intuitivamente, dirigiu um olhar de agradecimento a Camila e lhe sorriu. Sem saber por que, sentia como se Camila, de repente, houvesse atingido o âmago de seu ser, iniciando a desvendar segredos e mistérios que nem ela, nessa vida, poderia imaginar.

Mais tarde, ao voltarem para casa, receberam a notícia de que Túlio havia retornado. Ele estava em seu quarto, em companhia de Rodolfo, e parecia não querer falar com mais ninguém. Camila, indignada, partiu para lá. Ele era seu filho, e ela precisava saber como estava. Cautelosamente, bateu na porta e esperou, até que uma voz lá de dentro ordenou:

— Entre.

Ela abriu a porta lentamente e encontrou-o sentado a uma mesinha, jogando xadrez com Rodolfo. Aquilo não deixou de causar-lhe uma certa irritação. Então ele fazia o que fazia e depois ficava ali sentado, jogando xadrez, como se nada tivesse acontecido? Ela teve vontade de gritar com ele, mas conteve seu ímpeto. Queria evitar brigas e disse mansamente:

— Túlio, meu filho, onde esteve? Fiquei preocupada.

Ele a olhou com ar divertido e respondeu fazendo mofa:

— Ficou? Pois não devia.

— É claro que devia. Você é meu filho e preocupo-me com você. Quero saber onde esteve.

— Muito obrigado, mamãe, mas não precisa se preocupar. Tio Rodolfo cuidou de mim.

Ela olhou para o irmão com ar interrogativo, e ele balançou a cabeça, concordando com o que Túlio dissera.

— Como assim, cuidou de você?

— Ora, querida irmã — disse Rodolfo com desdém —, Túlio passou a noite comigo, em meu quarto.

— O quê? Quer dizer então que ele esteve aqui todo o tempo e você não me disse nada?

— E por que deveria?

— Porque sou a mãe dele. Estava preocupada, e você sabia disso. Devia ter me contado.

— Não devia, não. E depois, se você se importasse tanto com seu filho, não o teria trocado por um negro!

Camila olhou-o magoada e respondeu:

— Isso não é justo. Eu jamais trocaria meu filho por quem quer que fosse.

— Ah, não, mamãe? E o que fez, então, tomando o partido de Trajano, como se ele fosse o senhor e eu um maldito criminoso? Afinal, não fiz nada de mais.

— Túlio, meu filho, não vou levar em consideração o que diz porque sei que está com raiva. Mas se fizer um exame em sua consciência, verá que Trajano tinha uma certa razão.

— Mas que razão, Camila? — cortou Rodolfo. — Ora, francamente, minha irmã, creio que você perdeu o juízo. Onde já se viu tirar a razão de um branco para dá-la a um negro?

— Rodolfo, por favor, não se intrometa. Você não conhece os motivos que levaram Trajano...

— Conheço-os muito bem. E não vejo motivo para tanto alarde. Recriminar Túlio só porque se divertiu com uma negra? E daí? É para isso que elas servem.

— Rodolfo, como pode dizer uma coisa dessas? — Camila estava horrorizada. — Você, um homem civilizado, pensar isso de outro ser humano?

— Ouça, Camila, não quero iniciar uma discussão sobre a natureza dos escravos. Essa questão não me interessa. Só o que sei é que os escravos têm por função nos servir, sejam eles gente ou animais. E se Túlio escolheu servir-se de uma negra, fez muito bem. E se ela morreu, tanto melhor. Ao menos assim ele não teve que se expor, correndo o risco de ter um mulatinho bastardo a correr atrás dele, agarrando na barra de sua calça e gritando "papai"!

Nesse momento, Camila não se conteve. Sem pensar, ergueu a mão e desferiu sonoro tapa no rosto de Rodolfo, que ficou vermelho de raiva. Ele até pensou em revidar, mas Camila, além de mulher, era também sua irmã mais velha, e o pouco de respeito que lhe restava impediu-o de devolver a agressão. No entanto, engoliu em seco e disparou:

— Ouça, Camila, ainda vai se arrepender do dia em que resolveu me desferir esse tapa.

E saiu, batendo a porta atrás de si. Camila desabou na cama e começou a chorar. Perdera a cabeça. Não queria, mas perdera a cabeça. Olhou para o filho, como a pedir-lhe apoio e compreensão, mas ele disse amargamente:

— O que foi fazer, mamãe? Como pôde bater em tio Rodolfo?

— Ele me provocou, meu filho, você viu.

— Oh, sim, vi muito bem! Não é à toa que Trajano me bateu. Deve ter aprendido com a senhora, não é mesmo?

— Túlio, o que é isso? Perdeu o respeito, é? Sou sua mãe, e você me deve respeito, ainda que não queira.

Ele abaixou os olhos, envergonhado. Estava coberto de ódio, mas não podia deixar que isso transparecesse para a mãe. Sabia que o que dissera era uma injustiça, mas não podia perder a oportunidade de provocá-la. Com os olhos pregados no chão disse, fingindo arrependimento e humildade:

— Tem razão, mamãe, sinto muito.

Ela se levantou e aproximou-se dele, envolvendo-o em um abraço amigo e amoroso, e desabafou, em lágrimas:

— Oh! Meu filho, por que teve que fazer isso, por quê? Você é jovem, bonito, inteligente. Pode ter as moças que quiser. Por que tem que se envolver com as escravas, abusando de uma superioridade ilusória para conseguir seus intentos? Por quê? Por quê?

Túlio, porém, não respondeu. Ao contrário, fechou os olhos e riu intimamente. Se a mãe pensava que o comovia com aquela cena, estava muito enganada. Ele não dava a menor importância ao que ela dizia ou pensava. Concordava com Rodolfo. Os escravos existiam para servir, e ele se aproveitava disso da melhor forma que sabia. E não se arrependia.

Fora dali, Rodolfo roía-se de raiva. Primeiro fora Júlia, que o trocara pelo irmão. Depois Fausto, que o humilhara e espezinhara. Em seguida, a mãe, que não lhe dera ouvidos, preferindo fazer a vontade de Fausto. E então Camila, que o agredia para defender os negros. Era uma verdadeira afronta. Todos pareciam estar contra ele, mas aquilo não ficaria daquele jeito. Não era saco de pancadas de ninguém, e cada vez mais sentia o ódio crescendo dentro dele.

Já era quase noite, e ele estava sentado na sala, no escuro, quando Tonha apareceu para acender as velas e os lampiões. Ao vê-lo ali sentado, sozinho, compadeceu-se. Ele era seu menino. Ela ajudara a criá-lo e não gostava de vê-lo tão abatido. Chegando-se mais para perto dele, indagou preocupada:

— O sinhozinho está sentindo alguma coisa, está?

Ele olhou para ela como se não a conhecesse, e só depois de alguns segundos, quando conseguiu conciliar as ideias, foi que retrucou:

— Hã? O quê? O que disse?

— Perguntei se o sinhozinho está sentindo alguma coisa.

— Não estou, não, Tonha. Está tudo bem.

— Mas o sinhozinho está com uma cara...

— Está tudo bem. Não se preocupe. Vá cuidar de seus afazeres.

Tonha não insistiu. Conhecia o gênio de sinhozinho Rodolfo e não queria aborrecê-lo. Em silêncio, terminou de acender as velas e saiu, no mesmo instante em que Palmira chegava. Ela olhou para Tonha com raiva e virou-se para Rodolfo.

— Meu filho, hoje vocês conhecerão minha visita.

Rodolfo, que além de não perceber a entrada da mãe, nem se lembrava da hóspede misteriosa, retrucou confuso:

— Hã? O quê? O que foi que disse, mamãe?

— Minha visita. A mulher que está hospedada em nossa casa.

— Ah, sim. Até já havia me esquecido dela.

— Pois não devia. É sua parenta.

— É mesmo? Quem é?

— Você não a conhece. Ela esteve fora durante muitos anos, perdeu o marido e agora retornou. Mas sossegue; logo, logo, você a conhecerá.

Em seguida, afastou-se enigmática. Já era quase hora do jantar, e ela faria a todos uma surpresa.

Às sete horas em ponto, o jantar foi servido, e todos repararam que havia mais um lugar à mesa. Assim que se acomodaram, e Tonha já se preparava para servi-los, Palmira mandou que esperasse e anunciou:

— Meus filhos, meus netos, tenho uma surpresa para vocês. É com muita satisfação que hoje dou a conhecer a identidade de nossa hóspede secreta.

Apontou para a porta da sala, para onde todos voltaram suas atenções. Constância entrou, um pouco insegura, porém radiante. Passara algum tempo escondida, perdera alguns quilos, ajeitara o cabelo, voltara a vestir-se com apuro. Estava pronta, enfim, para enfrentar os seus.

Ao vê-la, Tonha quedou estupefata, quase deixando cair a travessa de sopa. Reconhecera-a instantaneamente. Ela estava mudada, mais gorda, mais velha, ganhara aquela enorme cicatriz no rosto, mas era a mesma Constância de antigamente. O mesmo rosto de esfinge, os mesmos olhos verde-escuros.

Camila, por sua vez, dando de cara com a prima, a quem chegara a julgar morta, deu um pulo da mesa e exclamou:

— Constância! É você mesma? Será possível? Mas como pode? Por onde andou?

— Calma, calma — interrompeu Palmira. — Por favor, Camila, não crive sua prima de perguntas.

Palmira fez com que Constância se sentasse à mesa e, enquanto Tonha servia o jantar, apresentou-a formalmente aos filhos e netos, contando-lhes a história que inventara. Ela fugira e se casara com um rico barão, partindo para a Europa em seguida. Lá viveram durante muitos anos, até que uma tragédia sucedeu. Um dos empregados do castelo, querendo vingar-se do barão, matou-o enquanto dormia, só não matando Constância porque ela conseguira escapar e saíra gritando pelos corredores do palácio. O malfeitor foi morto a tiros, não sem antes imprimir-lhe aquela cicatriz horrorosa e indelével. Sentindo-se só e sem filhos, Constância resolveu voltar para a terra natal, onde tencionava terminar seus dias.

Ao final da narrativa, todos a olharam estarrecidos. Aquela história era fantástica e duvidosa, mas quem ousaria contestá-la? Constância exibia até uma grossa aliança de ouro no anelar da mão esquerda, que Palmira lhe dera, só para imprimir-lhe maior credibilidade.

Capítulo 7

No domingo pela manhã, Fausto saiu bem cedo em direção à vila. Queria falar com o padre a respeito da capela que estavam construindo na fazenda. A capela era um projeto seu e de Rodolfo, que a idealizaram para satisfazer o desejo da mãe, uma senhora bem velhinha que já não tinha mais a mesma disposição de outrora para levantar cedo e ir à missa dominical.

Rodolfo, por sua vez, vendo que o irmão se ausentara, resolveu agir. Desceu cautelosamente e foi esperar Júlia na sala de jantar. Sabia que ela, em breve, desceria para o café, e ele tencionava abordá-la após o desjejum. A família em breve despertou, e todos se reuniram. A mãe tinha gestos artificiais, e Constância tudo fazia para esconder o nervosismo. Até que Júlia, tentando parecer casual, indagou meio sem jeito:

— Alguém viu Fausto?

Como ninguém respondeu, Tonha, que acabara de colocar a leiteira sobre a mesa, disse, sem tirar os olhos do chão:

— Saiu logo cedo e disse que ia à vila.

— Fazer o quê? — quis saber Palmira.

— Acho que foi falar com o padre sobre a capela.

— Capela? Que capela? — perguntou Constância.

Palmira olhou para ela e respondeu, orgulhosa:

— Fausto e Rodolfo resolverem presentear-me com uma capelinha, que está sendo construída aqui na fazenda.

— Mas que maravilha, mamãe! — elogiou Camila.

— É sim, minha filha. Bem, agora, se me dão licença, vou me retirar.

Palmira terminou o café e se levantou, seguida de Constância, que não a largava. Desde que voltara, a sobrinha não se mostrava receptiva a ninguém e vivia a seguir Palmira por todos os lados. Depois que todos saíram, Júlia se levantou e também pediu licença. Ia cavalgar. Rodolfo aproveitou e, com ar displicente, perguntou:

— Posso acompanhá-la? Está um belo dia, e não gostaria de perdê-lo trancado aqui dentro de casa.

Ela ficou desconcertada. Não esperava por aquele convite inoportuno, mas não podia recusar. Se o fizesse, talvez estivesse declarando guerra aberta a Rodolfo e Palmira, e ela não queria se desentender com o futuro cunhado, muito menos com a futura sogra. Levantando os ombros, suspirou e disse:

— Pode sim.

— Então vamos?

Ele estendeu o braço para ela, e Júlia o tomou sem muito interesse. Apesar de idêntico a Fausto, Rodolfo não inspirava a mesma confiança. Havia algo nele que não a agradava. Sabia que ele era cruel e vingativo, mas não era só isso. Era uma certa inquietação que sentia em sua presença. Ela abanou a cabeça, tentando espantar aqueles pensamentos, e sorriu. Rodolfo falava alguma coisa sobre o tempo, mas ela não prestava a menor atenção. Seu pensamento estava voltado para Fausto. Ela o amava imensamente e gostaria que ele estivesse ali, para ampará-la e protegê-la.

Os dois tomaram as montarias e saíram pela fazenda. Havia muitos lugares bonitos para se ver, muitos campos verdes para cavalgar, e eles iam em silêncio, apreciando a paisagem. Rodolfo ia na frente, indicando-lhe o caminho, e Júlia seguia-o maquinalmente, sem prestar atenção por onde ia. Breve, alcançaram um recanto bem afastado, no extremo oposto da fazenda, perto da divisão com a Ouro Velho. Era um lugar lindo, cercado de árvores, embora um pouco deserto e sombrio. As árvores ali eram bem altas, e o Sol quase não penetrava. Rodolfo apeou e dirigiu-se para Júlia, e só então ela se deu conta do lugar em que estava, e sentiu medo. E se ele lhe fizesse algum mal? Ao vê-lo se aproximar, disse mais que depressa:

— Vamos voltar, Rodolfo. Já nos afastamos bastante.

— Espere um instante — respondeu ele com voz melosa, ao mesmo tempo em que segurava o cavalo de Júlia pela rédea. — Por que não desmonta um pouquinho, só para descansar e desfrutar dessa paz?

Sem saber o que fazer, ela desmontou, deixando que Rodolfo a segurasse e a colocasse no chão. Ao contato de suas mãos, ela sentiu um calafrio e se encolheu toda, já arrependida de haver apeado.

— Rodolfo, acho que quero voltar. Já está ficando tarde e, logo, logo, Fausto estará de volta. Pode ficar preocupado.

— Ora, mas o que é isso? Então não sirvo?

— Como assim? O que quer dizer?

— Você sabe. Se gosta tanto de Fausto, por que não pode gostar de mim também?

— Rodolfo, eu... não entendo o que quer dizer.

— Ora, minha querida, entende muito bem. Fausto e eu somos iguais. Se sente atração por ele, há de sentir por mim também. Não há diferença entre nós.

Ao dizer isso, ele a segurou pelos punhos e tentou beijá-la, mas ela desviou o rosto, enojada. Júlia estava apavorada. Sozinha ali, com aquele homem forte e ardiloso, sabia que corria grande perigo. Tentando manter a calma, ponderou:

— Por favor, Rodolfo, não faça isso.

— Por que não? Não disse que ama meu irmão? Por que não pode amar-me também?

— Porque é diferente. Vocês são iguais na aparência, mas internamente são muito diferentes.

— Diferentes em quê? Por acaso ele é melhor do que eu?

— Eu não disse isso. Vocês são diferentes, é só.

— Por que foi preferi-lo a mim? Por que não pôde me amar em lugar dele?

— Porque não se pode mandar no coração.

— Mas eu a quero! Não pode amá-lo mais do que a mim!

Ela tentou se desvencilhar, mas ele não a soltava. Ao contrário, cada vez apertava-a mais, até que ela gritou:

— Por favor, Rodolfo, solte-me, está me machucando!

— Oh, sinto muito. Não quero magoar essa pele tão alva e sensível.

E afrouxou um pouquinho. Júlia, no auge do desespero, desferiu-lhe um golpe com os joelhos, atingindo-o bem na virilha, e ele a soltou, dobrando no chão e uivando de dor. Ela correu para o seu cavalo e montou. Rodolfo, recobrando forças, levantou-se e correu atrás dela. Rapidamente, tomou a montaria e partiu em seu encalço. Júlia, sem saber que caminho tomar, deu rédea ao animal e saltou a cerca, passando para o lado da fazenda Ouro Velho, sempre com Rodolfo atrás dela. Os dois cavalgavam muito bem, e a perseguição prosseguia implacável. Júlia, movida pelo instinto de preservação, corria em direção à casa grande, e Rodolfo, tomado pelo ódio e pelo ciúme, corria o mais que podia, na intenção de alcançá-la antes que chegasse.

Ele já a estava quase alcançando, cavalgando a seu lado e tentando segurar as rédeas do cavalo de Júlia, que o empurrava, dando-lhe tapas desajeitados. Rodolfo ria freneticamente, parecia enlouquecido, e gritava entre dentes:

— Vai ser minha, Júlia! Não adianta fugir, porque você vai ser minha. Fausto não pode tê-la, não pode!

Ela já estava cansada, e Rodolfo já estava quase conseguindo agarrar as rédeas do animal, quando Júlia avistou um vulto negro ao longe, com um machado na mão, cortando lenha. Ela esporeou o cavalo e ele se afastou um pouco de Rodolfo, que logo chegou a seu lado. O vulto, ouvindo o barulho dos cascos dos animais no solo, parou o serviço e olhou, tentando reconhecer os cavaleiros. A princípio, não os reconheceu. Mas depois, vendo a saia de Júlia voando ao vento, percebeu tratar-se de uma mulher, que acenava para ele, com um homem quase a alcançá-la. Júlia logo reconheceu Trajano e começou a agitar os braços, na esperança de que ele a visse e a ajudasse. Com efeito, assim que Trajano reconheceu sinhazinha Júlia, soltou o machado e correu, até que ela conseguiu chegar até ele. Rodolfo, a seu lado, não conseguia dissimular o ódio. Diminuiu a marcha e disse, tentando disfarçar:

— Bela corrida, Júlia. É exímia amazona.

Júlia olhou para ele, arfante, cheia de terror, e Trajano pôde perceber o medo em seus olhos. Estava tão ofegante que não conseguia falar, até que o escravo se adiantou, perguntando:

— Está tudo bem, sinhazinha Júlia?

Ela olhou para Rodolfo, que lhe endereçou um sorriso diabólico, e respondeu:

— Sim, Trajano, tudo bem.

— A sinhazinha estava apostando corrida, é?

— Estava sim — respondeu Rodolfo mal-humorado. — Por quê? O que tem com isso?

— Nada, sinhô. É que sinhá Júlia chegou tão assustada que pensei...

— Você não tem que pensar nada. Escravo não pensa, obedece.

— Desculpe, sinhô, mas não lhe devo obediência, não.

— Ora, negro insolente. Como se atreve? Já não basta o que fez a Túlio? Ainda me desafia?

Trajano não respondeu. Estava preocupado com Júlia. Ele a conhecia muito bem e sabia que aquele moço tencionara fazer-lhe algum mal.

— Sinhô, com todo o respeito, vou pedir que vá embora. Vou acompanhar sinhazinha Júlia até a casa grande.

Rodolfo, ainda não convencido de que perdera sua presa, levantou o chicote que trazia preso à cinta e desferiu em Trajano violenta chibatada, fazendo com que ele levasse a mão ao ombro, onde fora atingido, enquanto o outro vociferava:

— Isso é por meu sobrinho, Túlio!

— Chega, Rodolfo! — gritou Júlia. — Vá embora daqui.

— Vou se quiser. Não se esqueça de que estas terras são minhas, e posso vir aqui à hora que desejar.

— A fazenda está arrendada, e você não tem o direito de vir sem ser convidado. Agora vá embora!

Mas Rodolfo não parecia disposto a ceder. Perdera e não queria admitir. Depois disso, Júlia com certeza contaria a Fausto o que acontecera, e o irmão, na certa, tomar-lhe-ia satisfações. Vendo que o moço não se mexia, Trajano tratou de intervir novamente:

— Não ouviu o que ela disse, sinhozinho? Por favor, saia daqui.

— Será que quer apanhar de novo, negro?

— Não, sinhô. Mas se o sinhô tentar me bater novamente, não vou permitir. Não sou seu escravo e não estou acostumado a apanhar.

Rodolfo fuzilou-o, abismado. Como era insolente aquele escravo! Merecia uma surra. Contudo, tinha que reconhecer que o negro era mais alto e mais forte que ele, e ser-lhe-ia muito fácil desarmá-lo e até matá-lo. Temeroso, engoliu o ódio e retrucou:

— Isso não vai ficar assim, Júlia. Quanto a você, negro, não perde por esperar.

Virou as rédeas do cavalo e foi embora. Sentia tanto ódio que parecia que ia explodir. Aquela era mais uma das muitas afrontas que vinha sofrendo e ele precisava se vingar. Daria um jeito de se vingar de todos e saborearia sua vingança pisando sobre seus inimigos.

Quando Fausto chegou da vila, recebeu a notícia de que Júlia não se encontrava em casa, pois havia saído logo após o desjejum para um passeio a cavalo com Rodolfo e ainda não retornara.

— E meu irmão? — indagou Fausto ao escravo que o recebera. — Também ainda não voltou?

— O sinhozinho Rodolfo está lá no rio, pescando.

Fausto rodou nos calcanhares e partiu em busca do irmão. Alguma coisa devia estar errada. Onde estava Júlia? Por que não voltara com ele? Encontrou-o sentado numa pedra, com as calças arregaçadas e um caniço na mão, pescando tranquilamente, como se nada tivesse acontecido. A seu lado, Túlio mascava um pedaço de fumo de rolo e parecia desinteressado da pescaria. Fausto chegou por trás deles e chamou:

— Rodolfo, onde está Júlia?

Rodolfo olhou para ele com desprezo. Tinha vontade de esmurrá-lo, mas conteve o ímpeto e disse em tom de sarcasmo.

— Não sei. Deixei-a na fazenda Ouro Velho, em companhia de um negro.

Fausto já ia responder, mas mudou de ideia. Não queria estragar seu domingo com uma discussão sem propósito. Sabia que Rodolfo o estava provocando, mas não queria responder a suas provocações. Ele não deu resposta ao irmão e se foi, rumo à fazenda Ouro Velho. Não lhe agradara nada aquele passeio. Então Júlia não sabia que ele e o irmão haviam brigado?

Desde o dia em que ele e Rodolfo tiveram aquela briga em presença da mãe, nunca mais foram os mesmos. Mantinham um relacionamento cordial, mas Fausto podia perceber certa agressividade no tom de voz de Rodolfo todas as vezes que ele lhe dirigia a palavra.

O irmão, sempre que podia, evitava encontrá-lo e quase não olhava mais para ele. Nos dias que se seguiram à briga, Rodolfo não o esperou mais para vistoriar a plantação, como sempre fazia, preferindo sair sozinho, mais cedo, ou então não indo mais.

Ao chegar à fazenda Ouro Velho, todos estavam reunidos no jardim, conversando, inclusive Dário, que chegara havia pouco para o almoço. Logo que Júlia o viu, levantou-se e correu. Estava ansiosa por vê-lo e não pôde ocultar que algo de muito errado se passara com ela. Ele a abraçou e, sentindo seu corpo trêmulo, indagou:

— Júlia, meu bem, aconteceu alguma coisa? Soube que saiu com Rodolfo...

Ela se abraçou ainda mais a ele e começou a chorar. Não queria contar-lhe o ocorrido, mas sentia que não poderia guardar aquilo só para si. Na fazenda, nada dissera a ninguém e pedira a Trajano que não comentasse o ocorrido. O escravo prometera guardar silêncio, e ela passara ali a manhã toda, sem que ninguém desconfiasse do sucedido.

— Oh, Fausto! — respondeu ela finalmente — Não queria que você soubesse, mas creio que não conseguirei ocultar nada de você.

— Diga-me, minha querida, o que foi que aconteceu?

Ele enxugou-lhe as lágrimas e, tomando-a pelo braço, saiu em direção oposta, acenando para os demais. Enquanto caminhavam, ela ia lhe contando tudo o que acontecera e podia sentir a raiva crescendo dentro dele. Quando terminou, ele disse entre dentes:

— Aquele cachorro! Miserável! Deveria matá-lo!

— Acalme-se, querido. Afinal, não aconteceu nada.

— Como não aconteceu nada? Ele quase a violentou.

— Não creio que pretendesse chegar tão longe. Penso que queria apenas me beijar.

— Beijar, pois sim. E pensar que eu, a princípio, até senti pena dele, julgando-o um pobre infeliz por se apaixonar por você. Como fui tolo! Ele não presta e merece uma lição.

— Não diga isso. Você é um homem bom e compreensivo, e tenho certeza de que conseguirá entender.

— Mas entender o que, meu Deus? Que ele a desrespeitou? Que quis me trair?

— Não. Que agiu feito uma criança, incapaz de compreender a extensão de seus atos.

— Júlia, como pode ainda defendê-lo?

— Mas não o estou defendendo. Estou apenas tentando mostrar que Rodolfo ainda não aprendeu a respeitar seus semelhantes.

— E daí? Isso por acaso é desculpa para ele fazer o que fez?

— Não, mas é motivo para que possamos compreendê-lo e ajudá-lo.

— Ajudá-lo? Mas como? O que quer que faça? Que o apoie? Que a divida com ele?

— Fausto, que horror! Como pode dizer uma coisa dessas?

— Desculpe-me, meu bem, não quis ofendê-la. Mas é que essa sua atitude me deixou indignado. Pensei que tivesse ficado furiosa com o que ele fez.

— E fiquei. Mas Rodolfo é seu irmão, e acho que agiu movido pelo ciúme. Talvez não tenha tido intenção de ofender-me ou de traí-lo.

— E teve intenção de que, então?

— Não sei ao certo. Mas creio que Rodolfo esteja confundindo as coisas. Ele pensa que só porque vocês são gêmeos, eu deveria gostar dele tanto quanto gosto de você. Não entende por que fui preferi-lo a ele.

— E daí? Continuo achando que isso não é motivo para atacá-la. Um homem de caráter não agiria assim, não desrespeitaria uma moça só porque sente ciúmes. Não, Júlia, isso foi coisa de um patife, e ele bem merece uma reprimenda. Eu deveria matá-lo!

— Pelo amor de Deus, Fausto, nem pense numa coisa dessas!

— Júlia, não entendo você. Há pouco, quando cheguei, você chegava a tremer, não sei se de medo, de ódio, de revolta ou de tudo isso junto. Mas agora, parece que mudou. De repente, é como se você tivesse passado a aceitar tudo isso com extrema naturalidade.

— Não é nada disso, Fausto, não interprete tudo errado. Já disse que fiquei com medo e com raiva. Ninguém gosta de ser atacado, agredido, humilhado. No entanto, isso nada tem a ver com o fato de que sinto pena dele.

— Pena? Era só o que me faltava!

— Pena, sim. Como disse, Rodolfo ainda está muito longe de entender o que é o respeito e pensa que pode tudo, só porque é branco e rico.

Fausto estava desanimado. Não adiantava tentar convencer Júlia de que Rodolfo deveria ser advertido. Ela possuía bom coração e não queria que ele se desentendesse com o irmão novamente por causa dela. Esgotados seus argumentos, acabou por concordar:

— Está bem, Júlia, você venceu. Não quero mais falar sobre isso.

— Então prometa que não tomará nenhuma atitude drástica contra ele.

— Está certo. Se é o que quer...

— Obrigada, Fausto. Sabia que você entenderia.

Os dois se beijaram e voltaram para junto dos demais, que já se preparavam para o almoço. Quando chegaram, Ezequiel cumprimentou, sorridente:

— Senhor Fausto! Há quanto tempo não o vemos. Fico muito feliz que esteja aqui.

— Obrigado. É um prazer reencontrá-los.

— Creio que ainda não conheça nossa filha, Sara — disse Ezequiel, mostrando-lhe a menina.

— Não, ainda não. Muito prazer, senhorita.

— O prazer é todo meu — respondeu ela, acanhada.

— Sara e eu vamos ficar noivos — adiantou-se Dário.

— É mesmo? Quando?

— Não sabemos ainda. Logo que ela melhorar.

— Senhor Fausto — interrompeu Rebeca —, por que não fica para o almoço?

— Oh, não, obrigado. Não quero causar incômodo.

— Mas não será incômodo algum. Dar-nos-ia imensa satisfação.

— Bem, se é assim, aceito.

— Ótimo. Agora, se me der licença, vou mandar pôr mais um prato à mesa.

O almoço transcorreu sem maiores preocupações. Sara e Dário faziam planos para o casamento, e todos estavam felizes. Fausto, porém, olhando mais para a moça, pôde perceber a enorme palidez de suas faces. Ela era, com certeza, uma moça enferma e, embora desconhecesse a natureza daquela enfermidade, sabia tratar-se de algo sério. De vez em quando, ela tossia de leve, tentando disfarçar a falta de apetite. Quase não comia, e ele podia notar certo desânimo nela, como se estivesse muito cansada. Fausto teve um pressentimento ruim, mas não disse nada. Não queria impressionar Júlia, tampouco saberia definir o porquê daquela sensação.

Capítulo 8

O clima na fazenda São Jerônimo parecia haver retomado a normalidade, e ninguém mais tocava no assunto das brigas que se haviam sucedido em tão curto espaço de tempo. Palmira, apesar de tudo, gostava muito da convivência em família e, principalmente, de

Túlio, por quem acabara se afeiçoando em demasia. O rapaz era muito parecido com seu primeiro marido, Gaspar, e isso a enchia de orgulho. Rodolfo, sempre que possível, juntava-se a eles, e Fausto escolhia as horas em que sabia que ele não estava para ficar junto da mãe.

Constância, por sua vez, começou a sair sozinha. À medida que o tempo passava, foi se acostumando a sua nova situação e arriscava algumas incursões pela casa e pela fazenda. Aos poucos foi se soltando e logo voltou a ser a mesma Constância de sempre, alimentando seu ódio por Tonha. Ela vivia a vigiar a escrava. Não lhe dizia nada. Ficava apenas olhando-a, com ar mordaz. Nos lábios, um sorriso sarcástico a acompanhá-la. Tonha não dizia nada. Não gostava de Constância, mas o que poderia fazer? Ela era sobrinha de sinhá Palmira, e o melhor era tratá-la com respeito e deferência, sem, contudo, prestar-lhe muita atenção.

E ainda havia Túlio. Apesar da conversa que tivera com a mãe, ele não parava de pensar em Etelvina. Mesmo a avó não aprovava aquele interesse. Certa vez até chegara a lhe contar que Licurgo, seu segundo marido, criara o hábito de dormir com uma negrinha de dentro, mas que ela o forçara a abandoná-la, e ainda mandara dar-lhe uma surra. Pretendia, com isso, deixar claro que não toleraria aquele tipo de envolvimento em sua casa.

Com isso, Túlio começou a ficar desesperado. Ansiava pelo corpo de Etelvina, tão jovem, tão fresco. Ele vivia a segui-la com os olhos, mas ela, sempre que o via, fugia apavorada. Além disso, seu coração já estava preso ao de Trajano, e ela muito lamentara sua partida dali. Mal via a hora de tornar a vê-lo e rezava para que seus orixás o trouxessem de volta. Chegava mesmo a fazer diversas oferendas na cachoeira, pedindo a Oxum, a deusa do amor, que o trouxesse para seus braços. Nessas ocasiões, Túlio sempre ia atrás dela, mas nunca tivera coragem de se aproximar, com medo de que alguém descobrisse e contasse para a mãe ou a avó.

Apenas Rodolfo conhecia seus desejos. Só o tio era capaz de compreender sua aflição. Ele mesmo, por diversas vezes, servira-se das negras, a exemplo do pai, sem que a mãe jamais descobrisse. Ao saber disso, Túlio indagou, abismado:

— Mas o quê? Quer dizer então que você já se deitou com as negras?

— É claro que sim. Por diversas vezes.

— E vovó nunca descobriu?

Ele soltou uma gargalhada e respondeu:

— Ela nunca sequer desconfiou.

— Mas como você consegue?

— Sabe o Terêncio?

— O capataz?

— É ele quem me arruma as negrinhas, como fazia antes com papai.

— Mas vovó disse que descobriu sobre seu pai e uma escrava, e que ele teve que parar de se encontrar com ela.

— Bom, isso lá é verdade. Ele parou de se encontrar com ela, mas, pouco depois, passou a se deitar com qualquer uma que estivesse disponível. E vovó também nunca ficou sabendo.

— Ora, vejam só!

— Pois é. Por isso é que lhe digo. Não tenha receio de tomar a negra que quiser. Elas estão aqui para nos servir e não podem se recusar.

Túlio olhou-o com ar de cobiça, já mordendo os lábios, o corpo se enchendo de desejo só de imaginar a negra Etelvina sob seu corpo.

— Será mesmo? — perguntou com olhar lúbrico.

— É claro. Está interessado?

— Você sabe que sim.

— Eu sei. Etelvina, não é mesmo?

— É, sim. Foi por causa dela que Trajano me bateu. Tenho certeza de que ele também gostou dela.

— Pior pra ele. Vai ter que suportar vê-lo... — Rodolfo parou de falar e encarou o sobrinho com ar diabólico, mudando de assunto — Ei, espere aí. Quer se vingar daquele negro?

— Vingar-me? Como?

— Apenas me responda: quer vingar-se dele ou não quer?

— Sim... seria divertido.

— Ótimo. Então, vai se vingar dele.

— Mas como? Em que está pensando?

— Quer mesmo saber? — ele assentiu. — Pois vou lhe contar.

Túlio chegou-se mais para perto de Rodolfo, profundamente interessado, e ele narrou-lhe em detalhes o plano que tinha para se vingar daquele negro imundo, como chamava Trajano. Túlio começou a rir. O plano era perfeito, e Trajano receberia a lição que merecia.

— Mas, como faremos para executá-lo?

— Deixe tudo por minha conta. Na hora certa de agir, eu o informarei e explicarei direitinho tudo o que tem que fazer. Por enquanto, basta ficar de olho na negra.

Túlio saiu dali animado. Era uma excelente ideia, e mataria dois coelhos com uma cajadada só. Passando pela porta da cozinha, dirigiu-se para o terreiro, onde Etelvina estava pendurando a roupa. Chegou perto dela e parou, encarando-a com um sorriso irônico no rosto. A moça assustou-se e encolheu-se toda, tentando realizar sua tarefa sem prestar-lhe atenção. Túlio, porém, sem tirar os olhos dela, disse com voz melíflua:

— Etelvina, sabe que é uma escrava muito bonita, não sabe?

Ela abaixou os olhos, envergonhada, e suplicou:

— Por favor, sinhô, deixe-me trabalhar em paz.

— Mas eu não estou atrapalhando. Ou estou? Pode falar.

— Não, sinhô, não está.

— Então por que não me deixa ficar aqui e observá-la?

— Sinhô Túlio, por favor...

— Não se preocupe comigo, Etelvina. Ou melhor, faça de conta que não estou aqui. Só quero admirar sua beleza.

Ela estava constrangida e com medo. Olhou para a porta da cozinha e viu Tonha lá dentro, preparando o jantar. Tonha, como se sentisse o apelo mudo da outra, virou-se subitamente e logo percebeu o que estava se passando. Foi até a porta e gritou:

— Etelvina! Venha aqui um instante, sim?

Etelvina, agradecida, terminou de pendurar o lençol e correu para a cozinha, Túlio despindo-a com o olhar.

— Chamou, Tonha?

— Chamei, sim. Será que pode me ajudar com esse bolo?

— É claro, Tonha. Agora mesmo.

Túlio chegou por trás delas, sem que nenhuma das duas percebesse. Parecia um felino, silencioso e traiçoeiro. Elas levaram o maior susto quando ele disse:

— Tonha, por que não se mete com sua própria vida?

Tonha teve um sobressalto e respondeu, as faces ardendo em fogo:

— O que disse, sinhozinho?

— Você ouviu muito bem. Meta-se com sua própria vida e não se atravesse em meu caminho.

— Não sei o que o sinhozinho quer dizer.

— Sabe sim. Não pense que, só porque tio Fausto e tio Rodolfo gostam de você, pode fazer o que quiser. Lembre-se de que minha avó somente a tolera aqui por causa deles, mas eu posso muito bem fazer com que ela mude de ideia.

— Sinhozinho, perdão, mas não compreendo...

— Não se faça de tonta, mulher, porque sei que não é. Estou avisando: não se meta comigo. Você não me conhece e não sabe do que sou capaz.

Sem dizer mais nada, voltou-lhe as costas e saiu porta afora. Tonha sentiu medo, e Etelvina começou a tremer, dizendo em lágrimas:

— Oh! Tonha, desculpe, não devia ter metido você nessa história.

— Minha filha, a história de um negro é a história de seu povo. O que está acontecendo com você já vi acontecer muitas vezes e sei como sempre termina.

— Mas você não devia ter me chamado.

— Senti que você precisava de ajuda.

— A culpa foi minha. E agora, se sinhozinho Túlio fizer alguma coisa contra você, não poderei me perdoar.

— Não se preocupe, menina. Nada vai me acontecer. E depois, não será a primeira vez.

— Mas não quero, não quero.

— Então pare de se preocupar e tenha cuidado. Evite sair sozinha.

— Mas eu tenho que lavar roupa lá no riacho.

— Eu sei, e isso você não pode evitar. Mas pode deixar de ir sozinha fazer oferendas a Oxum, não pode?

— Como sabe disso, Tonha?

— Por acaso pensa que sou boba, é? Ouça, Etelvina, já vivi muito e já amei também. Sei como são essas coisas. Mas não vá mais fazer oferendas sozinha. Se não tiver com quem ir, não vá. É perigoso. Sinhozinho Túlio pode segui-la, e só Deus sabe o que poderá acontecer.

— Tem razão, Tonha. Estou sendo descuidada, não é?

— Está, e muito. Agora venha, acabe de bater esse bolo ou não ficará pronto a tempo para o jantar. Deixe que eu mesma termino de estender a roupa.

Tonha saiu para o terreiro e começou a pendurar os lençóis no varal. Estava preocupada com Etelvina. Sentia no coração um aperto de desgraça. Ela se abaixou para apanhar uma colcha na cesta e viu uma sombra de mulher projetando-se sobre seu corpo. Assustada, levou a mão ao peito e ergueu-se, virando-se apressada, dando de cara com Constância, que a olhava com aquele sorriso sarcástico de sempre.

— Sinhá Constância! — exclamou. — Deseja alguma coisa?

Como Constância não respondeu, Tonha voltou-lhe as costas e continuou a trabalhar sob o olhar ameaçador da outra. Ficaram assim durante cerca de dez minutos, até que Tonha, terminando o serviço, disse acabrunhada:

— Licença, sinhá.

Constância chegou para o lado e Tonha passou de cabeça baixa. Deu dois passos e parou ao ouvir a voz esganiçada da outra.

— Não pense que já a perdoei pelo que me fez.

Tonha, ainda de costas, retrucou:

— Perdão, sinhá, mas não fiz nada, não.

— Ah, não? Pois olhe para mim! — Tonha não se moveu, e Constância puxou-a pelo ombro, fazendo com que se virasse e a encarasse. — Olhe para mim, estou mandando! O que vê? Alguma beldade?

Tonha, sem saber o que dizer, começou a gaguejar:

— Si... sinhá... não sei... não sei o que quer de... de... mim...

— Quero que pague os anos de alegria e juventude que me roubou!

A escrava, nervosa, começou a chorar baixinho, e Constância ergueu a mão para bater-lhe, quando ouviu uma voz atrás de si:

— Por que não a deixa em paz, Constância? Já não basta o que a fez passar?

Constância abaixou a mão e virou-se furiosa, olhando o interlocutor bem fundo nos seus olhos.

— Camila! — gritou. — O que quer? Saia daqui. Meu assunto não é com você.

— Mas o meu é com você. — Virou-se para Tonha e disse: — Pode ir, Tonha. Deixe que me entendo com sinhá Constância.

Mais que depressa, Tonha agarrou o cesto e voltou para a cozinha, de onde Etelvina as observava. Depois que ela se afastou, Camila continuou:

— Muito bem. Agora é entre mim e você.

— Ora, ora, querida prima. Vejo que o casamento a tornou corajosa.

— Nunca fui covarde, Constância, ao contrário de você, que amedronta escravas indefesas.

— Oh! Pobrezinha da Tonha! Tão indefesa...

— Não estou aqui para ouvir suas ironias. Sei muito bem quem você é e sei também do que é capaz.

— É mesmo? E daí? O que tem com isso?

— Pensa que pode me enganar com suas mentiras? Pois saiba que não acreditei em uma só palavra daquela história absurda.

— Pois pouco me importa no que você acreditou. Não voltei por sua causa.

— E voltou por quê?

— Não é da sua conta.

— Não creio mesmo que seja. Mas vou lhe dar um conselho: deixe Tonha em paz.

— Por quê? O que vai fazer se eu não deixar?

Camila ameaçou-a com o olhar e não respondeu. Rodou nos calcanhares e entrou em casa. Constância havia voltado com algum propósito, e estava claro que era Tonha. Será que ainda pretendia, depois de mais de trinta anos, prejudicá-la? Era o que parecia, mas Camila não deixaria.

Apesar de contrariado, Fausto cumprira a promessa que fizera a Júlia e não tomara nenhuma atitude drástica contra o irmão. No entanto, não podia deixar aquilo passar em branco, e resolveu procurá-lo ao menos para lhe dar um aviso. Bateu à porta de seu quarto e entrou sem nem esperar resposta. Rodolfo estava se trocando para o jantar, e ele foi logo falando:

— Ouça, Rodolfo, prometi a Júlia que não faria nada contra você, mas não posso ficar por aí fingindo que nada aconteceu quando a vontade que tenho é de matá-lo.

Rodolfo olhou-o espantado. Naquele dia, depois que o irmão saíra para ir ao encontro de Júlia, ele pensou que teriam uma nova briga, e das mais sérias. Mas quando Fausto voltou e não disse nada, ele pensou que Júlia não lhe tivesse contado o ocorrido, por medo ou vergonha ou, quem sabe até, porque havia gostado. Mas agora, vendo a atitude ameaçadora do irmão, tinha certeza de que ele estava a par de tudo. No entanto, fingindo desconhecer do que se tratava, tornou indignado:

— Meu irmão! Do que é que está falando?

— Não se faça de desentendido. Sei muito bem o que você fez com Júlia. Mas quero que saiba que, apesar de ela não querer que eu brigue com você, não vou tolerar que isso se repita. De hoje em diante, quero dar-lhe um aviso: fique longe de Júlia. Ela é minha namorada, e nós vamos nos casar.

Rodolfo escutava-o, pensativo. Então Júlia não queria que brigassem. Por quê? Na certa porque gostara mesmo. Ficara nervosa, era verdade, com medo. Mas também, ele fora pior que um animal. Tentara agarrá-la à força, e ela se assustara. Não é assim que se trata uma dama. Mas, no fundo, ela gostara. Por que outro motivo pediria ao irmão que não fizesse nada contra ele, senão para protegê-lo, porque gostava dele? Sim, com certeza, era isso. Ele a estava conquistando e não podia pôr tudo a perder. Era preciso não irritar Fausto, ou Júlia poderia assustar-se de novo, e ele acabaria por perder a oportunidade de vencer o irmão. Ele deu um sorriso maquiavélico, sua cabeça já tramando um plano para derrotá-lo, e retrucou:

— Fausto, contenha-se. Não há motivo para me ameaçar.

— Não o estou ameaçando. Estou apenas avisando-o. Não se meta mais com Júlia ou não responderei por mim.

Rodolfo abaixou os olhos e suspirou. Depois, olhou para o irmão com ar de fingido arrependimento e desabafou:

— Ouça, Fausto, perdoe-me. Sei que agi errado com você, mas foi por amor.

Fausto retrocedeu, confuso. Não esperava um pedido de desculpas e indagou perplexo:

— Como assim, por amor?

Rodolfo ergueu os ombros, desalentado, e prosseguiu:

— Infelizmente, meu irmão, o destino pregou-nos uma peça. Apaixonei-me por Júlia e confesso que, por uns momentos, cheguei a ficar cego por esse amor e quase perdi a razão.

— Rodolfo, eu...

— Não, deixe-me terminar, por favor. Sei que agi errado com você, tentando envenená-lo com mamãe e depois ultrajando sua amada. Mas quero que compreenda que eu estava fora de mim, cego pela paixão. Tão cego que não podia enxergar nada nem ninguém a minha frente. Foi por isso que fiz o que fiz. Foi por amor.

Fausto olhou-o desconfiado. Amava o irmão e sentia-se muito mal com aqueles desentendimentos.

— E por que só agora resolveu contar-me tudo isso?

— Porque, depois do que aconteceu entre mim e Júlia, percebi o quanto estava errado. Eu quase a desonrei e traí você, meu irmão, a quem dedico todo o meu afeto. E por pouco não me arruíno também. Eu queria muito lhe falar, mas não tinha coragem, com medo de que você me repelisse. No entanto, a ocasião se fez, e quero que me perdoe. Estou sinceramente arrependido e juro que isso nunca mais se repetirá. Vou tentar tirar Júlia de meu coração e transformá-la em verdadeira irmã.

Fausto estava emocionado. Já não tinha mais dúvidas da sinceridade de suas palavras. Rodolfo, por infortúnio, acabara por se apaixonar por sua Júlia, e isso não era culpa de ninguém. Afinal, quem pode mandar no coração? E ele estava certo de que o irmão só fizera o que fizera por amor e por revolta. Afinal, eram gêmeos, e não seria nada difícil que Júlia se interessasse por Rodolfo, em vez dele. Contudo, o contrário acontecera, e devia ser difícil ver-se rejeitado, trocado por seu irmão idêntico. Fausto se imaginou no lugar do irmão fazendo-se sempre a mesma pergunta: "por que não eu"?

— Rodolfo, meu irmão, não sabe como fico feliz em ouvir isso. Estava muito triste, pensando que você me havia traído.

— Como vê, Fausto, isso não é verdade. Eu jamais trairia meu irmão. Graças a Deus que logo despertei dessa paixão, que me toldava a razão, e pude novamente raciocinar com clareza. Você é muito importante para mim, e não posso desentender-me com você por causa de mulher nenhuma. Ainda que seja por uma mulher maravilhosa feito Júlia. E, então, será que pode me perdoar?

Fausto abraçou-o, emocionado, e respondeu com sinceridade:

— É claro que sim, meu irmão, meu amigo.

— Sem ressentimentos?

— Sem ressentimentos.

— Ótimo. E quero também pedir desculpas a Júlia.

— Acha isso necessário?

— É claro que sim. Não quero que minha futura cunhada me veja como um inimigo ou um monstro. Ao contrário, quero ser seu amigo e vou provar, a vocês dois, que tudo isso, em breve, será parte do passado.

— Muito bem. Acho que é melhor mesmo. Só assim Júlia poderá esquecer tudo o que aconteceu.

— Espero que também possa me perdoar e confiar em mim. Você confia, não confia?

Fausto hesitou, mas acabou respondendo:

— Claro... claro que sim...

— Não vai ficar agora desconfiando de tudo o que fizer ou disser nem com medo de me deixar a sós com Júlia, vai?

— É claro que não — Fausto queria acreditar. — Confio em você e sei que não vai me decepcionar.

Rodolfo estava satisfeito. O irmão era um perfeito idiota. Sempre tão impulsivo, de temperamento explosivo, mas ingênuo feito uma criança. Nem de longe percebera que ele estava mentindo o tempo todo. Arrependido... pois sim. Eles que o aguardassem. Reconquistaria a confiança de ambos, e então eles veriam. Júlia seria só dele, e o irmão perderia mais aquela disputa.

Capítulo 9

Palmira estava sentada na sala de estar, tendo aos pés o filho Fausto, que lia para ela uma carta de sua sobrinha, Berenice, quando um "hum, hum" chamou sua atenção. Voltando-se na direção do ruído, encontrou o capataz, Aldo, que segurava nas mãos o chapéu e foi logo dizendo:

— Bom dia, dona Palmira.

— Bom dia, Aldo — respondeu ela. — Deseja alguma coisa?

— Sim, senhora, gostaria de falar-lhe um momento.

— Pois não. Do que se trata?

— É que minha filha, Marta, terminou os estudos na corte, e hoje recebi uma carta da madre superiora, pedindo-me que fosse buscá-la.

Palmira olhou-o surpresa. Fazia algum tempo que seu marido, Licurgo, enviara a menina para estudar no Rio de Janeiro, como reconhecimento pelos inúmeros préstimos que Aldo lhes fizera durante todos aqueles anos. Era um bom capataz. Um homem digno e decente, e sempre executara suas ordens com zelo e cuidado. Quando a filha alcançara idade de estudar, Licurgo a enviara para um colégio de freiras na corte, para que recebesse uma educação mais refinada, o que, na certa, lhe facilitaria um bom casamento. No entanto, aquele dia não parecia assim tão distante, e Palmira se surpreendeu com a rapidez com que o tempo passara.

— Mas já? — indagou perplexa. — Parece que foi ontem que partiu.

— Para a senhora ver. Já faz sete anos que se ausentou.

— Tudo isso?

— Sim, senhora. Marta acabou de completar dezoito anos.

— Já tem algum pretendente?

— Não, senhora. Segundo me disse a madre superiora, ela não parece muito interessada em namoricos. A madre até pensou que ela quisesse ser freira, mas Marta, estranhamente, disse que não.

— É, o que se há de fazer? Vai entender os filhos, não é mesmo? E quando pretende partir?

— Se a senhora não se opuser, amanhã mesmo. Minha mulher morre de saudades da menina.

— É natural. Bem, pode ir.

— Obrigado, dona Palmira.

Depois que Aldo saiu, Fausto olhou-a, curioso. Fazia muitos anos que não via a filha de Fausto e, mesmo no tempo em que ali vivera, não lhe prestara muita atenção. Lembrava-se apenas de que ela era uma menina feinha e um tanto quanto gordinha, que vivia correndo descalça pelo terreiro. Depois de alguns instantes, indagou:

— Será que ela mudou muito?

— Não sei, meu filho. Quando saiu, era ainda uma menina, e agora vai voltar uma moça. Pena que não tenha arranjado um bom casamento lá mesmo, pela corte. Por aqui será muito mais difícil. Os pretendentes são poucos, e ninguém de nossa sociedade se interessará por ela. Apesar de tudo, ainda é uma moça pobre e sem berço.

No dia seguinte, quando ela chegou, foi um espanto geral. Marta tornara-se uma moça extremamente bonita e delicada. Perdera a gordura da infância, as feições se afilaram, os cabelos tornaram-se cheios e um pouco mais escuros, de um louro quase castanho. Os olhos, também castanhos, tinham um que de tristeza, disfarçado por um sorriso gracioso, que deixava à mostra os dentinhos alvos e perfeitos. Rodolfo foi o primeiro a vê-la. Ela havia acabado de descer da carruagem e estava abraçada à mãe, enquanto Aldo retirava sua bagagem, quando ele se aproximou, indagando:

— Marta? É você mesma?

Ela se virou para ele meio sem graça e respondeu com timidez:

— Sim, senhor... — e não terminou, sem saber com quem estava falando.

— Rodolfo — completou ele. — Então não me reconhece mais?

— Perdão, senhor Rodolfo, mas é que faz muito tempo que não os vejo, e o senhor e seu irmão sempre foram tão parecidos...

— Entendo. Mas não precisa se desculpar. Agora veja a bela moça em que você se transformou!

Ela abaixou os olhos e disse, as faces vermelhas, em fogo.

— Obrigada. O senhor é muito gentil.

Ele ficou parado, olhando-a embevecido, e não percebeu o olhar de desagrado de Aldo. O capataz não gostava muito de Rodolfo e estava cansado. Viajara o dia todo e só podia pensar em dormir. Tentando não desgostar o patrão, disse com humildade:

— Desculpe-me, senhor Rodolfo, mas Marta deve estar cansada. Se nos der licença agora, gostaríamos de entrar.

Rodolfo fuzilou-o com o olhar, mas não tinha o que dizer. Embora a contragosto, concordou:

— Sim, claro, fiquem à vontade.

Ele se foi, e Marta entrou em companhia dos pais. No coração, uma coisa diferente começava a despontar. Sem nem perceber, ficara deveras impressionada com Rodolfo. Ela sempre achara os gêmeos muito bonitos, mas nunca pensara em nenhum deles de maneira diferente. Eles eram mais velhos e eram os patrões. Mas agora, percebendo o olhar de Rodolfo sobre ela, suas palavras gentis, seus gestos atenciosos, ela se impressionara. Será que ele havia se interessado por ela? Discretamente, olhou para o pai, mas ele não disse nada. Aldo não queria nem pensar em um possível interesse de Rodolfo por sua filha.

Após o jantar, já na cama, Aldo confidenciou à mulher:

— Não gostei do jeito como seu Rodolfo olhou para Marta.

— Por quê? — retrucou Anita, espantada.

— Não sei. Ele a olhou de um jeito diferente, como se a estivesse desejando.

Ela ergueu-se na cama e encarou-o com gravidade.

— Tem certeza? — Ele aquiesceu. — Mas isso é maravilhoso!

— Enlouqueceu, mulher? Seu Rodolfo é o patrão. O que pensa que pode querer com uma moça feito Marta?

— Ora, Aldo, você me surpreende. Marta é uma moça bonita e inteligente, e recebeu a melhor educação. Tornou-se uma moça fina, e é natural que os rapazes se interessem por ela.

— Ouça, Anita, não se engane. O interesse de seu Rodolfo não vai além de uma noite de prazer.

— Acho que você está exagerando.

— Não estou, não. Bem sei de suas conquistas.

— Mas que conquistas? E daí? Por acaso ele não é solteiro? Não tem o direito de se distrair? E depois, pelo que sei, ele nunca se interessou por ninguém. Só por uma escrava ou outra, para diverti-lo na cama, e por algumas cortesãs. E isso não é exatamente o que se possa chamar de conquista.

Aldo não disse nada. Conhecia a mulher e sabia que ela era sonhadora e ambiciosa, e não hesitaria em incentivar um romance entre Marta e Rodolfo. Mas ele não. Era um homem honesto e não estava disposto a entregar a filha a um aproveitador qualquer, ainda que fosse seu patrão. Em silêncio, virou-se para o lado e fingiu dormir. Não adiantava nada discutir. O jeito era ficar de olho na menina e rezar para que nada de mal lhe acontecesse.

Marta, porém, não partilhava da opinião do pai. Gostara do moço, do jeito como a olhara. Aquilo a impressionara sobremaneira, e ela, em sua inocência, julgava que Rodolfo talvez se apaixonasse por ela. Afinal, era uma moça prendada, capaz de fazer qualquer homem feliz. No entanto, sabia que o pai não aprovaria. Ela conhecia seus olhares e pôde perceber que ele não ficara nada satisfeito com o modo como Rodolfo a tratara. Mas ele não precisava se preocupar. Rodolfo era um bom moço, tinha certeza, e não faria nada que pudesse desgostá-lo. Pensando nisso, adormeceu, guardando no pensamento a imagem de Rodolfo a lhe sorrir.

No dia seguinte, levantou cedo e saiu. O pai já estava na plantação, e a mãe indagou, de forma intencionalmente casual:

— Aonde vai?

— Não sei. Dar uma volta. Ver como vão as coisas. Estou fora há muito tempo e gostaria de rever a fazenda.

— Onde pretende ir primeiro?

— Hum... acho que vou falar com dona Palmira.

Anita sorriu satisfeita. Dona Palmira, com certeza, era uma ótima pessoa para se visitar. Quem sabe Rodolfo também não estivesse por lá?

— Isso mesmo, minha filha, vá.

Marta saiu apressada em direção à casa grande, entrando pela porta dos fundos. Tonha estava na cozinha, terminando de preparar o café, quando ela cumprimentou:

— Bom dia.

Tonha olhou para ela, como que tentando reconhecê-la. Ouvira comentários de que ela estaria voltando e teve certeza de quem era.

— Meu Deus, sinhazinha Marta! — exclamou. — Como está bonita!

— Obrigada, Tonha. Como me reconheceu?

— Na verdade, não reconheci. É que ouvi falar de sua volta e não podia ser mais ninguém. E então, como foi lá na corte?

— Muito bem. O Rio de Janeiro é lindo, e o convento foi maravilhoso. Aprendi muitas coisas e estou pronta para ser uma boa esposa.

Nisso, Rodolfo entrou na cozinha. Ia passando, quando escutara vozes femininas e reconhecera, numa delas, a vozinha de Marta.

— Olá — disse sorridente. — Já por aqui tão cedo?

— Bom dia, sinhozinho Rodolfo — cumprimentou Tonha.

— Ora, Tonha — censurou ele. — Por que foi estragar a surpresa? Queria ver se Marta sabia que era eu.

Marta sorriu acanhada e retrucou:

— Oh, senhor Rodolfo, ia zombar de mim, é?

— Não. Ia apenas brincar com você. E não precisa me chamar de senhor, não. Agora venha, entre. Deseja falar com minha mãe? Ela não tarda a descer.

Rodolfo saiu puxando-a pelo braço, enquanto Tonha os observava. Vendo-os juntos, podia perceber que Rodolfo estava encantado com ela, e que Marta estava apaixonada por ele. Aquilo não daria certo, ela temia. Silenciosamente, elevou uma prece a seus orixás, pedindo-lhes que não permitissem que nenhuma desgraça sucedesse.

Breve, toda a família se reuniu para o café da manhã, menos Júlia, que saíra cedo para visitar Sara. Rodolfo convidou Marta a sentar-se com eles, sob o olhar reprovador da mãe. Palmira não gostara nada da companhia daquela empregadinha à mesa, mas não disse nada. Não queria se aborrecer com o filho logo cedo e preferiu calar-se. Marta, contudo, sem nada perceber, ia contando suas peripécias na corte, embevecida com a atenção que Rodolfo lhe dispensava. Todos perceberam que o rapaz a cobria de atenção, e Fausto sorriu satisfeito. Embora a mãe não aprovasse, ele estava feliz por ver que o irmão logo se interessara por outra moça, fazendo-o crer que sua paixão por Júlia em breve estaria terminada.

Rodolfo, porém, ria intimamente. Ele até que havia gostado de Marta. A moça era realmente muito bonita, mas ele precisava conquistar Júlia. Era uma questão de honra. No entanto, por mais que se esforçasse, Marta não saía de sua cabeça. Ela era linda e meiga, e seu coração disparava todas as vezes que pensava nela. Mas ele não podia se deixar levar por aquela emoção. Marta era apenas uma moça, ao passo que Júlia era sua vitória. Conquistar Marta acalmaria seu coração. Conquistar Júlia aplacaria seu orgulho. Assim, Rodolfo começava a desperdiçar a maravilhosa chance de ser feliz não apenas ao lado de uma mulher que o amava, mas daquela a quem começava, verdadeiramente, a amar.

Capítulo 10

Etelvina acabou de estender a roupa no varal e olhou para os lados, tentando ver se havia alguém por perto. Já eram quase duas horas e, com certeza, todos estavam recolhidos para a sesta ou, então, ocupados com seus próprios afazeres. Ela deu a volta no terreiro, procurando por sinhozinho Túlio, mas ele não estava ali. Sorriu satisfeita. Não havia ninguém por perto e ela podia sair. Iria até o riacho levar as oferendas que preparara e voltaria rapidamente, sem que ninguém tivesse tempo de dar por sua falta. Lembrou-se dos conselhos de Tonha e ainda hesitou. E se alguém a visse? Mas não. Ela se certificara: não havia ninguém por ali, e ela poderia ir e voltar sem que ninguém notasse. Satisfeita, correu para o jardim e olhou. Como não viu ninguém, colheu algumas rosas brancas e voltou para o terreiro. Não fora vista, tinha certeza, e não precisava se preocupar.

Mas estava enganada. Ao ver o vulto negro de Etelvina despontar do outro lado da casa, Túlio, que estava à janela de seu quarto, ocultou-se atrás da pesada cortina e espiou. Viu quando ela olhou para a casa grande e correu para o jardim, colhendo as flores da roseira branca. Seu coração disparou. Não havia ninguém por perto, e ele podia concretizar seus planos. Coração aos pulos, saiu em disparada rumo ao quarto de Rodolfo e entrou. O tio estava descansando e levou o maior susto quando o viu ali parado, esbaforido, gesticulando freneticamente.

— Túlio! Mas que susto você me deu! O que foi que houve?

— Etelvina... ela estava agorinha mesmo no jardim, colhendo flores.

Rodolfo lançou para ele um olhar de malícia e sorriu, passando a língua nos lábios. O momento parecia propício. A quietude imperava na casa, e não haveria testemunhas para o que pretendiam fazer. Mais que depressa, Rodolfo levantou-se e ordenou:

— Venha.

Túlio saiu atrás dele, e os dois se dirigiram para o riacho, dando a volta pela frente da casa. Sabiam que Etelvina estaria lá, oferecendo aquelas *bobagens* para seus deuses. A ocasião era perfeita. Em silêncio, foram seguindo pela estradinha, até que, ao se aproximarem do riacho, começaram a escutar a voz de Etelvina, que cantarolava baixinho, em uma língua que eles não compreendiam. Eles pararam, e Rodolfo disse a meia voz:

— Vá buscar Trajano, rápido, e deixe Etelvina por minha conta.

Sem responder, Túlio rodou nos calcanhares e se afastou, indo direto à cocheira buscar um cavalo. Montou rapidamente e partiu para a fazenda Ouro Velho. Quando chegou, foi informado de que Trajano se encontrava na pequena horta que cultivavam atrás da casa, auxiliando Juarez a plantar algumas verduras. Ao vê-lo, o escravo franziu o cenho, preocupado. O que será que sinhozinho Túlio estava fazendo ali? Não estava com raiva dele? Ele se aproximou de Trajano e foi logo falando:

— Olá, Trajano, como está?

— Bem, e o sinhozinho?

— Bem... isto é... mais ou menos...

— Como assim? — fez Trajano, preocupado.

— Trajano, gostaria de falar com você.

— É claro, sinhozinho, pode falar.

— Aqui não. Gostaria que viesse comigo a um lugar mais reservado. O que tenho a dizer é muito importante, e não gostaria que ninguém mais ouvisse.

Sem desconfiar de nada, Trajano saiu atrás dele, e Túlio disse:

— Vá buscar um cavalo para você.

— Por quê? Aonde vamos?

— À fazenda, falar com minha mãe.

— Sinhá Camila está doente?

— Não. Mas está muito triste com o que aconteceu, e eu prometi a ela que me retrataria com você.

— Ora, sinhozinho, não precisa não. Já passou, e eu já esqueci. Aliás, quem lhe deve desculpas sou eu. Fui eu que primeiro lhe bati.

— Só porque eu provoquei. Ouça, Trajano, você me conhece há muitos anos, sempre foi meu amigo. Não me sinto bem estando brigado com você.

Trajano ficou emocionado e seus olhos se encheram de lágrimas. Conhecia sinhozinho Túlio desde criança, e aquela briga o entristecera de verdade. Também sentia remorsos por haver batido nele. Sabia que se excedera, que não devia ter feito aquilo e queria pedir desculpas a Túlio também.

— O sinhozinho é muito bondoso — disse com emoção. — Mas o mais errado fui eu. Jamais deveria ter batido no sinhô.

— Isso não importa agora, Trajano. O que importa é que não devemos ficar brigados. Prometi a minha mãe que viria buscá-lo para nos reconciliarmos, e é isso o que farei.

— E sua avó?

— Minha avó não gostou nadinha do que você fez. Mas agora, depois que eu mesmo falei com ela, resolveu reconsiderar. É claro que está zangada. Mas não pensa mais em castigá-lo.

Trajano calou-se, montou no cavalo e seguiu atrás dele. Queria muito fazer as pazes com Túlio, acabar com aquele desentendimento, e a oportunidade aparecera. E tudo isso porque Túlio era um menino de ouro que, apesar de seus deslizes e tendências, tinha um coração bondoso e amigo. Precisava apenas de uma orientação com as mulheres. Não era mau e estava claro que gostava muito dele. Caso contrário, jamais se permitiria descer ao ponto de se desculpar com um negro.

Trajano estava cego. A bondade de seu coração não lhe permitia enxergar que Túlio mentia deslavadamente. Suas palavras soavam com um tom de falsidade tão cristalino, que até uma criança poderia perceber. Mas Trajano, querendo acreditar que fosse verdade, não deu ouvidos à voz da prudência e seguiu com ele. Túlio, em silêncio, levava-o direto ao riacho, e Trajano sequer desconfiava do plano sórdido que ele estava próximo de executar.

Enquanto isso, Rodolfo se aproximava de Etelvina. Chegou por trás e tocou em seu ombro, fazendo com que ela gritasse de susto e desse um salto para o lado, quase caindo dentro d'água.

— Sinhô...!

— ...Rodolfo.

— Sinhô Rodolfo, o sinhô me assustou.

Ele a olhou com malícia e retrucou:

— Desculpe-me, Etelvina, não foi minha intenção.

— Deseja alguma coisa, sinhô?

— Na verdade, desejo sim.

— É algo que eu possa fazer?

— Digamos que seja algo que só você pode fazer.

Ela sentiu medo e se encolheu, perguntando com voz sumida:

— Como assim?

— Está com medo? — Ela assentiu. — Pois não precisa. Não vai lhe acontecer nada de mau. Pelo contrário.

E desatou a rir. Ela se levantou devagar. Estava apavorada e pensou em fugir. Embora Rodolfo nunca lhe houvesse feito nada, ela sentia certo tom de perversidade em sua voz. Sem poder explicar, Etelvina sabia que algo de ruim ia lhe acontecer e começou a tremer. Já ia se virando para correr quando Rodolfo disse em tom incisivo e ameaçador:

— Nem pense nisso. Se sair daqui, mato-a.

Ela voltou e sentou-se apavorada, olhando para ele com ar interrogador. Estava subjugada e paralisada pelo medo. Juntando forças, indagou trêmula:

— Mas sinhô, o que foi que eu lhe fiz?

— A mim? Nada.

— Então por que faz isso comigo? Por que não me deixa ir?

— Porque não quero. Preciso de você.

Etelvina, pensando que ele a quisesse como mulher, retrucou angustiada:

— Mas há muitas outras escravas que podem servir o sinhozinho melhor do que eu. Eu nada sei dessas coisas...

— Calada! Não lhe perguntei nada. E depois, não é isso o que quero de você. Você não me atrai, e não sinto desejo por você.

— Mas então...

Rodolfo mandou que se calasse, e ela obedeceu, cada vez se encolhendo mais. Estava sentada sob um tronco de árvore e recostou-se nele, tentando não pensar no que lhe aconteceria. Rodolfo, sentado defronte a ela, não dizia nada. A todo instante olhava para a estradinha, como se esperasse alguém. Até que, finalmente, ela escutou o barulho dos cavalos se aproximando e teve certeza de que alguém chegava. Ergueu-se curiosa, e qual não foi o seu espanto quando viu aparecer diante de si o sinhozinho Túlio, seguido de Trajano, que estacou ao vê-la.

— Etelvina! — exclamou. — O que faz aqui? E por que viemos para cá?

Túlio lançou para ele um olhar de ódio e ordenou friamente:

— Cale-se, Trajano, e desça daí.

Trajano não se moveu, e Rodolfo acrescentou:

— Não ouviu o que ele disse? Desça daí, negro, ou será muito pior para você.

Sem nada entender, Trajano olhou para Rodolfo, depois para Túlio e, finalmente, para Etelvina, toda encolhida perto da árvore. Apesar da semelhança entre os gêmeos, ele sabia estar diante de Rodolfo. Fausto era um homem gentil e digno, e jamais usaria aquele tom de voz. Ele ainda não entendia o que estava para acontecer, mas sabia que não era coisa boa. Quis dar meia volta e sair dali, mas teve medo por Etelvina. Fosse o que fosse que estivessem planejando, o fato é que, se fosse embora, eles bem seriam capazes de tentar alguma coisa contra ela. Sem saída, Trajano desceu do cavalo e foi para perto de Etelvina, que não parava de tremer.

— O que está acontecendo? — indagou, acercando-se dela.

Trajano sentiu um golpe na cabeça e tombou. Estava meio inconsciente, mas pôde sentir que o arrastavam e erguiam seu corpo, amarrando-o de encontro à árvore na qual Etelvina estivera recostada. Pouco depois, atiraram-lhe água fria no rosto, e ele despertou, olhando para os três sem nada entender. Túlio ria para ele com ar diabólico, e Rodolfo, agarrando Etelvina pelos cabelos, disse-lhe com sarcasmo:

— Então, o negro pensa que é gente e que pode bater num branco, não é mesmo? — Ele não respondeu. — Pois não pode. Ainda mais se esse branco é meu sobrinho. E por quê? Porque está de olho na negrinha aqui, não é mesmo? O que queria? Deitar-se com ela? Pois não vai, está ouvindo? Ou melhor, pode até se deitar com ela, depois que Túlio se saciar e acabar com ela. Aí então, dependendo, você pode ficar com os restos.

Trajano olhou-os atônito e, virando-se para Túlio, suplicou amargurado:

— Sinhozinho, não faça isso! Sei que é um menino bondoso. Não vai querer estragar a sua vida com o sangue de outra moça, vai?

— Cale essa boca, Trajano! — berrou Túlio. — Você não devia ter se interposto em meu caminho. Mas, já que o fez, aguente as consequências.

— É isso mesmo — concordou Rodolfo. — E depois, quem foi que disse que negro tem sangue? Pode ter sangue, sim, mas é de bicho. Vocês são uns animais, e estão aqui para nos servir. Essa é a vontade de Deus. Foi isso o que ele reservou para vocês. E como animais não devem desobedecer a seus senhores, muito menos levantar a mão para lhes bater. Os que assim procedem não merecem outra coisa senão o castigo. Muito bem, Túlio, pode começar.

Túlio agarrou Etelvina, que desatou a chorar, e começou a despi-la. Ela pôs-se a espernear, e ele bateu em seu rosto, o que fez com que ela caísse ao chão, tremendo sem parar. Estava apavorada e tinha medo de morrer.

— Quieta, negra — berrou Túlio —, ou mato-a de pancada!

Etelvina, com medo de apanhar, deixou-se ficar e parou de se debater. Estava arrasada, mas não tinha forças para lutar. O medo da morte era maior, e ela fechou os olhos, pedindo a sua mãe Oxum que lhe desse coragem para enfrentar aquela triste prova. Trajano, por sua vez, também chorava. Chorava pela pobre Etelvina por si mesmo, porque a amava, e chorava por Túlio, que enveredava pelo caminho do crime. No entanto, estava ali amarrado e não havia nada que pudesse fazer. Ele sabia que, quanto mais implorasse para que Túlio a largasse, mais ele a maltrataria, e fechou os olhos para não ver, até que sentiu uma chicotada no ombro. Abriu os olhos aturdido e escutou a voz de Rodolfo, que lhe dizia cheio de rancor:

— Nada disso, negro! Você vai assistir a tudo, e de camarote! Se fechar os olhos novamente, acabo com você num piscar de olhos!

Trajano não teve remédio senão obedecer. Em silêncio, com lágrimas nos olhos, foi obrigado a presenciar a violência que Túlio cometia contra a indefesa Etelvina. Ele dava vazão a seus instintos mais primitivos e, vendo-a no chão, arrancou sua roupa com violência e se deitou sobre ela, apalpando seu corpo com brutalidade. Em seguida, possuiu-a feito um animal, fazendo com que ela gritasse de dor. Quanto mais ela gritava, mais ele se excitava e investia contra ela, roçando seu corpo na terra árida, causando-lhe imensurável sofrimento.

Trajano assistia a tudo sem nada dizer, sem nem piscar. No coração, uma tristeza indefinível, uma vontade enorme de morrer. Ainda tentou se soltar para impedir aquela barbaridade, mas suas mãos estavam bem atadas, e ele não pôde se mexer. Túlio a estava machucando e parecia não se importar com seu sofrimento. Só o que lhe importava era o prazer que sentia dominando o corpo da negra. Ele ficou muito tempo ali, deitado sobre ela, e só a largou quando estava exausto, sem forças para continuar. Quando ele se levantou, Etelvina estava chorando de mansinho, os olhos cerrados, a respiração ofegante. Trajano, em silêncio, agradeceu a Deus por tudo haver terminado, até que Rodolfo, virando-se para ela, começou a desafivelar o cinto, olhando-a com cupidez. Túlio, percebendo o que aconteceria, desatou a rir e disse, gargalhando:

— Muito bem, meu tio, sirva-se à vontade. A pretinha até que é bem apetitosa.

Rodolfo riu e se deitou sobre ela, que gemeu, não mais de dor, mas de humilhação. Ele começou a dar-lhe mordidas pelo corpo, e ela se contorcia toda, sentindo na carne a dor que aquelas mordidas lhe causavam, até que ele também a possuiu, com mais violência ainda do que Túlio. A moça, apavorada, começou a gritar, pedindo que ele parasse, mas Rodolfo, possuído pelo desejo e pelos instintos, foi aumentando cada vez mais o ritmo, e ela, arfante, implorava quase sem forças:

— Sinhô... sinhô... por... favor...

Como Rodolfo não parasse, ela, conseguindo movimentar as mãos, começou a dar-lhe tapas e arranhar seu rosto, até que ele, fora de si, ao mesmo tempo em que a possuía, ia apertando seu pescoço, devagarzinho a princípio, e depois com mais força. Foi apertando, apertando, sem dar ouvidos a ninguém, nem a Trajano, que suplicava que ele a soltasse, nem a Túlio, já então apavorado, com medo de que ele a matasse. Rodolfo não se importava com nada disso e continuou a apertar, e a moça, desesperada, tentava arrancar suas mãos de volta de sua garganta, abrindo a boca e lutando para respirar, até que ele, no auge da satisfação, ao mesmo tempo em que atingia o orgasmo, levava com ele o último alento de Etelvina.

Aplacada a selvageria, ele olhou para ela e só então se deu conta do que havia feito. A moça, morta sob seu corpo, fitava-o com olhos esbugalhados, a rouxidão espalhando-se pelo pescoço negro. Trajano chorava e Túlio estava bestificado. Mas Rodolfo, recompondo-se, levantou-se, apanhou a roupa e vestiu-se cuidadosamente. Em seguida, virou-se para Túlio e disse:

— Não se deixe impressionar por isso, meu sobrinho, e não fique triste. Prometo arranjar-lhe uma negrinha bem mais apetitosa do que essa aí. — Túlio não respondeu, e ele virou-se para Trajano: — Quanto a você, negro, não quero nem uma palavra do que viu aqui hoje. Se souber que abriu a boca, acabo com sua vida antes mesmo que você perceba. Entendeu?

Trajano não disse nada. Limitou-se a assentir, cheio de tristeza, guardando nos olhos uma indefinível sensação de dor.

Depois desse episódio infeliz, cada um voltou a seus afazeres, evitando tocar naquele assunto. Rodolfo fez com que Trajano enterrasse o corpo bem longe, do outro lado da fazenda, e deu-lhe ordens expressas para que se calasse. Se contasse algo a alguém, estaria morto. Não que sua mãe fosse castigá-lo pela morte de Etelvina. Ela era uma escrava, e acidentes desse tipo não eram raros. Ele mesmo sabia que Terêncio, por descuido, acabara por matar alguns escravos da fazenda, o que nunca dera em nada. Mas ele não queria provocar nenhuma reação dos negros e, principalmente, de Júlia. Sabia que ela era contra a escravidão e, com certeza, ficaria desgostosa com ele. Ele veria perdidas todas as esperanças de algum dia conquistá-la, e o irmão, novamente, sairia vencedor.

Trajano, humilde, teve que obedecer. O que lucraria falando a verdade? O tronco? Pior, a morte? Ele estava indignado, chocado, penalizado. Mas sabia que de nada adiantaria contar o que acontecera. Ele era negro, e ninguém ousaria recriminar sinhozinho Rodolfo pelo acontecido, enquanto ele podia até ter a língua cortada. Já ouvira falar de casos assim, de negros que falaram demais e que acabaram sem língua. E depois, havia sinhozinho Túlio. Trajano tinha certeza de que Túlio ficara muito abalado com aquilo. Era inconsequente, irresponsável, mentiroso, conquistador... mas não era um assassino. Mesmo quando Raimunda morrera, ele ficara um tanto quanto abatido. Não queria tomar parte na morte de ninguém, e sinhá Camila ficaria muito decepcionada. Não. Decididamente, não falaria nada a ninguém. Eles que se entendessem, mais tarde, com a justiça de Deus.

Túlio, por sua vez, estava contrariado. Queria divertir-se, era verdade. Até dera uns tapas na negrinha, isso não era nada de mais. Mas matá-la era outra história. Ele não conseguia compreender o que se passara na cabeça do tio. É bem verdade que Etelvina gritara e esperneara, mas isso não era motivo para ele fazer o que fizera. Desde esse dia, Túlio passou a evitar a companhia de Rodolfo e tornou-se acabrunhado e desconfiado, com medo do que ele seria capaz de fazer.

Na manhã seguinte, Tonha começou a estranhar a ausência de Etelvina. Onde aquela menina se metera? As horas iam se passando e ela não aparecia. Preocupada, procurou Aldo, que era mais humano, e contou-lhe que ela havia sumido. O capataz olhou para ela, desconfiado, e indagou:

— Será que fugiu?

— Não acredito. Para onde iria? E por quê?

— Não sei. Ouvi dizer que vivia lá na beira do riacho, fazendo oferendas para prender um amor. É verdade?

Tonha titubeou. Será que aquela desmiolada havia ido atrás de Trajano?

— Bem, é. Mas não creio que esteja com ele.

— Ele quem? É o tal de Trajano, não é? O que se encrencou com seu Túlio.

— É esse mesmo. Mas duvido muito que ela esteja com ele. Trajano é um rapaz direito, está na fazenda Ouro Velho e não se atreveria a esconder Etelvina.

— Hum... não sei, não. De qualquer forma, vou até lá averiguar.

— Não vai avisar sinhá Palmira?

— Por enquanto não. Dona Palmira não vai gostar nadinha disso, e você bem sabe o que ela é capaz de fazer.

Tonha silenciou. Conhecia sinhá Palmira muito bem. Conhecia seu ódio pelos escravos, sua crueldade. Se ela descobrisse que Etelvina estava desaparecida, contrataria até um capitão do mato para encontrá-la, e aí seria pior. O castigo seria certo, e ela levaria bem umas cinquenta chibatadas no tronco. Embora Aldo não gostasse de bater nos negros, Terêncio, apesar de velho, ainda aguentava levantar o chicote e não hesitaria em cumprir as ordens de Palmira, o que faria com a maior satisfação.

Aldo montou no cavalo e partiu, chegando logo em seguida à fazenda Ouro Velho. Lá, ninguém vira Etelvina nem ouvira falar dela. Mandou chamar Trajano, mas este dissera que não a vira também. Orientado por Rodolfo, contou que saíra em companhia de sinhozinho Túlio, para desculpar-se com ele, e que não vira ninguém.

Túlio confirmou a história de Trajano, e ninguém ousou desconfiar de sua palavra. Ele era branco, neto da dona da casa e não tinha por que mentir. Aldo, cada vez mais preocupado, dirigiu-se à beira do rio, lá encontrando as oferendas que Etelvina levara à sua mãe Oxum, mas não achou mais nada. Nenhum outro sinal que indicasse que ela estivera por ali. Trajano apagara todas as pistas e não deixara uma pegada, um galho quebrado, um trapo de roupa que pudesse dar indícios do que acontecera.

Diante disso tudo, Aldo não teve outro remédio senão levar o caso ao conhecimento de Palmira. Ela franziu o cenho, contrariada, e considerou:

— Hum... Essa história está muito mal contada.

— Túlio não sabe de nada? — perguntou Camila.

— Não, senhora — respondeu Aldo. — Perguntei a ele, mas ele disse que não a viu.

— E Trajano?

— Também não sabe. Diz que saiu com o senhor Túlio naquele dia. Ninguém a viu.

— Não estou gostando nada disso — disse Palmira. — Será que ela fugiu?

— Não creio, mamãe. Aonde iria? Etelvina, ao que parece, sempre foi escrava de dentro, e não está acostumada a viver sozinha. Como se sairia lá fora, entregue à própria sorte? E depois, Tonha disse que ela vivia a fazer oferendas para seus deuses lá na beira do riacho.

— Será que caiu e se afogou?

Aldo coçou o queixo e concordou:

— É possível. Eu não havia pensado nisso, mas é possível. Quando fui até lá, encontrei as oferendas que levara, e me pareciam ainda frescas. O riacho é pequeno, mas ela pode ter batido com a cabeça numa pedra e se afogado, e a correnteza, na certa, a levou.

— O que você acha, Rodolfo? — indagou Palmira ao filho que, até então, limitara-se a ouvir, sem nada dizer.

— Acho que foi isso mesmo o que aconteceu. Aquela Etelvina, ao que parece, não tinha juízo e vivia suspirando pelos cantos, apaixonada por aquele negro, o Trajano. Por diversas vezes foi sozinha ao riacho, mesmo contra as advertências de Tonha. Na certa, num desses momentos, ela se distraiu, escorregou e caiu dentro d'água, batendo com a cabeça. Depois, a correnteza a levou, e o rio, mais abaixo, possui fortes corredeiras e se alarga bastante. Se foi isso o que aconteceu, a esta altura seu corpo já deve estar longe.

— É verdade — concordou Aldo. — Não creio que valha a pena procurá-la rio abaixo.

— Mas, e se estiver viva? — objetou Camila. — Pode estar ferida, precisando de ajuda. É nosso dever procurá-la.

Aldo olhou para Palmira, que aquiesceu, e disse para Camila:

— Se a senhora quiser, posso reunir alguns homens e procurar.

— Acho que seria o mais conveniente — disse Rodolfo, com fingida preocupação. — Eu mesmo o acompanharei nessa busca. Tenho certeza de que, se Etelvina estiver viva, nós a encontraremos. Afinal, é uma escrava jovem e saudável, e perdê-la seria um desperdício.

Rodolfo deu as ordens e foi para o terreiro esperar por Aldo, que fora reunir alguns escravos de confiança para que saíssem à procura de Etelvina. Tonha, parada na porta da cozinha, rezava a seus orixás, no coração a certeza de que ela havia morrido. Túlio, por sua vez, foi instado a juntar-se ao grupo, mas recusou, pretextando não possuir estômago para tão dura empreitada. Afinal, não gostava de tragédias, e se a moça estivesse realmente morta, não lhe agradaria nada ver seu corpo inerte, inchado e coberto pela rouxidão do afogamento.

Camila encarou-o, desconfiada. Sabia que o filho não gostava de ver gente morta, mas havia algo em suas palavras que a deixara inquieta. Eram estudadas demais, coerentes demais, decoradas demais. Havia algo de estranho ali, e ela, acercando-se do filho, saiu puxando-o discretamente pelo braço, conduzindo-o para a varanda que dava de frente para o jardim

— Meu filho — começou —, não está me escondendo nada, está?

— Eu, mamãe? — retrucou ele, sem coragem de encará-la. — O que poderia estar escondendo?

— Não sei. Por isso é que lhe pergunto. Você sabe de alguma coisa? Tem certeza de que não a viu?

Ele se remexeu inquieto e respondeu, sem tirar os olhos do chão:

— Já disse que não. Por quê? Está desconfiada de mim?

— Não é isso. Mas é que sei o quanto você se interessou pela moça, e conhecendo-o como o conheço...

— Pare com isso, mamãe. Por quem me toma? Então pensa que seria capaz de fazer-lhe algum mal?

— Não, deliberadamente não. Mas acidentes acontecem.

— Não aconteceu nada. Eu juro.

— Tem certeza?

— Sim.

— E por que foi procurar Trajano justo no dia em que ela sumiu?

— Porque queria falar com ele. Gosto de Trajano e queria que nos entendêssemos. Se não acredita, pergunte a ele.

— Não é necessário. Acredito em você.

Nisso, avistaram a tropa de homens, que saía a galope, rio abaixo, à procura do corpo de Etelvina. Rodolfo ia na frente e acenou para Túlio, que estremeceu. Camila não pôde deixar de perceber que o filho se inquietara com o cumprimento do tio e achou aquilo muito estranho. Eles, até então, viviam de segredinhos, não se largavam. Porém, parecia que Túlio evitava olhar para ele, e Rodolfo demonstrava uma certa influência sobre o rapaz, como se o intimidasse só pelo fato de lhe dirigir o olhar. Contudo, não disse nada. O melhor seria observar. Se alguma coisa acontecera, ela não tardaria a descobrir.

A tropa retornou à fazenda cerca de três horas depois. Haviam seguido a correnteza do rio, ladeando-o nas duas margens, mas não avistaram nada. Nenhum sinal da pobre Etelvina. No final da tarde, ao comando de Rodolfo, voltaram, certos de que ela se afogara e de que seu corpo fora arrastado pelas corredeiras, já se encontrando muito longe naquele momento ou, quem sabe, até comido pelos peixes.

Palmira ainda aventou a possibilidade de ela haver fugido, mas Rodolfo desconsiderou a ideia. Era muito pouco provável que uma escrava franzina e amedrontada feito a Etelvina tivesse fugido sozinha. Se algum negro forte houvesse desaparecido, aí sim, essa hipótese seria viável. Mas nenhum escravo fugira, e Trajano, por quem a tola da Etelvina se apaixonara, continuava trabalhando na fazenda Ouro Velho. Não, decididamente, ela não fugira. Rodolfo estava convicto de que ela, efetivamente, se afogara, e deu por encerradas as buscas. Em pouco tempo o episódio foi esquecido, e tudo retomou a normalidade. Ou quase tudo.

Capítulo 11

Marta estava sentada sozinha na varanda, pensando em Rodolfo, quando uma vozinha delicada e meiga chamou sua atenção:

— Olá.

Era Júlia que, vendo-a ali sozinha, resolvera parar para cumprimentá-la. Marta teve um leve sobressalto e, olhando para ela com ar de interrogação, respondeu confusa:

— Oh! Desculpe-me, não a vi chegar.

— Não tem importância. Você é Marta, não é? Filha de Aldo, o capataz?

— Sou, sim senhora. E a senhorita, quem é?

— Sou Júlia, cunhada de Camila. E não precisa me chamar de senhora ou senhorita, não. Está certo que devo ser mais velha que você, mas nem tanto assim.

— Perdoe-me... Júlia... não foi minha intenção. Foi o respeito. Sou apenas uma criada aqui.

— Uma moça tão fina e educada, que recebeu educação aprimorada na corte? Não deve se sentir assim.

— Oh! Mas não tem importância. Eu não ligo. Sou muito grata a seu Licurgo e dona Palmira por me haverem proporcionado uma boa educação, mas sei onde é o meu lugar. E digo isso sem qualquer peso ou mágoa.

— Que bom. Mas, ainda assim, não precisa de formalismos comigo. Podemos ser amigas, o que acha?

— Verdade? Eu adoraria. Sinto-me sozinha aqui, sem ninguém da minha idade para conversar. Apenas Rodolfo conversa comigo de vez em quando...

— Hum... Rodolfo, é? Ele está lhe fazendo a corte?

— Não, Júlia, mas o que é isso? Ele é o patrão e é apenas gentil.

— Gentil, sei. Minha querida, nenhum homem é gentil desse jeito se não está interessado em uma moça.

— Acha mesmo?

— Acho sim.

— Será que Rodolfo está apaixonado por mim?

— Isso eu não sei. Pode ser que ele só esteja flertando com você. Mas se gostar mesmo de você, logo, logo, pedirá para fazer-lhe a corte. É só esperar.

Marta suspirou e acrescentou com ar sonhador:

— Espero que esteja certa.

Júlia sorriu e, segurando-lhe a mãozinha delicada, indagou com jovialidade:

— Não quer sair e dar uma volta? Está fazendo um dia tão bonito!

— Eu adoraria, mas não sei se posso. Minha mãe espera que a ajude com o almoço.

— Ora, peça a ela. É só um instante.

Marta entrou e foi procurar a mãe. Quando ela soube que a cunhada de dona Camila estava ali convidando a filha para passear, entusiasmou-se. Afinal, a moça era de família distinta e estava namorando o outro filho de dona Palmira, o que seria muito bom para Marta. Era uma amizade que ela não poderia dispensar, e Anita permitiu que a filha se ausentasse, recomendando-lhe apenas que tivesse juízo e bons modos. Podia demorar o tempo que quisesse. Ela já estava acostumada e podia muito bem dar conta do almoço sozinha.

— Ela deixou — disse Marta a Júlia, toda animada.

— Ótimo.

— Aonde vamos?

— Conhece a fazenda Ouro Velho?

— Estive lá uma ou duas vezes quando menina, mas não me lembro muito bem.

— Pois é para lá que vamos.

— É mesmo? Minha mãe me disse que está arrendada.

— Sim, está. Para uns amigos de nossa família.

— Vamos visitá-los?

— Sim. Eles têm uma filha, de nome Sara, que está doente. Ela é quase noiva de meu irmão, Dário.

— Será que devo ir? Quero dizer, não me leve a mal, eu adorei você ter me convidado. Mas é que você mal me conhece, e nem sei por que me convidou.

Júlia sorriu e acrescentou:

— Também não sei ao certo. Eu ia passando quando a vi sentada na varanda, e algo em meu peito me levou até você. Era como se eu tivesse que chamá-la.

— Eu, hein! Que coisa mais estranha.

— Para você ver. Eu nunca a havia visto em toda a minha vida, mas quando a avistei, senti que já a conhecia. Não sei explicar, mas senti uma imensa ternura por você e quis conhecê-la.

Marta olhou-a espantada. De alguma forma, as palavras de Júlia encontravam eco em seu coração, e ela também sentia como se já a conhecesse há muitos anos. Seus olhos encheram-se de lágrimas, e ela respondeu, emocionada:

— Obrigada. Sua amizade será muito importante para mim. Não sei por que, mas também sinto como se já a conhecesse. Não é estranho?

— Sim, muito. Contudo, aprendi a não questionar os desígnios de Deus e a aceitar suas determinações com confiança e naturalidade.

— Acha mesmo que é desígnio de Deus termos nos encontrado?

— Não sei, talvez. Mas você há de convir que essa sensação de que já nos conhecemos é muito estranha. E depois, sinto que posso confiar em você como em uma irmã, e eu nem a conheço!

— É verdade. Também sinto a mesma coisa.

— Pois então? Bem, agora vamos. Mandei preparar uma charrete para mim, coisa que raramente faço. Normalmente vou a cavalo, mas hoje, não sei por que, não senti vontade de cavalgar. E aí encontrei você, e uma charrete é bem mais apropriada para que viajemos juntas, pois assim poderemos ir conversando.

As duas subiram na charrete e Júlia, tomando as rédeas, pôs os cavalos em marcha, seguindo pela estradinha ensolarada. No caminho, Marta ia dizendo:

— Será que não se importarão? Afinal, nem me conhecem.

— Tenho certeza de que não. Seu Ezequiel e dona Rebeca são excelentes pessoas e ficarão felizes com sua presença. Você vai ver.

— E a moça, como é mesmo o nome dela?

— Sara?

— Sim, Sara. Você disse que ela está doente. O que tem ela?

Júlia entristeceu, e foi como se uma nuvem cinzenta encobrisse seu rosto. Com voz sentida, retrucou:

— Não sabemos ainda. Só o que sabemos é que é coisa do pulmão.

— Pobrezinha! Será tuberculose?

— Não sei. Por quê? Tem medo?

Marta hesitou e gaguejou:

— Nã... não... creio que não.

— Ótimo. Você não deve se preocupar. Acredita em Deus?

— É claro que sim. Recebi educação religiosa, não lhe disseram?

— Educação religiosa é uma coisa. Fé sincera é outra bem diferente. O que quero saber é se realmente acredita em Deus como uma força superior a guiar e orientar nossos destinos.

Marta pensou por alguns instantes, até que respondeu convicta:

— Sim, certamente.

— Então, não há o que temer. Sabe, minha cunhada Camila, que também viveu num convento, contou-me coisas muito interessantes sobre as doenças.

— Que tipo de coisas? O que quer dizer?

— Quero dizer que não acredito que tenhamos que contrair qualquer tipo de enfermidade pelo simples fato de estarmos junto de alguém doente. Creio que só contraímos as doenças que já estão instaladas em nosso espírito, apenas esperando uma chance para refletir em nosso corpo de carne.

— Continuo não entendendo nada.

— Deixe pra lá. São ideias que tenho, mas que não posso provar.

— Não, por favor, explique-me. Não me julgue pelas aparências. Posso parecer uma moça tola, mas acredito na força do espírito.

— Como assim? — foi a vez de Júlia se espantar.

— Posso confiar em você?

— É claro que pode.

— Sei que sim. O que vou lhe falar é absolutamente sigiloso, e se alguém descobrir, nem sei o que poderá me acontecer.

Júlia virou-se para ela, curiosa, e incentivou:

— O que é? Vamos, fale.

— Bem, como sabe, fui mandada para um convento, a fim de terminar minha educação. Durante os primeiros meses tudo correu bem, e eu estava feliz, até que, de uma hora para outra, comecei a sentir coisas estranhas.

— Que tipo de coisas?

— Coisas, não sei. Sentia como se alguém estivesse ao meu lado, por vezes até ouvia vozes.

— Credo! Isso parece até história de fantasmas.

— Mais ou menos. Não é estranho?

— Muito. E o que aconteceu?

— Bem, foi um rebuliço danado. As freiras, a princípio, pensaram que eu estava louca. Depois, julgaram que algum demônio me havia possuído e chamaram frei Ângelo para me benzer.

— O que ele disse? — Júlia estava visivelmente interessada.

— Promete que não vai rir?

— Não, claro que não.

— Bem, ele disse que havia dois espíritos ao meu lado.

— Espíritos? Mas que espíritos?

— Isso ele não soube dizer. Apenas me disse que eram espíritos que, percebendo a minha sensibilidade, aproximaram-se de mim para se comunicar.

— Será? E como ele sabe que eram espíritos?

— Bem, frei Ângelo me disse que há muito tempo vem estudando certos fenômenos que nada têm de sobrenatural, e chegou à conclusão de que determinadas pessoas, por uma estranha razão, têm a faculdade de se comunicar com os espíritos. Ele não sabe por que isso acontece, mas disse que é bem frequente. Ele mesmo me contou que sofrera intervenção dos espíritos, que chegaram a falar através de sua boca.

— Nossa, Marta, será verdade?

— Não tenho dúvidas. Eu mesma passei por isso.

— Um espírito falou através de você? E o que foi que ele disse?

— Que me amava muito e que eu deveria ser forte.

Júlia ficou pensativa. Ao final de alguns minutos, tornou, ainda em dúvida:

— Que esquisito!

— Não acredita?

— Não sei. Quando comecei a falar sobre a doença de Sara, não estava me referindo a espíritos, mas a forças interiores que não conhecemos.

— E não é a mesma coisa?

— Não. Espíritos são criaturas externas a nós mesmos, enquanto a nossa força interior vem de dentro de nosso ser mais profundo.

— Tem razão. São coisas distintas, mas que têm a mesma origem.

— Que origem?

— Deus.

Júlia não disse mais nada. Simpatizara com Marta desde o primeiro instante em que a vira e não sabia explicar aquele sentimento nem a confiança que, intuitivamente, sabia poder depositar nela. No começo, pensou que ela fosse uma moça ingênua, que nada sabia da vida, mas se enganara profundamente. Marta demonstrava uma sabedoria muito superior à sua, e isso a assustava. Não que temesse perder para a outra em inteligência. Não era isso. Mas temia as coisas que não podia compreender e as consequências que podiam ter em sua vida.

Marta, por sua vez, achou melhor não falar mais sobre aquilo. Embora sentisse o mesmo por Júlia, o fato é que aquela revelação era um segredo que vinha guardando a sete chaves e que só ousara dividir com frei Ângelo. Ele conseguira conversar com os espíritos que visitavam Marta, rezara por eles e acabara afastando-os. Com isso, afastara também as desconfianças das freiras, convencendo-as de que a menina era perfeitamente normal e que apenas atravessara uma fase difícil, dada a pouca idade com que fora arrancada do seio da família. As freiras se convenceram e, vendo que Marta não se queixava mais, julgaram que ela estava curada e pararam de importuná-la.

As duas moças fizeram o resto do caminho em silêncio. Tanto Júlia quanto Marta não queriam mais tocar naquele assunto. Ao menos por enquanto. Assim, entregaram-se a seus próprios pensamentos, certas de que uma amizade sincera e sólida acabara de se estabelecer entre ambas.

Na fazenda Ouro Velho, as coisas não iam nada bem. Sara acabara de ter uma crise e, pela primeira vez, expelira sangue pela boca. Rebeca e Ezequiel estavam desesperados, já então certos de que a menina estava tísica. A tristeza pairava no ar, a sensação de morte parecia ter invadido a casa. Até as flores pareciam recusar-se a desabrochar e murcharam nos vasos, ainda botões.

Quando Júlia e Marta chegaram, o clima era tenso. Ezequiel chamava Juarez, para que juntos fossem à vila, o mais rápido possível, ver se havia algum médico disponível. Estava tão desnorteado que nem deu pela presença das duas moças, e Júlia correu para o quarto, com Marta atrás de si. Ao entrar, ficou chocada. Sara jazia na cama feito morta, uma palidez cadavérica a se alastrar pela face alva, a respiração ofegante demonstrando exaustão extrema. A seu lado, a mãe rezava fervorosamente, pedindo a Deus que salvasse sua filha. Júlia acercou-se de Rebeca e, colocando a mão em seu ombro, disse amargurada:

— Dona Rebeca, o que houve?

A outra olhou-a assustada. Sequer havia notado que chegara. Vendo-a ali, preocupada, desabou num pranto convulso e respondeu:

— Oh! Júlia, não sei o que vai ser de minha menina. Veja!

Apontou para a toalha estirada no chão, salpicada do sangue da doente. Júlia sentiu um baque e fechou os olhos, tentando não acreditar no que via. Ao final de alguns minutos, porém, retrucou:

— Tenha calma, dona Rebeca. Tudo vai acabar bem.

— Não, Júlia. Minha filha vai morrer. Minha filha, minha filhinha. Por que Deus há de lhe ceifar a vida assim, tão jovem?

Marta, que até então nada dissera, deu um passo à frente e objetou:

— Perdoe-me, senhora, mas sua filha não vai morrer, não.

Rebeca assustou-se. Não notara sua presença e, com voz incrédula, perguntou:

— Quem é você? O que faz aqui?

— Desculpe-me, dona Rebeca — respondeu Júlia. — A culpa é minha. Na pressa e na angústia, esqueci de lhe apresentar. Esta é Marta, filha de um dos capatazes da fazenda, e acaba de chegar da corte.

Rebeca olhou-a com certa animosidade. Não sabia por que, mas não simpatizara com a moça. Atribuiu o fato ao momento delicado que atravessavam e não lhe agradava em nada dividir seus problemas mais íntimos e dolorosos com uma estranha. Olhando-a com rancor, revidou:

— Por que a trouxe aqui? Ela não faz parte da família.

— Pensei em chamar Sara para darmos um passeio. Não sabia que a encontraria nesse estado.

— Pois não devia. Sinto muito, Júlia, mas você fez mal. Essa moça é uma estranha e ainda corre o risco de se contaminar.

— Não se preocupe, dona Rebeca — interveio Marta. — Não vou me contaminar, estou certa.

— Como pode saber?

— Eu sei.

Ela falou com tanta convicção que até Júlia estranhou. Havia poucos minutos, quando lhe perguntara se tinha medo do contágio, Marta titubeara. Mas nesse momento falava com tanta certeza que era como se soubesse mesmo que nada de mal lhe aconteceria. Confusa, Júlia perguntou:

— Será que não é melhor irmos embora?

— Acho uma boa ideia — concordou Rebeca. — Não queremos correr riscos desnecessários.

— Gostaria de ficar — teimou Marta.

— Mas por quê? Não vê que pode se contaminar?

— Já disse que isso não vai acontecer.

— Por favor, mocinha, está sendo inconveniente. Isso não é hora para criar um caso.

— Não estou criando caso algum. Apenas gostaria de ficar.

— Mas por quê? — perguntou Júlia, espantada. — Afinal, você nem a conhece...

— Não sei. Mas sinto que não devo partir.

— Olhe, moça, sei que tem boas intenções, mas não precisa...

Marta fechou os olhos e, sem dar atenção às recriminações de Rebeca, acercou-se do leito da enferma e estendeu as mãos acima dela, deslizando-as suavemente por todo o seu corpo. Rebeca ia protestar, mas, subitamente, Sara teve um estremecimento, depois outro e mais outro, até que sua respiração começou a se acalmar, e o peito logo voltou a subir e descer serenamente. As faces, em pouco tempo adquiriram uma certa cor, como se um punhado de vida se derramasse sobre aquela palidez de morte. Júlia, boquiaberta, não conseguia tirar os olhos daquela cena, e quando a menina se acalmou por completo, dormindo placidamente, indagou confusa:

— O que aconteceu? O que você fez?

Marta abriu os olhos, assustada. Nem ela mesma sabia o que fizera. Só o que sabia era que, de repente, sentira um desejo incontrolável de se aproximar da doente e pôr sobre ela suas mãos, entregando-se à vontade de Deus. Tinha consciência de tudo o que fizera, mas não entendia como. Era como se uma estranha força a impelisse para a cama de Sara, e ela acabou se deixando levar. Ela até sabia que poderia parar se desejasse. Mas o mais estranho é que não queria. Tinha vontade de prosseguir, de ajudar a doente, e estava certa de que podia. Sentia uma confiança imensa em si mesma e no que quer que a estivesse impulsionando. Sabia que aquela força era benigna e, sem resistência, entregara-se a ela, certa de que estava apta a levar um pouco de paz à doentinha. Encarando Júlia e depois Rebeca, Marta gaguejou:

— Não... não sei... Só o que sei é que não pude parar. Foi mais forte que eu...

Sara abriu os olhos e olhou ao redor, tentando fazer um reconhecimento de onde estava. Parecia um pouco confusa, aérea, e quando deu de cara com Marta, exclamou:

— Mamãe! — e logo adormeceu.

As três se olharam atônitas, aproximando-se de Sara, preocupadas. Mas a moça dormia tranquilamente. O que teria acontecido? Por que ela chamara Marta de mamãe?

— Com certeza, nos confundiu — justificou-se Rebeca. — Afinal, em seu estado, é natural que esteja fraca e confusa.

— É, tem razão — concordou Júlia. — Deve ter sido isso mesmo.

Marta não disse nada. Em seu íntimo, sabia que Sara não havia se confundido. Em seus olhos, quando a encarara, passara um brilho de reconhecimento, e Marta sentiu como se já a tivesse tido em seus braços inúmeras vezes. Aquilo era muito estranho, e ela não sabia explicar. Pensou que deveria ser influência dos espíritos, mas preferiu não dizer nada. Na certa, ninguém acreditaria, e ainda a tomariam por louca ou charlatã. Pensou em escrever uma carta a frei Ângelo. Ele teria uma explicação razoável para tudo aquilo.

Certificando-se de que a filha dormia, Rebeca convidou-as a passar para a outra sala. Não sabia o que dizer. Não simpatizara com Marta desde que chegara, mas o fato era que ela, por um inexplicável motivo, tirara Sara daquela crise em que se encontrava, e a menina parecia bem melhor. Ao vê-las acomodadas na poltrona, pediu que Laurinda lhes preparasse um pouco de chá e indagou com voz pausada:

— Alguém pode me explicar o que aconteceu?

Júlia e Marta se entreolharam. Depois da conversa que tiveram, Júlia bem desconfiava da intervenção dos espíritos. Era bem possível, ou melhor, provável, que Marta tivesse agido sob influência de algum espírito bondoso, interessado em ajudar. Contudo, sabia que não seria prudente revelar suas desconfianças. Ao menos por enquanto. Embora Rebeca e Ezequiel fossem pessoas boas e religiosas, seguiam crença diversa, e aquela revelação poderia chocá-los. E Júlia não queria desgostá-los ou transtorná-los. Ao contrário, amava-os muito e sabia que o respeito era poderosa arma de compreensão. O melhor a fazer seria esperar o momento mais oportuno para conversarem sobre aquilo, aguardando a hora em que ela estivesse pronta para compreender aquele novo caminho, que só então começavam a desvendar. Ela olhou para Marta com olhar significativo e respondeu:

— Não sei, dona Rebeca. Juro que não sei.

Rebeca, querendo respostas imediatas, encarou Marta com um ar entre desafiador e agradecido, e ela retrucou:

— Não adianta olhar para mim. Nem eu mesma sei o que se passou.

— No entanto, parece que você a curou só com a imposição de suas mãos. Como isso é possível?

— Dona Rebeca — intercedeu Júlia —, não podemos dizer que Sara está curada. Ela melhorou, é verdade, mas continua doente.

— Tem razão — acrescentou Marta. — Não sei bem o que fiz, mas sei que não a curei.

— Mas ela está melhor e dorme placidamente. Isso você não pode negar.

— Dona Rebeca, sinto se não lhe posso dar as respostas que tanto anseia. Como lhe disse, eu mesma desconheço o que se passou. Só o que posso dizer é que senti uma enorme vontade de ajudar.

— Só isso? Vontade de ajudar? Ora, francamente, ninguém faz o que você fez somente com a vontade de ajudar. Deve haver algo mais.

— Dona Rebeca — interveio Júlia novamente —, me parece que a senhora não ficou satisfeita com o que aconteceu. Sara está melhor e, no entanto, a senhora parece até estar com raiva. Por quê?

Rebeca ficou confusa. Júlia tinha razão. Ela deveria estar agradecida àquela estranha pelo que fizera, mas sentia como se Marta, ajudando-a, estivesse tentando roubar-lhe a afeição da filha, e aquilo a encheu de despeito. Contudo, sabia que era loucura. Conhecera a moça naquele momento. Sara nunca a havia encontrado. E depois, por que estaria ela interessada no amor de sua filha? Não, aquilo era tolice. Não havia nada de lógico nem de racional naquela antipatia, mas quem podia dizer que os sentimentos tinham que ser racionais? Eles simplesmente existem, sem que possamos explicar sua origem. Um tanto quanto envergonhada, Rebeca tornou:

— Desculpem-me... não tive a intenção de ser grosseira ou mal-agradecida. É que fiquei confusa e curiosa. Nunca havia visto uma coisa dessas na vida e pensei...

— Pensou... — incentivou Júlia.

— Nada, nada. — E, voltando-se para Marta, acrescentou: — Quero que me perdoe. Estou muito grata pelo que fez.

— Ora, dona Rebeca, não é preciso se desculpar — objetou Marta, cheia de compreensão. — Com tudo o que aconteceu, é natural que esteja transtornada.

A porta da frente se abriu e Ezequiel entrou, seguido pelo médico. Era já um senhor idoso e entrou fazendo uma reverência para as senhoras. Dirigiu-se para o quarto na companhia de Ezequiel. Rebeca saiu logo atrás, na esperança de que ele tivesse um diagnóstico mais animador. O facultativo examinou Sara e, após alguns minutos, chamou os pais a um canto e considerou:

— Bem, a pequena está mesmo doente, embora seu estado agora pareça estável. Pelo que o senhor me disse, tossia muito e expeliu pus e sangue, não estou certo?

— Sim, senhor — concordou Ezequiel.

— Hum... Ela está melhor, é verdade. Mas os sintomas são reveladores.

— O que quer dizer com isso, doutor? — indagou Rebeca, assustada.

— Senhora, lamento pelo que vou dizer, mas sua filha está com tuberculose.

Rebeca desabou mortificada e começou a chorar. Ezequiel, tentando controlar as emoções, ainda indagou:

— Tem certeza? Não pode ser outra coisa?

— Certeza absoluta. Já vi muitos casos como esse.

— E o que faremos?

— Vou ministrar-lhe uma medicação, mas os resultados são imprevisíveis. Infelizmente, essa doença não tem cura, e muitos já padeceram, vítimas desse mal.

— Oh! Meu Deus, meu Deus! — chorava Rebeca. — O que será de minha filhinha?

O médico olhou-a com bondade. Já passara por aquilo diversas vezes e sabia o quanto era doloroso para os parentes. Principalmente quando a vítima era tão jovem quanto aquela mocinha. Tentando animá-los um pouco, afirmou:

— Apesar de tudo, muitos conseguiram sobreviver.

— É mesmo? — animou-se Rebeca. — Como? O que fizeram?

— Não sei. Só o que sei é que o tratamento é igual para todos. No entanto, inexplicavelmente, algumas pessoas conseguem significativas melhoras e prolongam em muito seu tempo de vida. Creio que uma alimentação saudável e ar puro sejam os melhores remédios nesses casos.

O médico encerrou a consulta e se foi. Ezequiel e Rebeca se abraçaram, chorando. Amavam a filha mais do que qualquer coisa, e não suportariam perdê-la. Era jovem, em breve se casaria. Como aceitar que Deus fizesse uma injustiça dessas com eles, tirando de seu convívio uma moça tão cheia de vida quanto sua Sara? Por que não levava bandidos e malfeitores, em vez de sua menina? Logo ela, tão boa, tão pura. Aquilo não estava certo. Eles não queriam se revoltar contra os desígnios de Deus, mas aquilo, decididamente, não estava certo.

No caminho de volta, Marta e Júlia iam conversando.

— Tem alguma ideia do que aconteceu lá? — indagou Júlia.

— Tenho. Embora não tenha certeza, creio que foram os espíritos.

— Também pensei nisso. Mas por quê?

— Não sei.

— Isso já havia acontecido antes com você?

— Não, nunca. Como lhe falei, sempre os senti junto de mim, ouvia suas vozes, e uma vez até um deles me possuiu. Mas eu nunca havia tomado uma atitude dessas.

— Acha que estava possuída?

— Não sei dizer. Eu podia ver, ouvir e sentir tudo o que fazia. Podia até parar, se quisesse. No entanto, sentia como se uma estranha força me houvesse dominado, influenciando minha vontade e fazendo-me desejar fazer aquelas coisas. Foi muito estranho.

— Foi maravilhoso!

— Acha mesmo?

— É claro que sim. Pena que Sara não tenha despertado. Gostaria que a conhecesse.

Marta olhou para Júlia com olhos úmidos e tornou:

— Sabe, gostaria de dizer-lhe algo, mas pode até parecer loucura.

— O que é?

— Lembra quando Sara olhou para mim e me chamou de mamãe?

— Lembro. O que tem? Ela, na certa, estava meio zonza e as confundiu.

— Pode ser. No entanto, quando vi seus olhos sobre mim, senti uma emoção estranha, como se não fosse a primeira vez que os estivesse vendo.

— Será? — Júlia estava incrédula. — Mas, como pode ser? Sara não é daqui, veio de São Paulo. Nunca antes esteve por estas bandas. Como pode achar que a conhece?

— Não sei dizer. Eu apenas senti, assim como senti que também a conhecia, Júlia, logo que nos encontramos.

— O que pretende fazer?

— Penso que seria bom escrever uma carta a frei Ângelo. Com certeza, ele poderá nos ajudar.

Júlia considerou por alguns instantes e acabou concordando:

— Tem razão. Será que ele não gostaria de passar uns dias aqui, na fazenda?

— Seria maravilhoso. No entanto, que desculpa daríamos para trazê-lo?

— Não sei. Mas prometo pensar em algo. Dona Palmira é muito religiosa, e os filhos estão construindo uma capela para ela. Quem sabe não gostaria de receber a visita de um frei? Para abençoar as obras, coisas desse tipo. Então, o que me diz?

— A ideia me parece boa. De qualquer maneira, não custa nada tentar.

Quando a charrete chegou à fazenda São Jerônimo, Fausto correu ao seu encontro. Estava preocupado com Júlia. Ela saíra e não dissera nada, demorando-se além do habitual. Logo que o carro estacionou, ele a abraçou e a suspendeu, puxando-a para fora. Júlia corou e olhou para Marta, que abaixou os olhos. Ao vê-lo se aproximar, pensara que era Rodolfo, mas quando ele abraçara Júlia, vira que estava enganada. No entanto, eram tão parecidos! Marta estava apaixonada por Rodolfo e, por mais que tentasse, não conseguia tirar os olhos de Fausto. Júlia, percebendo o que ia no coração da amiga, perguntou:

— Onde está Rodolfo?

— Não sei. Deve estar na plantação. Por que a pergunta?

— Por nada — concluiu ela, lançando significativo olhar para Marta, que Fausto logo compreendeu.

— Por que não vamos para a varanda esperá-lo? — sugeriu.

— Ótima ideia.

— Sinto muito — interrompeu Marta. — Eu bem que gostaria, mas minha mãe já deve estar preocupada.

— Fausto pode mandar alguém avisá-la de que chegamos e que você está bem.

— Acha mesmo?

— É claro que sim. Por que não fica e almoça conosco?

— Eu adoraria!

Os três seguiram em direção ao alpendre e se sentaram. Já era quase hora do almoço, e estavam famintos. Júlia colocou Fausto a par do ocorrido, pedindo licença para contar tudo a Dário. Era noivo de Sara e precisava saber.

Dário estava sentado à sombra de uma figueira, calmamente lendo um periódico. Júlia chegou por trás dele e estalou-lhe um beijo na nuca, fazendo com que desse um salto.

— Júlia! — exclamou. — Sua louquinha, você me assustou.

— Sinto muito, não foi por querer. Mas agora, escute-me. Preciso falar com você.

— Aconteceu alguma coisa?

— Sim. E muito grave.

Antes mesmo de perguntar, Dário já sabia a resposta. Podia sentir, pelo tom de voz da tia, que algo muito sério havia acontecido com sua amada, e indagou:

— Com Sara?

— É. Lamento pelo que vou lhe dizer, mas você tem que saber.

— O quê?

— Sara está mesmo com tuberculose.

Dário enfiou a cabeça entre os joelhos e desabafou, angustiado:

— Meu Deus! Como soube?

Minuciosamente, Júlia contou-lhe o que acontecera, sem omitir nenhum detalhe, inclusive sobre a intervenção de Marta. Dário ficou confuso e transtornado, sem saber o que pensar. Não conhecia Marta direito. Somente a vira uma vez e pouco falara com ela. Seria confiável?

— Creio que sim — afirmou Júlia. — Marta me parece uma moça muito séria e bondosa. Podemos confiar nela. E agora venha, vamos entrar.

Eles se levantaram e puseram-se a caminhar, até que Júlia o chamou e o advertiu seriamente:

— Outra coisa. Nem uma palavra sobre isso dentro de casa. Dona Palmira não pode nem de longe desconfiar que Sara está tísica.

— Tem razão. Seria extremamente desagradável. Eu a conheço e sei o quanto ela é preconceituosa. Se souber que arrendou sua fazenda para alguém com uma enfermidade dessa natureza, é bem capaz de expulsá-los de lá.

— E o médico recomendou-lhe boa alimentação e ar puro.

— Não se preocupe, Júlia, não direi nada a ninguém.

— Ótimo.

Nesse ponto, Júlia sentiu como se alguém os estivesse espionando e olhou para trás. No mesmo instante, sentiu o corpo todo se arrepiar, ao dar de cara com Terêncio, que vinha logo atrás, com ar distraído. Ele olhou para ela, sério, e cumprimentou:

— Bom dia, dona Júlia. Seu Dário...

— Bom dia, Terêncio — responderam em uníssono.

Sem falar mais nada, chegaram para o lado, abrindo caminho para que Terêncio passasse. O capataz bateu com a mão no chapéu, em sinal de agradecimento, e passou por eles calmamente, apertando o passo logo em seguida. Assim que ele se afastou, Dário indagou:

— Será que ele ouviu alguma coisa?

— Não, tenho certeza. Estava muito longe, e estávamos falando baixinho.

Terêncio, efetivamente, não escutara nada. Pensava em outras coisas e seguia preocupado. Há pouco se encontrara com Constância e não gostara nada do que ouvira. Constância ainda pensava em vingar-se de Tonha e tivera a coragem de pedir-lhe ajuda. Mas ele não estava mais disposto a correr riscos. Não naquela idade.

Capítulo 12

À medida que o tempo passava, Marta cada vez mais se aproximava de Rodolfo. Ele era gentil e amável, e isso a encantava. Fausto e Júlia se alegraram imensamente com o interesse dos dois, certos de que Rodolfo finalmente se esquecera do surto de loucura de que fora acometido. Apenas Palmira não parecia satisfeita. Criara o filho com dedicação e esmero. Preparara-o para um casamento brilhante, com uma moça da mais alta sociedade, fosse da região ou da corte. Não que não tivesse por Marta certa admiração. Apreciava sua educação refinada e seus gestos delicados. No entanto, a moça era filha de seu capataz e, por mais educada que fosse, jamais poderia ocultar do mundo a inferioridade de sua origem.

Júlia, em sua inocência, não via mais em Rodolfo nenhuma ameaça. Ele a tratava bem, mas com cuidados de irmão, e jamais se aproximava dela de uma forma que pudesse levantar suspeitas.

Os jovens pareciam satisfeitos naquela manhã. Estavam animados, loucos para sair. Era dia de quermesse na vila, e estavam todos contentes. Apenas Dário, não querendo se afastar de Sara, recusou gentilmente o convite, pretextando não estar se sentindo bem, e Palmira estranhou. Já tivera problemas com um dos netos. Será que o outro também se metera em algum tipo de encrenca?

— O que foi que houve, meu filho? — indagou ela, olhando pelo vidro da janela, enquanto os demais se afastavam.

— Hã? — assustou-se Dário. — Por que pergunta, vovó?

— Não sei. Você anda estranho. Quase não sai com seus tios, com seu irmão. Aconteceu alguma coisa?

Dário olhou para ela, imaginando o que estaria pensando, até que respondeu:

— Não, vovó, está tudo bem — virou-se para a porta e acrescentou: — E agora, se me der licença...

— Vai sair?

Ele hesitou:

— Vou... vou sim.

— Posso saber aonde vai?

— Bem, pensei em cavalgar um pouco.

— Por que não foi com seus tios?

— Ora, vovó, pense bem. Eles saíram acompanhados. O que iria eu fazer no meio de dois casais enamorados? Com certeza, só atrapalharia.

Ela pensou um pouco e retrucou:

— É, tem razão. Mas não fique triste. Por que não chama seu irmão para acompanhá-lo?

— Túlio? Não sei, vovó. Túlio anda estranho, arredio, não quer falar com ninguém.

— É mesmo? Não havia percebido.

— Mas é verdade. Desde que aquela escrava, a Etelvina, se afogou, ele anda esquisito.

— Por que será?

— Não sei. Será que teve alguma coisa a ver com o desaparecimento dela?

— Não creio, meu filho. Seu irmão é um bom rapaz e não se envolveria com negros.

Ele abriu a boca para contestar, quando a entrada da mãe susteve sua observação.

— Olá! Posso interromper?

— É claro, mamãe.

— Deseja alguma coisa, minha filha? — indagou Palmira, mal-humorada.

— Nada de especial. Gostaria apenas de saber se Dário não quer me acompanhar num passeio pela fazenda. Está um dia tão bonito...

— Gostaria muito, mamãe — respondeu ele aliviado.

— Vamos, então?

Os dois saíram, e Palmira ficou a olhá-los. Eles andavam estranhos. Todos naquela casa já não eram mais os mesmos. Tocou a sineta e um negrinho apareceu.

— Vá chamar Terêncio — ordenou.

O negrinho saiu e o capataz surgiu cerca de quinze minutos depois. Entrou, tirou o chapéu e perguntou:

— Mandou chamar, dona Palmira?

— Mandei sim. Há pouco, Dário me disse que Túlio anda estranho. Quero saber o que está acontecendo.

— Sinto muito, dona Palmira, mas não sei de nada. Não o vejo há alguns dias.

— Tem notado algo de diferente em seu comportamento?

— Como disse, já faz algum tempo que não o vejo. Por que tanto interesse? Ele é jovem, pode estar enrabichado...

— É isso o que me preocupa.

— Por quê? Acha que ele pode estar envolvido com alguma negra?

— Não sei. Túlio é um bom rapaz, apesar de um pouco doidivanas. E depois do que aconteceu a Etelvina, não sei não...

— Etelvina sumiu.

— Por isso mesmo.

Terêncio lançou-lhe um olhar interrogador e retrucou:

— Acha que ele deu sumiço na negrinha?

— Não sei. Mas desconfio. Dário me disse que foi depois que ela sumiu que ele começou a ficar estranho.

— O que quer que eu faça, dona Palmira?

— Quero que você tente descobrir alguma coisa.

— Dona Palmira, se me permite a intromissão, para que quer fazer isso? Se o rapaz usou a negra e depois se desfez dela, que mal há nisso? Não terá sido a primeira vez que isso acontece, e não é nenhum fim de mundo. Ou será que a senhora pretende castigá-lo?

— É claro que não. Onde já se viu, castigar meu neto por causa de uma escrava?

— Então, por que remexer nisso? Etelvina sumiu, ninguém sabe dela. Provavelmente se afogou. Não acha que é melhor deixar as coisas como estão?

— Eu preciso saber.

— Mas por quê?

— Porque não quero que meu neto se envolva com esses animais. Essas negras são repulsivas, e não quero Túlio metido com elas.

— Mesmo assim. Se ele se envolveu com Etelvina, isso já passou. Ela não está mais aqui para reclamar.

— Não é isso, homem. Então não vê? Não é com Etelvina que estou preocupada nem com o que aconteceu a ela. Preocupo-me apenas com meu neto. Se ele se deitou com uma negra, quero tomar minhas providências para que isso não se repita nunca mais. Não está direito. Um moço branco e rico metido com essa escória. Agora chega de perguntas, Terêncio. Faça o que estou mandando, ou será que agora deu para desobedecer minhas ordens?

— Eu? Mas o que é isso, dona Palmira? Sempre lhe fui fiel, a senhora sabe disso.

— Sei. Mas isso não vem ao caso. Faça o que estou mandando e avise-me se descobrir alguma coisa.

— Sim, senhora.

Terêncio se foi e Palmira continuou pensativa. Ela já estava velha, mas não era nenhuma tola. Além disso, seu instinto dizia que Túlio tinha alguma coisa a ver com o desaparecimento de Etelvina, sim. No princípio, não desconfiara de nada. Mas depois do que Dário lhe dissera, estava quase certa de que ele efetivamente se envolvera com ela e depois lhe dera um sumiço. Mas ela descobriria. Não queria seu sangue misturado ao sangue daquela gente e tudo faria para impedir tamanha desgraça. Ela começou a subir as escadas, quando Constância a chamou:

— Tia Palmira?

— Sim, querida, o que é?

— Aconteceu alguma coisa? Posso ajudá-la?

— Pensando bem, poderia mandar servir-me uma xícara de chá em meu quarto?

— Pois não, titia. Mandarei Tonha agora mesmo preparar o chá e levá-lo para a senhora.

Ao entrar na cozinha, Tonha não estava, e Constância saiu à sua procura. Ela estava no quintal, regando algumas plantas quando viu Constância se aproximar, e disse com aparente normalidade:

— Bom dia, sinhá. Deseja alguma coisa?

Constância encarou-a com aquele sorriso enigmático e disse:

— Tia Palmira quer chá. Leve-o imediatamente ao seu quarto.

— Sim, sinhá.

Tonha largou o balde com que aguava as plantas e virou-se em direção à cozinha. Quando passou por Constância, ela propositadamente esticou o pé, e Tonha, nada percebendo, tropeçou e desabou no chão, ralando o rosto na terra. Constância desatou a rir e vociferou:

— Ha, ha, ha! Bem-feito, negra! Agora, levante-se! Ha, ha, ha! Ande, vamos! Levante-se e vá preparar o chá!

Tonha, faces sangrando, levantou-se dolorida, sentindo joelhos e cotovelos arderem, também arranhados. Sentia dor e tremia, não conseguia se mover. Constância, rindo cada vez mais alto, continuou a esbravejar:

— Ha, ha, ha! Ande, negra, o que está esperando? Tia Palmira quer chá! Ha, ha, ha! Não se demore ou será castigada!

— Sinhá, eu...

Ela estava toda dolorida, humilhada, e não conseguia se mover. Constância chegou perto dela e empurrou-a, fazendo-a quase tombar novamente, e Tonha começou a chorar. Constância ria cada vez mais alto, ao mesmo tempo em que bradava:

— O chá! O que está esperando? Vá buscar o chá ou irá se arrepender!

Já ia empurrá-la de novo quando Camila surgiu do outro lado do terreiro, em companhia de Dário. Estavam passando por ali e escutaram as gargalhadas desvairadas de Constância, e Camila podia imaginar o que estava acontecendo. Ao vê-la, Constância fez uma careta de contrariedade e recuou. Camila aproximou-se delas, segurou Tonha pelo braço e fulminou a prima com o olhar, dizendo friamente:

— Não se preocupe, Constância. Eu mesma levarei o chá para mamãe.

Tonha, auxiliada por Dário, voltou para a cozinha, e Camila ajudou-a a fazer curativo nas feridas. Em seguida, preparou o chá e levou-o para a mãe, pedindo a Dário que acompanhasse Tonha a seu quarto para descansar. Eram ordens dela, Camila, e que ninguém a incomodasse.

Palmira estranhou a ausência de Tonha, mas Camila disse que ela caíra e que a mandara cuidar dos ferimentos. Palmira não disse nada. Não tinha tempo para se ocupar com aquilo. Se ela se ferira era problema dela. Só o que não queria era que deixasse de cumprir com suas obrigações.

Depois que a mãe terminou, Camila pegou a bandeja e saiu. Pouco depois, entrava decidida no quarto de Constância. A outra olhou-a assustada, e Camila, olhos rasos d'água, desabafou:

— Constância, não sei o que aconteceu com você. Houve um tempo em que éramos amigas, confiávamos uma na outra. Mas agora...

— Por que a nostalgia, Camila? Não foi você mesma quem começou a se afastar de mim por causa daquele traste do Basílio?

Camila olhou-a magoada e acrescentou com voz súplice:

— Será que não podemos voltar a ser amigas? Somos primas. Não podemos esquecer o passado e recomeçar, vivendo em paz como antes vivíamos?

Constância dirigiu-lhe um olhar de desdém e redarguiu com frieza:

— Você hoje é uma estranha para mim, e não costumo manter relações com estranhos. Ainda mais com aqueles que são amigos dos negros.

Diante dessas palavras, Camila silenciou. Rodou nos calcanhares e se foi, levando no coração a imensa mágoa de haver perdido a amiga, que continuava ainda entregue a sentimentos pobres e mesquinhos.

Na vila, Fausto e Júlia, Rodolfo e Marta passeavam de braços dados. Rodolfo parecia mesmo interessado em Marta. Cobria-a de atenções, comprava-lhe doces, flores e até um anelzinho de prata portuguesa, doado para arrecadar fundos para a igreja. Ele parecia a alegria em pessoa e realmente sentia-se bem na companhia da moça. Não fosse aquela inveja do irmão, que o fazia desejar tudo o que fosse dele, poder-se-ia dizer que era a imagem da felicidade. De tão entretido com Marta, não deixara ninguém perceber que, sorrateiramente, tomava conta de todos os passos de Fausto. Remoendo amargo despeito, viu quando ele e Júlia, discretamente, beijaram-se, e quase enlouqueceu quando ele, rapidamente, cingiu--lhe a cintura pequenina. Tinha vontade de esganá-lo. No entanto, precisava manter a calma.

Júlia e Fausto, por sua vez, viviam uma felicidade plena. Amavam-se com ternura e sentiam imenso prazer na companhia um do outro. Estavam confiantes no futuro. Apesar de saberem que Palmira não fazia muito gosto naquele romance, não havia nada que ela pudesse fazer para separá-los, e não lhe restava outra alternativa senão conformar-se com o destino. Em breve se casariam e seriam muito felizes.

O Sol estava a pino quando Júlia pediu a Fausto que a levasse para descansar. Sentia muito calor e não queria expor-se ao Sol em demasia. Fausto, gentilmente, conduziu-a para um banco na praça em frente ao pátio da igreja, e de lá ficaram a apreciar a quermesse. Estava muito animada, com barraquinhas de quitutes, rendas, bordados e até algumas joias de pequeno valor. Júlia, vendo o interesse de Fausto naquela agitação, aproveitou a oportunidade e indagou:

— E as obras da capela, como estão?

— Bastante adiantadas. Creio que mais um ou dois meses e estará pronta. Vai ficar uma beleza, garanto.

— Estou certa que sim — ela se calou por alguns segundos e continuou: — Quem vai rezar as missas?

— Quem? O padre João, se não me engano. É ele quem reza missa em todas as fazendas da região.

— É mesmo?

— Sim. Ele escolhe um dia, vai até a fazenda e reza a missa.

— É uma pena que não possa haver missa todos os dias, não é mesmo?

— Sim, é. Mas o padre João tem seus compromissos com a igreja aqui da vila e não pode se ausentar constantemente. Por quê?

— Por nada. É que andei pensando...

— Em quê?

— Quem sabe sua mãe não gostaria de ter um frei morando na fazenda? Assim poderia assistir à missa e confessar-se quando quisesse, sem ter que esperar pelo padre João.

Fausto olhou-a em dúvida. A ideia até que não era má. No entanto, trazer um frei exigiria muitos gastos. Era preciso custear sua moradia, sua alimentação. E depois, não sabia se a Igreja consentiria. Teria que pedir autorização ao bispo, era muito complicado. Coçando o queixo, ele respondeu.

— Hum... não sei, não. A ideia até que não é ruim, mas não daria certo.

— Por que não?

— Ora, Júlia, não é assim tão fácil como você pensa. Há os gastos, os transtornos e, além de tudo, precisamos de autorização do bispo. Afinal, uma capela não é uma paróquia.

Ela pensou durante alguns segundos e acabou por concordar:

— Tem razão, esqueça. Foi uma ideia tola.

— Mas por que você, de uma hora para outra, resolveu se preocupar com isso?

Júlia ficou ali a encará-lo. Eles se amavam, e ela sabia que podia confiar nele. Embora não soubesse se ele acreditava na influência dos espíritos na vida das pessoas, tinha certeza de que ele saberia respeitar suas crenças e não a julgaria louca ou tola.

— Quer mesmo que lhe diga?

— É claro. Por isso estou perguntando.

Rapidamente, Júlia contou-lhe os acontecimentos dos últimos dias. Como conhecera Marta e sua afeição imediata. A enfermidade de Sara, a crise e os episódios que Marta lhe narrara, terminando com a ajuda de frei Ângelo e a carta que ela tencionava escrever-lhe. Fausto olhou-a incrédulo. Não acreditava naquelas histórias de almas de outro mundo e achou aquele caso meio fantasioso. Por outro lado, conhecia sua Júlia e sabia que ela, além de inteligente, era uma moça sensata e ponderada, e jamais se deixaria enganar pelas crendices de uma beata ou de uma impostora. E depois, havia Sara. Júlia lhe dissera que Marta a ajudara só com a imposição das mãos. Apesar de um tanto quanto incrédulo, terminou por concluir:

— Bem, Júlia, o que você me diz é espantoso.

— Mas é a mais pura verdade.

— Não duvido. No entanto, mamãe jamais concordaria com uma coisa dessas. Chamaria de ignorância ou de feitiçaria, e trataria de denunciar o frei como herege e charlatão.

— Ela faria isso?

— Sem dúvida. Mamãe é uma pessoa muito ligada à Igreja e veria nesse frei Ângelo uma ameaça às verdades constituídas por seus dogmas. Jamais acreditaria.

Júlia entristeceu. Gostava de Sara como de uma irmã e não queria vê-la morrer. Além disso, ainda tinha o sobrinho. Dário a amava acima de tudo na vida e sofreria muito se a perdesse. Fausto, percebendo a decepção e a tristeza em seu olhar, ponderou:

— Por que não fala com seu Ezequiel e dona Rebeca? Afinal, eles são os maiores interessados. Quero dizer, se não se importarem com a presença de um frei, sendo judeus.

— É mesmo. Não havia pensado nisso. Como frei Ângelo é amigo de Marta, pensei que o melhor seria trazê-lo para junto dela. Assim poderíamos desfrutar melhor de seus ensinamentos. Mas levá-lo para a fazenda Ouro Velho seria bem melhor. E depois, dona Rebeca e seu Ezequiel não têm nenhum preconceito contra quem quer que seja. Do contrário, jamais seríamos amigos. Tenho certeza de que não se incomodariam com a presença de um padre.

— Pois então? Lá, inclusive, ele teria mais privacidade para expor essas experiências. Isso sem falar no fato de que estaria mais perto de Sara e poderia atendê-la com toda a urgência que o caso requer.

— Acha que ele também poderia fazer o que Marta fez?

— Não sei. Mas se você diz que ele é como seu mentor, não vejo por que não poderia.

— Tem razão. Frei Ângelo, ao que tudo indica, tem profundo conhecimento do mundo dos espíritos, e se foi um espírito que ajudou Sara, ele poderá invocá-lo com mais facilidade.

— Isso mesmo. Fale com seu Ezequiel. Tenho certeza de que ele concordará. Um homem na posição dele, com a filha doente, é capaz de qualquer coisa para salvá-la.

— Você está certo. Falarei com eles e depois pedirei a Marta que escreva uma carta a frei Ângelo, explicando-lhe o caso e convidando-o a passar uns dias na fazenda.

Depois disso, a conversa mudou de rumo, e logo Rodolfo e Marta se juntaram a eles. Rodolfo, embora não desgrudasse de Marta, não os perdera de vista um instante sequer. Viu quando eles se afastaram em direção à praça e ficara a observá-los à distância. Enquanto só conversavam, não se aproximou. Mas assim que Fausto tomou-lhe a mãozinha delicada e levou-a aos lábios, Rodolfo não pôde mais se conter e chamou Marta para, juntos, procurarem o irmão e Júlia.

— Ah! Então foi aí que vocês se meteram! — exclamou Rodolfo, tentando aparentar naturalidade.

— Júlia estava cansada e com calor — justificou-se Fausto. — Por isso viemos nos sentar aqui.

— Vocês encontraram mesmo uma boa sombrinha — concordou Marta, sentando-se ao lado de Júlia. — Estou com sede.

— Por que você e Rodolfo não vão nos buscar uns refrescos? — sugeriu Júlia.

— Com todo prazer — retrucou Fausto, que se levantou e saiu em companhia do irmão.

Vendo-se sozinhas, Júlia participou a Marta a conversa que tivera com Fausto. Ela a encarou pensativa, até que respondeu:

— A ideia me parece boa. Será que seu Ezequiel concordará?

— Tenho certeza que sim. Amanhã mesmo falarei com ele e com dona Rebeca.

Os rapazes voltaram com os refrescos e depois foram almoçar. Já passava do meio-dia, e eles estavam com fome. Animados, seguiram para a pequena taverna da vila que, naquele dia, estava cheia. A quermesse da igreja costumava ser bem movimentada e atraía gente de toda a região, inclusive das vilas vizinhas. Júlia e Marta riam gostosamente, enquanto Fausto, embevecido com sua amada, sequer notava o olhar de rancor que Rodolfo, a todo instante, lançava para ele.

Capítulo 13

Túlio ouviu batidas na porta do quarto e disse sem maior interesse:

— Entre. Não está trancada.

A porta se abriu e Camila entrou. Aproximou-se da cama, onde ele estava deitado com ar abatido, acariciou seus cabelos e perguntou:

— Meu filho, sente-se bem?

— Sim, mamãe. Por que pergunta?

— Não sei. Você anda estranho. Até sua avó já reparou.

— Vovó?

— Sim. Ela veio me perguntar se eu sabia de alguma coisa.

— Sobre o quê?

— Sobre você.

— Mas não há nada...

— Será que não? Você tem andado bastante estranho. Quase não sai, não conversa com ninguém. Alguma coisa está acontecendo, sei que está. Meu coração de mãe não se engana.

— Não está acontecendo nada, mamãe.

Camila, vendo que ele não estava disposto a dividir com ela seus problemas, mudou o tom de voz e disse, tentando imprimir-lhe cumplicidade:

— Ouça, meu filho, seja o que for que tenha acontecido, pode me contar. Sou sua mãe.

Túlio, pouco à vontade diante daquela insistência, levantou-se apressado e, bufando, revidou:

— Já disse que não há nada. Por que não me deixa em paz?

— Mas o que é isso, meu filho? Isso é jeito de falar com sua mãe?

— Desculpe. Não quis ser desrespeitoso. Mas é que sua desconfiança não tem fundamento.

— Que desconfiança?

— Não sei. Diga-me a senhora. De que desconfia? Eu não fiz nada, não sei de nada.

— Meu filho, acalme-se. Não sei do que está falando. Não estou desconfiada de nada nem o acuso de coisa alguma. Não creio que você saiba ou tenha feito nada. Estou apenas preocupada, é só.

Túlio acalmou-se. Ela não sabia de nada mesmo, e não havia nada que o ligasse ao desaparecimento de Etelvina. Aliás, desde o dia em que ela desaparecera, ninguém nunca mais tocara em seu nome. Era apenas uma escrava e seu sumiço não era motivo de alarde. Em tom mais conciliador, argumentou:

— Ouça, mamãe, agradeço a preocupação, mas não está acontecendo nada comigo. Sinto-me apenas cansado.

— Cansado de quê?

— Não sei. Desta vida. Tudo aqui é muito calmo, muito monótono. Não há nada para fazer.

— Por que não vai se distrair na vila?

— Ora, o que pode haver de interessante por lá? É apenas um vilarejo, rodeado de fazendas e de florestas. Não há teatros, salões, tavernas. Nada de interessante.

Camila suspirou e acrescentou:

— Se é assim que pensa, por que continua aqui?

— Quer que eu vá embora?

— Eu não disse isso. Você é meu filho, e sua companhia é motivo de imenso prazer para mim. No entanto, não gosto de vê-lo assim, triste. Você é jovem, tem a vida toda pela frente. Não deve perder seu tempo trancado dentro de casa.

— Tem razão, mamãe. Creio mesmo que já seja hora de partir.

— Você é quem sabe. Gostaria que ficasse comigo, e sua avó também sentirá muito sua falta. Ela se afeiçoou demais a você. Contudo, prefiro vê-lo longe a ter que presenciar essa sua tristeza. Pense bem. Não se apresse. Seja o que for que resolva, estarei do seu lado.

Ela se aproximou dele, ergueu-se na ponta dos pés e beijou-o de leve na testa, virando-se para sair, e Túlio disse, emocionado:

— Obrigado, mamãe.

Camila sorriu para ele, abriu a porta e saiu. Túlio deitou-se pensativo. Talvez a mãe tivesse razão, e o melhor mesmo fosse afastar-se dali. Apesar de saber que Etelvina era apenas uma escrava, e que a avó jamais o castigaria por haver se envolvido em sua morte, o fato era que ele ficara profundamente impressionado com a atitude do tio. Servir-se da negra era uma coisa. Matá-la era outra totalmente diferente. Túlio não pensava, como Rodolfo, que os escravos eram pouco mais do que animais. Sabia que eram pessoas, fora criado acreditando nisso. No entanto, o desejo nele falava mais alto, e não podia recusar as facilidades que as escravas lhe ofereciam. Túlio se utilizava delas não porque pensasse que eram seres inferiores, mas porque sabia que sua condição de homem branco o colocava em posição de superioridade, e ele aprendeu que podia se valer desse artifício para obrigá-las a se renderem aos seus caprichos.

Quando Raimunda morrera, ele lamentara, mas não se sentira culpado. Fora uma fatalidade, e ele não desejara nem tomara parte em sua morte. Mas com Etelvina fora diferente. Ele a violentara, o que até então não era motivo de preocupação para ele, e o tio a matara num acesso de loucura. Embora ele nada dissesse, estava claro que Rodolfo sentira prazer em matar, e isso o estarrecia. Desde aquele dia, Túlio, efetivamente, afastara-se de todos, permanecendo quieto e acabrunhado, com medo de Rodolfo. O tio parecia desequilibrado, e ele passou a ver em Rodolfo uma certa dose de maldade, que o fazia estremecer a cada vez que olhava para ele.

De repente, a porta se abriu e Rodolfo entrou, fechando-a cuidadosamente atrás de si. Túlio, embora assustado, permaneceu impassível, olhando-o com frieza.

— Aconteceu alguma coisa?

Rodolfo devolveu-lhe o olhar, e era como se lhe lançasse chispas ameaçadoras, revidando:

— Não sei. Você é quem vai me dizer.

Embora assustado, Túlio sustentou o olhar do tio, tentando ocultar o medo que lhe ia na alma. Ele sabia que se deixasse transparecer o medo, Rodolfo o dominaria, e ele, apesar de tudo, não estava disposto a se deixar intimidar. Precisava manter-se calmo e confiante, mostrando ao outro que não o temia. Por dentro, contudo, Túlio tremia. O tio, de uma hora para outra, tornara-se para ele uma grande ameaça.

— Dizer o quê?
— Se aconteceu alguma coisa.
— Não sei do que está falando.
— Sabe, sim. Estou falando do que fizemos.
— Eu não fiz nada.
— Está certo, eu fiz. Mas você também participou.
— Ouça, tio Rodolfo, se veio aqui me alertar, está perdendo seu tempo. Não falei nada a ninguém e nem pretendo falar.
— Sei que não.
— Então, por que veio? Deixe-me em paz.
— Calma, rapaz. Qual foi o bicho que o mordeu?
Túlio virou-se para a janela e prosseguiu:
— Então? O que quer?
— Vi Camila saindo de seu quarto ainda agorinha mesmo.
— E daí?
— Quero saber o que ela queria.
— Nada de mais. Por quê? Ela é minha mãe, pode vir a hora que quiser.
— Sabe, Túlio, não estou entendendo essa sua reação. Você está agindo na defensiva, mas eu, em momento algum, o ataquei. Por que tem medo de mim?
— Não tenho medo de você.
— Não? Então por que me trata desse jeito?
— Você é um assassino.
— E você, o que é?
— Nunca matei ninguém.
— Pensa que sua atitude foi melhor do que a minha? Como pensa que Etelvina se sentiu quando você a possuiu? E Trajano? Por acaso foi correto com ele?
— Isso não vem ao caso. Pelo menos não sujei minhas mãos com o sangue de ninguém.
— Você se julga melhor do que eu, não é mesmo? Pois fique sabendo que não é.
— Por favor, tio Rodolfo, não quero mais falar sobre isso. Já disse que não vou contar nada. Vovó nunca ficará sabendo.
— Não me interessa o que você vai falar. E depois, minha mãe jamais tomaria qualquer atitude contra mim ou contra nós.
— Então, por que a preocupação?
— Já disse. Não quero provocar os negros.
— Pois então, esqueça.
— Só vou lhe avisar uma coisa...
— Vai me ameaçar?

— É claro que não. Vou apenas pedir-lhe. Cuidado com sua mãe. Camila é amiga dos negros, e se você der com a língua nos dentes, ela bem pode me prejudicar.

— Escute, tio Rodolfo, por mais que você tema a reação dos escravos, não entendo por que tanta preocupação. Afinal, eles estão presos e desarmados. O que poderiam fazer contra você?

Rodolfo abaixou os olhos por uns instantes e, quando tornou a levantá-los, havia fogo em seu olhar. Era um misto de medo e de ódio, e ele retrucou:

— Os negros são traiçoeiros e imprevisíveis. Ninguém sabe do que são capazes.

Depois disso, rodou nos calcanhares e saiu. Túlio, intuitivamente, desconfiava do que ele tinha medo. Embora ninguém percebesse, ele achava que o tio estava interessado em Júlia, e se ela soubesse o que ele fizera, jamais tornaria a falar com ele. E Rodolfo, ao que parecia, estava disposto a enganar a todos, fingindo-se passar por um homem bom e generoso, só para cair nas boas graças de sua tia. Pensando nisso, Túlio sentiu um aperto no coração. Será que não devia alertá-la? Gostava muito de Júlia. Foram criados juntos, quase como irmãos, e ele não queria vê-la presa na teia urdida pelo tio. Mas o medo de Rodolfo falou mais alto, e Túlio estava disposto a fingir que nada percebera, só para que Rodolfo não o desafiasse. Júlia que o perdoasse. Gostava muito dela, mas não estava disposto a perder o pescoço só para salvá-la.

— Tonha! — era a voz de Palmira, que a chamava com impaciência. — Onde está, negra estúpida?

Tonha chegou apressada lá de dentro, segurando na mão uma colher de pau.

— Sim, sinhá. Deseja alguma coisa?

Palmira olhou-a com desdém e tornou com rispidez:

— Onde está Túlio?

— Não sei, sinhá, não vi.

— Mas onde se meteu esse menino?

— Será que sinhá Camila ou sinhá Júlia não sabem?

— Não. Ninguém o viu. Por isso estou perguntando a você. Quem sabe ele não passou pela cozinha?

— Não, sinhá. Pela cozinha ele não passou, não.

— Mande alguém agora mesmo chamar Terêncio.

— Sim, sinhá.

Tonha voltou para a cozinha e Palmira ficou intrigada. Onde andaria aquele menino? Ninguém o havia visto sair. Minutos depois, Tonha voltou com a notícia de que Terêncio também não se encontrava, e Palmira suspirou. Talvez ele tivesse saído atrás do neto.

Em seu quarto, Camila também estava preocupada. Quando a mãe apareceu, procurando pelo filho, ela se sobressaltou. Em breve seria noite, e ele não devia andar sozinho pelo escuro. Camila chamou Júlia e contou-lhe de sua preocupação:

— Será que aconteceu alguma coisa?

— Não sei, Camila. Vamos esperar.

— Ele anda tão estranho...

— Não devemos nos alarmar. Na certa, saiu para dar uma volta e logo, logo, aparecerá. Você vai ver.

— Não sei. Mamãe falou com tanta preocupação...

— Sua mãe está velha, e qualquer coisinha para ela adquire proporções imensas. Tenho certeza de que Túlio está bem.

— E Fausto? Não está?

— Não. Saiu com Rodolfo para tratar de negócios.

— Oh! Meu Deus, cuide para que meu filho esteja bem.

Escutaram o ruído de uma porta batendo, e Camila correu para a porta, escancarando-a. Atravessando o corredor, foi ter no quarto de Túlio e bateu, chamando:

— Túlio? Túlio, meu filho, você está aí?

Logo em seguida, a porta se abriu e Túlio apareceu. Parecia calmo e, vendo o nervosismo da mãe, indagou preocupado:

— Aconteceu alguma coisa?

— Onde esteve, meu filho? Sua avó e eu ficamos preocupadas.

— Por quê? Fui apenas dar uma volta.

— Sozinho?

— Algum problema?

— Não, nenhum...

Túlio desvencilhou-se dela e voltou para o quarto, com a desculpa de que estava cansado e queria repousar até a hora do jantar. Camila, mais sossegada, virou-se para Júlia, que considerou:

— Viu só? Preocupou-se à toa.

— Tem razão.

Na biblioteca, trancada com Terêncio, Palmira escutava o que ele tinha a dizer. Terêncio, desde a ordem de Palmira, passara a vigiar a casa e vira quando Túlio saíra sozinho, embrenhando-se no meio do mato. Mais que depressa, pusera-se em seu encalço sem que ele percebesse, e vira aonde tinha ido.

— E então? — perguntou Palmira, aflita. — Aonde foi?

— A lugar algum — respondeu Terêncio, confuso.

— Como assim, lugar algum?

— Pois é, dona Palmira. Quando saí atrás dele, até pensei que fosse se encontrar com alguém. Esperava surpreendê-lo nos braços de alguma negra. Contudo, qual não foi o meu espanto quando ele, simplesmente, entrou pelo meio do mato e foi caminhando, até chegar ao fim da fazenda. Aí parou, ajoelhou-se, pegou um punhado de terra e começou a chorar.

— Mas o que significa isso?

— Não sei, dona Palmira. Nem eu entendi. Confesso até que fiquei espantado. Ele andou durante muito tempo, só para apanhar um monte de terra. Por quê?

— É o que gostaria de saber.

— Será que queria ficar sozinho?

— Mesmo assim. Sair andando por aí, feito um doidivanas, embrenhando-se no mato para ficar chorando? Isso não está me cheirando nada bem.

— O que pretende fazer?

— Não sei. Mas não faça nada e não diga nada a ninguém. Vou apurar essa história direitinho.

— Pode deixar, dona Palmira, que não direi nada a ninguém.

No dia seguinte, bem cedo, Terêncio apanhou uma pá, montou em seu cavalo, certificando-se de que ninguém o estava vendo, e partiu rumo ao local onde vira Túlio agachado, chorando sobre um monte de terra. Aquilo era muito estranho, mas também muito revelador. Pelo tamanho e pelo formato, aquele monte de terra mais parecia uma cova. Apesar da ordem de Palmira, ele estava disposto a descobrir quem estava enterrado ali, se é que havia mesmo alguém enterrado.

Chegando ao local, desmontou e, segurando firmemente a pá, começou a cavar, parando de vez em quando para descansar. Terêncio já não era mais nenhum rapazinho e logo se cansava. Mas estava disposto a desvendar aquele mistério e não perderia essa oportunidade. Aos poucos, a terra foi sendo retirada, e logo apareceu uma coisa que parecia ser uma mão negra. Ele sorriu satisfeito e continuou a cavar, já sentindo o cheiro da podridão que exalava daquela sepultura improvisada. Em breve, o corpo de Etelvina surgiu, nu e coberto de terra. Apesar de o processo de decomposição já se haver iniciado, ainda estava reconhecível. Terêncio apertou o nariz, tentando não sentir aquele odor pútrido, e observou-a melhor. Entre suas pernas havia uma crosta escura, parecida com sangue, o que indicava que ela havia sido desvirginada antes de morrer.

Os olhos esbugalhados e a língua de fora, somados à rouxidão ao redor do pescoço, não deixavam dúvidas de que Etelvina havia sido estrangulada.

Terêncio afastou o rosto em busca de ar fresco e inspirou. Descobrira o porquê do comportamento estranho de Túlio e desvendara o mistério acerca do desaparecimento de Etelvina. No entanto, tinha dúvidas se aquela descoberta era importante. Por que Túlio ocultara o corpo? Por que simplesmente não contara à avó o ocorrido? Dona Palmira, na certa, passar-lhe-ia um sabão, mas nada faria contra ele. Aquilo era estranho. Na certa, havia mais por trás daquela morte. Túlio estava escondendo algo.

Cuidadosamente, recolocou o corpo de Etelvina na sepultura e cobriu-o de terra. O melhor a fazer era esperar o desenrolar dos acontecimentos. Já sabia o que acontecera, só precisava descobrir o motivo. Terêncio nem imaginava que o motivo era Rodolfo e sua obsessão pelo irmão. De toda sorte, achou que o mais oportuno seria não revelar nada, principalmente a Palmira. No momento próprio, contaria tudo a Rodolfo. Ele saberia o que fazer.

Sem saber que o corpo de Etelvina havia sido descoberto, Rodolfo não se preocupava com nada. Só pensava em Fausto e Júlia e, em silêncio, via-os pela janela de seu quarto, passeando de mãos dadas pelo jardim. Iam felizes e despreocupados, a atenção de um presa nos gestos do outro, sorrindo e se abraçando inocentemente. Em seu enlevo, não perceberam que alguém os espiava e, julgando-se sozinhos, pararam perto das roseiras e se olharam. De onde estava, Rodolfo não podia divisar-lhes os rostos, mas sabia que expressavam felicidade. De repente, Fausto colocou a mão na cintura de Júlia e empurrou-a para dentro do caramanchão, para onde convergiam todas as alamedas do jardim. Rodolfo, apesar de perdê-los de vista, sabia o que eles estavam fazendo. Com certeza, beijavam-se apaixonadamente, e ficou a imaginar as mãos de Fausto sobre o corpo da moça, acariciando-o, sentindo-lhe o frescor e a maciez. Sentiu imenso ódio. Aquilo não era justo. Por que só o irmão podia tê-la?

Rodolfo mordeu os lábios com raiva e afastou-se da janela. Ficou a imaginar o que fazer para impedir que Júlia e Fausto concretizassem seu amor. Ela era uma moça meio livre, criada sem pai nem mãe; o irmão, ausente, e a cunhada parecia não se importar. Não havia ninguém que tomasse conta dela, que lhe direcionasse os passos, que lhe dissesse o que devia e o que não devia fazer. Júlia era voluntariosa e estava acostumada a fazer o que bem entendia. Sua única esperança era Fausto. Ele conhecia o irmão e seus pudores. Mas não podia facilitar. O amor e o desejo, numa hora dessas, podiam falar mais alto, e ele veria ruírem para sempre seus sonhos de, um dia, tomar Júlia do irmão, fazendo-o sofrer.

Júlia e Fausto estavam longe de se amar antes do casamento. Ela era muito romântica e casta, e Fausto era por demais digno e correto para desonrá-la. Queria-a virgem para a noite de núpcias. Ele a amava de verdade. Podia esperar. Quanto a Júlia, ansiava por entregar-se a ele, mas não queria fazer nada que pudesse macular sua pureza. Também o amava e também podia esperar. Sua intimidade não ia além de beijos e de abraços apertados, e os dois se sentiam felizes e satisfeitos por poderem compartilhar daquelas carícias sem o peso da culpa ou do medo.

Completamente desnorteado, Rodolfo saiu para o jardim. Queria flagrá-los em alguma atitude menos digna e saiu desabalado em direção ao caramanchão. Caminhando por outra alameda, divisou o vulto de uma mulher, sentada em um banco, distraída com a leitura de um romance. Rodolfo logo reconheceu Marta e mudou de ideia. Ela estava sozinha, entretida com a leitura, e nem percebeu que ele se aproximava. Chegando por trás dela, colocou as mãos sobre seus olhos, e ela teve um sobressalto:

— Adivinhe quem é — disse ele, disfarçando a voz.

Ela apalpou-lhe as mãos e respondeu eufórica:

— Rodolfo!

Afastando-lhe as mãos dos olhos, virou-se para ele, meio em dúvida, e sorriu. Rodolfo sentou-se ao lado dela e disse com voz melíflua:

— Como adivinhou que era eu?

— Ora, foi muito fácil. Primeiro, reconheci sua voz. Segundo, suas mãos são inconfundíveis... Se tivesse visto seu rosto, podia até ter me enganado, confundindo-o com Fausto. Mas só você tem as mãos úmidas e quentes, vibrantes de paixão.

Rodolfo olhou-a com interesse. Estava claro que ela gostava dele, ele já percebera isso. Mas até que ponto iria aquele amor? Ele, por sua vez, achava-a bastante atraente e amava-a sem perceber. Sua obsessão pelo irmão toldava-lhe a espontaneidade do coração, e Rodolfo, em sua cegueira, não podia perceber que seu interesse por Marta ia além de uma simples atração.

Pensando na cena que há pouco presenciara entre Júlia e o irmão, seu corpo encheu-se de desejo, e ele aproximou-se mais dela, segurando-lhe a mãozinha e beijando-a com ardor. Marta assustou-se e quis tirar a mão, mas ele não permitiu. Em vez disso, levou-a ao peito e sussurrou:

— Sente como meu coração bate forte? — Ela assentiu. — É por sua causa que ele bate assim. Eu a amo.

Rodolfo puxou-a para si e a beijou, e ela correspondeu. Estava extasiada, embevecida, enleada. Rodolfo era tudo com que sempre sonhara, e aquela declaração a enchia de amor e desejo. Tomada pela paixão, ela gemia e sussurrava:

— Oh! Rodolfo, eu também o amo. Amo-o desde o primeiro instante em que o vi.

— Quer ser minha? — continuou ele em tom açucarado.

— Para sempre — respondeu ela, a voz trêmula de emoção.

— Então venha.

Ele se levantou e puxou-a pela mão, abraçando-a em seguida. Ele mal podia se conter, o corpo ardia de desejo, e beijou-a novamente, com tanta sofreguidão, que ela quase sufocou. Em dado momento, ela tentou se esquivar, mas Rodolfo, completamente inebriado por aquele corpo jovem de mulher, buscou sua boca com furor e recomeçou a beijá-la, acariciando-a de forma ousada. Em seguida, deitou-a sobre o banco e deitou-se sobre ela, tentando levantar-lhe a saia, enquanto alisava seu corpo todo com a outra mão. Marta, apavorada, empurrou-o com força, levantou-se assustada, tentando recompor-se, e balbuciou:

— Rodolfo... o que... o que houve com você?

Ele, vendo que estava prestes a perder sua presa, partiu para cima dela e, enlaçando-a pela cintura, suplicou:

— Nada, minha querida. Eu a amo. Deixe-me fazê-la mulher.

Marta tentava, a todo custo, soltar-se das garras de Rodolfo, mas ele era mais forte e não a largava.

— Não, não — implorava. — Não quero. Solte-me, por favor. Deixe-me ir, não posso...

— Não, meu amor. Vou fazê-la feliz, você vai gostar. Venha comigo.

— Não, por favor...

No auge do desespero, Marta conseguiu desvencilhar-se dele e, sem pensar, estalou-lhe uma bofetada no rosto, e ele imediatamente a soltou. A face começou a avermelhar-se, tanto pela ardência do tapa quanto pela vergonha de que era acometido. Rodolfo, transtornado, segurou-a pelos punhos e, sacudindo-a, começou a gritar:

— O que deu em você? Ficou louca? Como se atreve a bater-me?

Marta, completamente amedrontada, choramingava:

— Perdoe-me, Rodolfo, não foi por querer. Tive medo... pensei que fosse me fazer mal...

Rodolfo, percebendo o que quase fizera, retrocedeu. Ele não podia perder a confiança de Marta. Temia que ela contasse a alguém, principalmente a Júlia. Soltando-lhe os pulsos, sentou-se no banco, afundou a cabeça entre as mãos e fingiu chorar:

— Oh! Marta, quem tem de lhe pedir perdão sou eu. Quase a machuquei. Não tinha o direito. Mas é que o amor... Eu a amo, Marta, e não pude me conter. Por favor, perdoe-me, perdoe-me! Sou um cafajeste, não mereço você!

Marta, penalizada e acreditando na veracidade de suas palavras, ajoelhou-se a seu lado, segurou-lhe as mãos entre as suas e objetou:

— Não fale assim, Rodolfo. Eu compreendo. Você é um rapaz maravilhoso, e eu o amo.

— Você me ama? — tornou ele com olhos úmidos.

— É claro que sim.

— Pode perdoar-me por minha atitude indigna?

— Você foi movido pela emoção. Acontece.

— Mas eu quase... quase...

— Nada aconteceu. Eu estou bem.

— Felizmente. Se algo tivesse acontecido, eu jamais me perdoaria.

— Se algo tivesse acontecido, seria porque eu também o amo.

— Mas não. Você é uma moça pura, e eu não poderia abusar de sua inocência. Mas é que o amor... amo-a tanto, Marta, que quase não me contive. Por favor, diga que me perdoa.

— Está bem. Se é tão importante para você, eu o perdoo. Agora não pense mais nisso. Já passou.

Rodolfo abraçou-a com mansidão, e ela deixou-se abraçar. Já não havia mais o ardor de antes, e ela se acalmou. Sentira muito medo dele, mas amava-o tanto que seus olhos não conseguiram enxergar a realidade por trás daquelas palavras. Em silêncio, ela ergueu seu queixo e enxugou seus olhos, e ele, sem nem perceber, sentiu imenso prazer naquele gesto tão simples. Instintivamente, segurou-lhe a mão e beijou-a delicadamente, acrescentando com voz melosa:

— Obrigado.

Marta sorriu de volta e apertou a mão de Rodolfo, levando-a às faces. Estava, ela também, agradecida. Acreditava que ele a amava e sentia-se feliz com seu amor. Em sua ingenuidade, prosseguiu:

— Se me ama de verdade, por que não fala com meu pai? Tenho certeza de que ele ficaria muito feliz. Minha mãe não fala em outra coisa. Admira-o demais.

— Vamos ver — concluiu ele.

Rodolfo não tinha a menor intenção de fazer a corte a Marta. Ao menos enquanto não destruísse a felicidade do irmão. Depois que afastasse Júlia dele, vendo Fausto vencido e humilhado, pensaria no que fazer com Marta. Ele gostava muito da moça, e não seria nenhum sacrifício, mais tarde, tê-la em seus braços também.

Capítulo 14

Uma semana depois, Rodolfo, Fausto, Marta e Júlia partiam em viagem para o Rio de Janeiro. Estavam entediados com a rotina da fazenda e, como Fausto tinha negócios a resolver, aproveitaram para se distrair um pouco na corte. Camila achou a ideia ótima e até os teria acompanhado, não fosse Dário recusar-se a ir por causa de Sara. Aldo, mesmo a contragosto, não teve como recusar. Estimulado pela mulher, acabou por consentir que Marta os acompanhasse. Afinal, ia com os patrões e com dona Júlia. Que mal poderia haver?

Ao chegarem à corte, foram para um hotel de luxo e hospedaram-se. Marta ficou com Júlia, enquanto Fausto dividia o mesmo quarto com Rodolfo. A cidade fervilhava. Era o centro cultural do país, e havia muitas coisas para ver. Visitaram ruas e palácios, tavernas e confeitarias, museus e teatros. Júlia, encantada com o brilho e a moda da corte, comprou vestidos, sapatos e joias, não se esquecendo de presentear Marta com diversos artigos finos e de bom gosto.

Certa manhã, em que Rodolfo acompanhava as moças nas compras devido a compromissos de negócio aos quais Fausto não podia faltar, Júlia, estranhando o calor, sentiu-se mal e pensou que ia desmaiar. Estavam em uma casa comercial muito requintada, escolhendo perfumes vindos diretamente de França, e a atendente ofereceu-lhe um divã para descansar. Marta largou os frascos de perfume e aproximou-se dela. Vendo-lhe a palidez e o suor que lhe escorria da testa, disse alarmada:

— Meu Deus, Júlia, o que foi que houve?

— Não sei. Sinto-me terrivelmente mal. A cabeça me dói, o estômago parece revirado.

— Deve ser o calor... — arriscou a atendente.

— Com certeza — concluiu a gerente.

— Creio que seja melhor levá-la para o hotel — acrescentou Marta.

— Oh! Não — protestou Júlia. — Logo agora que você está se divertindo.

Nesse momento, Rodolfo passou pela porta. Havia se separado delas apenas um instante, parando diante de uma loja de chapéus masculinos. Depois de comprar o que queria, encaminhou-se para a casa de perfumes, onde sabia que elas estavam. Vendo Júlia deitada sobre o divã branca feito cera, correu para ela, indagando assustado:

— Júlia! O que aconteceu?

— Ah! Rodolfo, que bom que chegou — disse Marta, aliviada. — Júlia sentiu-se mal e quase desmaiou. Acho que seria mais prudente voltarmos para o hotel.

— Mas o que é isso? — objetou Júlia novamente. — Não precisam se preocupar comigo. Posso muito bem chamar uma carruagem e ir sozinha. Não quero estragar suas compras, Marta.

— Nada disso. Você está doente. Não deve andar sozinha por aí, pois nem conhece a cidade direito. Além disso, já terminei de comprar o que tinha para comprar. Podemos ir.

— Mas você ainda ia visitar frei Ângelo.

— Frei Ângelo pode esperar.

— Mas ele a aguarda. Não é justo...

— O que não é justo é deixarmos você sair daqui sozinha, passando mal.

— Se você quiser, Júlia — interrompeu Rodolfo —, posso acompanhá-la de volta ao hotel. Se Marta não se importar, é claro.

— É lógico que não me importo. Ficaria até muito grata. Assim poderia visitar frei Ângelo despreocupada.

— Não, Marta, você é que não deve sair sozinha.

— Bobagem, minha querida. Conheço a corte. Fui educada aqui, lembra-se?

— Mesmo assim.

— Não discuta, Júlia. Você e Rodolfo podem ir. Visitarei frei Ângelo e, logo, logo, estarei de volta ao hotel.

Vendo que não adiantava discutir com Marta, Júlia não teve outro remédio, a não ser aceitar a companhia de Rodolfo. O moço ficou extasiado. Teria algumas horas a sós com ela, e aquilo o encheu de desejo. E se ele tentasse novamente? Não. Ainda não era a hora. Para alcançar seu objetivo, era preciso torturar o irmão, minando-lhe a confiança que tinha em Júlia. Aquela seria apenas uma oportunidade para pôr em prática seu plano, e ele tinha que se controlar, caso contrário, poria tudo a perder.

Rodolfo beijou Marta no rosto e, dando o braço a Júlia, saiu com ela para a rua, tomando a carruagem que os levaria de volta ao hotel. No caminho, iam conversando amenidades, e ele, a todo instante, perguntava se sentia-se melhor. Júlia ficou encantada com a atenção do futuro cunhado. Ele estava mesmo mudado. Tratava-a com respeito e distinção, não fazendo qualquer insinuação ou comentário maldoso. Em vez disso, não se cansava de elogiar Marta, referindo-se a ela como a moça que lhe conquistara o coração.

De volta ao hotel, Rodolfo ajudou Júlia a se recolher ao quarto, pediu a presença de um médico e prontificou-se a ajudar. Depois que o facultativo saiu, sentou-se à cabeceira de sua cama e ficou velando-lhe o sono, com a justificativa de que aguardava a volta de Fausto. Quando este chegou, foi informado na portaria de que a senhorita Júlia sentira-se mal, já tendo sido atendida pelo médico, e que se encontrava descansando em seu quarto, em companhia do senhor Rodolfo. Fausto dirigiu-se para lá apressado e entrou sem nem bater na porta. À meia-luz, viu que Júlia dormia tranquilamente, tendo a seu lado Rodolfo, sentado numa poltrona, semiadormecido. Fausto não pôde deixar de sentir um pouco de ciúme e, batendo no ombro do irmão, despertou-o, chamando-o para a antessala.

— O que foi que houve? — indagou com certa exasperação na voz.

— Nada de mais — respondeu Rodolfo, com afetada preocupação. — Júlia sentiu-se mal na rua devido ao calor, e eu a trouxe de volta. Mas agora já está melhor, graças a Deus.

Fausto encarou-o em dúvida e continuou:

— E Marta?

— Foi visitar um tal de frei Ângelo. Já ouviu falar?

— Já, sim. Foi seu amigo e confessor enquanto esteve no convento.

— Foi o que imaginei.

— Foi sozinha?

— Sim. Por quê?

— Deixa sua namorada sair sozinha só para trazer a minha para o hotel?

— Ouça, Fausto, sei o que está pensando, mas não é nada disso. Eu só quis ser gentil. Marta está bem e foi ela mesma quem insistiu para que eu trouxesse Júlia.

Vendo que deixara transparecer o ciúme e a insegurança, Fausto, não querendo parecer desconfiado, relaxou a voz e concordou:

— Tem razão, meu irmão, perdoe-me. É que fiquei preocupado.

— Esqueça. Bem, agora que você chegou, já posso voltar para o quarto. Quero descansar um pouco — já ia saindo, quando se voltou da porta e indagou: — E os negócios? Conseguiu resolver tudo?

— Sim. Tive sorte e vendi quase toda a próxima safra.

— Excelente. Sabe, Rodolfo, estive pensando...

— Em quê?

— Não é justo que você se ocupe sozinho dos negócios da fazenda.

— Mas é você mesmo quem diz que não tem tino para negócios e prefere cuidar da contabilidade.

— Eu sei. Mas se você quiser, posso tentar ajudá-lo. Não é justo que você fique trabalhando enquanto eu me distraio com as moças. Podemos dividir os encargos.

Fausto olhou-o emocionado, já sentindo remorso por tê-lo julgado mal.

— Não é necessário, meu irmão. Gosto do que faço e sinto imenso prazer em negociar.

— Está bem. Você é quem sabe. Mas, se desejar, não se acanhe. Sabe que pode contar comigo.

Ele sentou-se ao lado de Júlia e passou a mão sobre sua testa, sentindo-a fresca. Abaixou-se e beijou seus cabelos, sentindo-lhe o perfume e a maciez. Amava Júlia mais do que tudo no mundo e tinha certeza de que ela o amava também. Sabia que não precisava sentir ciúmes, mas havia alguma coisa estranha no irmão que, inconscientemente, o alertava. Sem saber identificar suas desconfianças, Fausto sentia-se culpado e procurava não dar ouvidos à voz interior que, a todo instante, tentava chamar sua atenção para a realidade por trás da solicitude de Rodolfo.

Já no final da tarde, Marta chegou e encontrou Júlia acordada, tomando um caldo quente e saboroso, que Fausto, delicadamente, entornava em sua boca.

— Júlia, minha querida — cumprimentou Marta, beijando-a na face. — Como se sente?

— Muito melhor, obrigada.

— O médico a examinou?

— Examinou, sim — adiantou-se Fausto. — Rodolfo me contou que ele esteve aqui e disse que não é nada sério. Apenas uma leve indisposição, causada pelo calor. Júlia não está acostumada a clima tão quente.

— É verdade. Onde moro, o clima é bem mais ameno.

— Fico feliz em saber disso. Fiquei preocupada e quase não fui visitar frei Ângelo.

— Por falar nisso, como foi seu encontro com ele?

— Melhor do que o esperado.

— Quer dizer então que ele aceitou?

— Sim. No princípio relutou, mas depois que lhe contei tudo o que havia acontecido, acabou por concordar. Seguirá logo após a nossa partida, que é o tempo de que necessita para ajeitar tudo.

— Não vai contar a Rodolfo? — perguntou Júlia. — Afinal, vocês estão namorando, e creio que deva confiar nele.

— Tem razão. Mas temo que ele não compreenda. O que acha, Fausto?

— Sinceramente, Marta, não sei. Rodolfo é um homem estranho. Ao mesmo tempo em que é gentil, pode ser extremamente passional.

— Será? Mas ele diz que me ama.

— De qualquer modo — cortou Júlia —, não é justo enganá-lo. Depois que descobrir, vai se sentir traído.

— Por que não lhe conta apenas que Sara está doente e que frei Ângelo tentará ajudá-la? Ele não precisa saber que ela é judia. Aliás, com a presença de um frade, sequer irá desconfiar.

— Fausto tem razão. Quem irá imaginar que um frei estará auxiliando uma família de judeus, e mais, hospedado em sua própria casa?

Marta olhou para eles e disse convencida:

— Têm razão. Farei isso agora mesmo.

Rodolfo recebeu a notícia sem maior interesse. Para ele, tanto fazia que a moça estivesse doente e que estivesse recebendo a ajuda de um frade ou seja lá o quem fosse. Desde que isso não atrapalhasse seus planos, ele não tinha a que se opor. Afinal, a fazenda estava arrendada para aquela família, cujo nome nem conhecia, e eles tinham o direito de convidar quem quisessem para visitá-los.

Fausto e Rodolfo, dada sua posição social, conheciam muitos nobres e fidalgos na corte, e foram convidados para inúmeras festas e concertos. Haviam ido a um baile, em comemoração às bodas de prata de um barão, amigo de sua família, e Marta encantou-se com o luxo e a pompa que imperavam nos salões. Estava feliz da vida, dançando com Rodolfo, enquanto Júlia e Fausto rodopiavam, aninhados nos braços um do outro. Rodolfo remoía cada vez mais a inveja e o despeito, mas não deixava transparecer.

No intervalo da orquestra, as moças saíram para tomar ar puro, e Fausto viu-se preso por um comendador, com quem mantinha importantes negócios. Aproveitando-se da situação, Rodolfo saiu em busca de Júlia, encontrando-a no jardim, em animada prosa com Marta.

— As moças querem beber alguma coisa? — indagou, logo que se aproximou delas.

— Oh! Rodolfo, por favor — respondeu Marta. — Estamos morrendo de sede.

Rodolfo saiu e voltou logo em seguida, trazendo nas mãos duas taças de vinho, que imediatamente ofereceu a elas.

— Onde está Fausto? — quis saber Júlia.

— Conversando com um comendador, amigo da família. Ele mantém importantes negócios conosco.

— Oh, mas que maçante! Tratar de negócios logo num dia de festa.

— Não se importe, Júlia. Tenho certeza de que ele conseguirá se desembaraçar do comendador e em breve se juntará a nós. E agora, se me der licença, gostaria de dançar com Marta novamente.

— Rodolfo — objetou Marta —, não seja grosseiro. Não devemos deixar Júlia sozinha.

— Não se importem comigo. Ficarei aqui, aguardando Fausto.

— Bem, se é assim...

Enquanto eles se afastavam, Júlia os ficou admirando. Formavam um bonito par, e ela estava satisfeita por Rodolfo tê-la esquecido, voltando suas atenções para outra moça. Marta o amava com sinceridade, e via-se o quanto estava feliz em seus braços.

Quando a valsa terminou, Rodolfo e Marta saíram à procura de Fausto e Júlia, e foram encontrá-la sozinha, sentada numa poltrona, admirando a beleza do baile. Fausto, lamentavelmente, não conseguira ainda livrar-se do comendador e continuava preso a sua conversa enfadonha. Reparando no ar de aborrecimento de Júlia, privada da companhia do amado, Marta sugeriu a Rodolfo:

— Por que não tira Júlia para dançar? Ela já está ficando aborrecida com a ausência de Fausto.

— Não será melhor esperá-lo?

— Ora, querido, o que é isso? Não é justo nos divertirmos enquanto Júlia fica sentada. Vamos, convide-a para dançar.

— Tem certeza?

— É claro que tenho.

— Está bem. Se é o que quer...

Rodolfo inclinou-se para Júlia, convidando-a para a valsa, mas ela recusou. Não queria interromper a diversão da amiga e gostaria de estar ali para quando Fausto a procurasse.

— Não seja tola — recriminou Marta. — Fausto não vai se importar se você dançar um pouco. E depois, eu estarei aqui e falarei com ele.

Júlia fez um ar de dúvida, mas acabou aceitando. Adorava dançar e já estava entediada de ficar ali sentada, sem ter o que fazer, enquanto todos se divertiam. Levantou-se com graça, tomou o braço de Rodolfo e partiu com ele para o salão. Dali a poucos instantes, Fausto, finalmente livre da conversa do comendador, saiu a sua procura, contrariado por tê-la deixado sozinha tanto tempo. Não a encontrou, porém, mas avistou Marta, que ia caminhando em sua direção.

— Você viu Júlia?

— Júlia está dançando com Rodolfo.

Ele levantou uma sobrancelha, em sinal de indignação, e partiu para o salão. Havia muita gente ali, e ele se pôs a procurá-la. Atrás dele, Marta seguia-o sem nada entender. Logo a avistou. Enlaçada pela cintura, Júlia deixava-se conduzir pelos braços de Rodolfo. De vez em quando, ele sussurrava algo em seu ouvido, e ela sorria graciosamente. Fausto sentiu o sangue ferver. Sem conseguir explicar o motivo, a visão de sua amada envolvida pelos braços de seu irmão o encheu de ciúme e despeito. Já ia interromper a valsa dos dois quando Rodolfo o viu. Na mesma hora, parou a dança, cumprimentou o par e apontou para Fausto. Júlia sorriu e acenou para ele, correndo ao seu encontro. Assim que o alcançou, foi logo exclamando:

— Fausto! Até que enfim. Pensei que não o visse mais hoje.

— Pelo visto, está se divertindo — retrucou ele com certa ironia, que ela não percebeu.

— Oh! Sim, graças a Rodolfo que, tão gentilmente, convidou-me para dançar. E a nossa Marta também que, de bom grado, me cedeu o par por alguns instantes.

— Bem, não foi nada — disse Rodolfo educadamente. — E agora, se me permitem, gostaria de voltar aos braços de minha amada.

Com um sorriso nos lábios, Rodolfo deu o braço a Marta e partiu com ela para o meio do salão, enlaçando-a e rodopiando com ela. Fausto, envergonhado, não sabia o que dizer. Estava claro que o irmão apenas tentara ser gentil com Júlia, dançando com ela para que não se sentisse só ou aborrecida. Não havia nenhum outro interesse naquele gesto. Apenas a gentileza.

Quando voltaram para o hotel, já era tarde. Marta, desacostumada àquelas festas, acabou por adormecer, e Fausto seguia silencioso, pensando em seu ciúme, enquanto Júlia ia conversando animadamente com Rodolfo. Falavam da música muito bem tocada, da decoração magnífica do palacete do barão, dos trajes ricos e elegantes... Tudo fora perfeito naquela noite. Até a inesperada ausência de Fausto havia sido compensada pela gentileza de Rodolfo. Fausto não dizia nada. Ele não queria admitir, mas o fato era que estava morrendo de ciúmes. Embora Rodolfo fosse apenas gentil e educado, não demonstrando nenhum interesse maior em Júlia, Fausto sentia-se inseguro. Ele não sabia explicar, mas sentia no irmão uma grande ameaça à sua felicidade.

No dia seguinte, pensaram em visitar um museu. Havia uma exposição de pintores franceses na cidade, e Júlia estava louca para ver. Já estavam na porta do hotel, aguardando a carruagem, quando um pajem saiu correndo ao encontro deles, pedindo para falar com Fausto.

— Senhor Fausto! Senhor Fausto!

Fausto virou-se desgostoso e retrucou:

— O que é, rapaz?

— Mensagem urgente para o senhor.

O menino estendeu-lhe um bilhete, que ele abriu e leu ansiosamente. À medida que lia, seu rosto ia se contraindo e, quando terminou, fez uma careta de contrariedade e disse desgostoso:

— Lamento, mas não poderei acompanhá-los.

— Por quê? — indagou Rodolfo, mal contendo a alegria.

— Lamentavelmente, tenho negócios urgentes a resolver.

— Mas que negócios são esses que não podem esperar? — perguntou Júlia, decepcionada.

— Um de nossos clientes. Parece que quer desistir da compra.

— Por quê?

— Não sei. Mas parece que encontrou melhor preço.

— Isso não pode esperar? — insistiu Júlia.

— Infelizmente não, minha querida. Se perdermos esse negócio, teremos um prejuízo imenso.

— Quer que eu vá em seu lugar? — ofereceu-se Rodolfo.

— Não, claro que não. Você não está acostumado a esse tipo de negócio. Deixe comigo. Assim que resolver tudo, partirei ao seu encontro.

A carruagem chegou e os três se foram, enquanto Fausto pedia um outro carro para ele, espumando de raiva. Mas o que é que estava acontecendo? Parecia que de repente todos conspiravam contra ele, roubando-lhe a companhia de Júlia. Enfim, o que fazer? Perder o negócio era impossível. Era de clientes como aquele que dependia todo o seu sucesso. Vendo que não tinha remédio, Fausto tomou outra carruagem e partiu ao encontro do comprador insatisfeito.

Enquanto isso, Júlia, Rodolfo e Marta chegavam ao museu. A exposição era lindíssima, e eles se encantaram. Levaram a manhã inteira apreciando os quadros, as obras de arte, até que a hora do almoço chegou. Os três voltaram para o hotel, pediram a refeição e comeram, sem que Fausto desse sinal de vida. Terminado o almoço, Marta e Júlia pediram licença para se retirar. Estavam exaustas e queriam descansar até o anoitecer. Haviam combinado de tomar chá em casa de uns conhecidos de Marta e queriam estar bem-dispostas. Rodolfo, porém, tentando uma cartada para estar perto de Júlia, arriscou:

— Que pena. Queria tanto comprar um presente para mamãe!

— Oh! Meu querido — disse Marta. — Estou realmente cansada. Senão, até o acompanharia.

— Eu sei. Não quero insistir. Podem deixar que irei só.

Júlia, porém, não se esquecendo das inúmeras gentilezas que ele até então lhe dispensara, quis retribuir e chamou-o de volta:

— Espere. Irei com você. Não estou assim tão cansada.

— Você?

— Se Marta não se importar...

— É claro que não me importo. Isto é, se você não estiver mesmo cansada.

— Pois não estou. E adoraria ajudá-lo a comprar um presente para dona Palmira. Mas não vamos demorar, não é?

— É claro que não.

Saíram de braços dados. Caminharam pelas ruas agitadas, parando em frente às vitrines, sem saber pelo que se decidir. Até que, finalmente, Júlia escolheu um lindo broche em forma de passarinho, todo de esmeraldas, e Rodolfo comprou sem hesitar. Levaram a tarde inteira naquilo e, quando voltaram, já era quase hora do chá. Logo que entraram no saguão do hotel, avistaram Fausto, que estava sentado, esperando por eles. Havia chegado pouco depois que eles saíram e fora informado por Marta que haviam ido às compras e que não se demorariam. Ao vê-los entrar de braços dados, Fausto não se conteve e explodiu:

— Mas onde é que vocês estiveram? E fazendo o quê? Por acaso pensam que sou algum idiota, é?

Rodolfo olhou-o, fingindo-se magoado.

— Fomos apenas comprar um presente para mamãe — e exibiu-lhe o pequeno embrulho, contendo o broche de esmeraldas. — Júlia, gentilmente, ajudou-me a escolher. Veja, coloquei seu nome no cartão.

Fausto olhou envergonhado. Deixara-se dominar pelo ciúme novamente e quase cometera uma injustiça. O irmão e Júlia eram apenas amigos, seriam cunhados. Era natural que se entendessem bem. E depois, havia Marta. Ela não se importava porque sabia que não havia nada entre eles. Mal conseguindo conter a vergonha, ele rodou nos calcanhares e tomou a direção da rua. Precisava sair, pensar, refletir. Estava ficando louco, e Júlia não merecia. Rodolfo também não merecia. Ele era seu irmão, errara uma vez, confessara-lhe o erro e pedira-lhe perdão. Não havia motivo para desconfiar dele. Não que ele soubesse.

Envergonhado com sua desconfiança, e mais, com sua reação impensada, Fausto só voltou ao hotel tarde da noite. Quando entrou em seu quarto, além de Rodolfo, Júlia e Marta também se encontravam presentes. Estavam todos preocupados com seu desaparecimento, e ninguém conseguira dormir. Já passava da meia-noite quando ele abriu a porta, e Júlia, ao vê-lo, correu para ele, atirando-se em seus braços.

— Oh! Fausto, meu amor! — exclamou ela, ao mesmo tempo em que começou a chorar. — Por que fez isso conosco? Quase nos mata de susto e preocupação.

Fausto não conseguia encará-la. Nem a ela, nem a Marta, muito menos a Rodolfo. Tentando dissimular a vergonha, disse simplesmente:

— Perdão.

— Mas querido, não há o que perdoar.

— Isso mesmo, meu irmão — concordou Rodolfo. — O assunto já está esquecido. Você ficou com ciúmes, foi só. Mas não precisava ter fugido daquele jeito.

Ele encarou o irmão com olhar de agradecimento. No fundo, ainda sentia ciúmes, mas não queria demonstrar. Não queria nem ao menos sentir. Ele tornou a abraçar Júlia e sussurrou em seu ouvido, de modo que só ela pudesse escutar:

— Eu a amo.

Ela o estreitou forte e respondeu:

— Eu sei, querido. Também o amo muito.

— Perdoe-me.

Júlia não respondeu com palavras, mas pousou-lhe um beijo suave nos lábios, e havia tanto amor, tanta doçura naquele beijo, que Rodolfo sentiu-se mal. Ele até que estava se saindo bem em sua silenciosa tarefa de incutir no espírito do irmão o ciúme e a desconfiança. Mas presenciar cenas de amor entre ele e Júlia era demais. Marta, por sua vez, estava feliz por ver que tudo acabara bem e abraçou Rodolfo, que por pouco não a repeliu. Ela, intimamente, sentiu um que de rejeição em seu corpo, pois todos os seus músculos se contraíram ao toque de seus braços. Porém, como o amava loucamente, não conseguiu detectar o porquê daquela reação inesperada. Rodolfo, mal contendo a inveja e o despeito, rosnou entre dentes:

— Acho que já é hora de as moças se recolherem. Afinal, não fica bem permanecerem no quarto de dois rapazes solteiros até altas horas da madrugada.

Fausto soltou Júlia a contragosto e acabou por concordar:

— Tem razão, Rodolfo. É uma pena ter de deixá-la, Júlia, mas é para o bem de vocês.

— Não queremos que as moças fiquem faladas, não é mesmo, Fausto?

— Não, claro que não.

— Então, vamos.

Depois que elas se foram, Rodolfo voltou-se para Fausto e, mãos pousadas em seus ombros, disse, cheio de emoção:

— Fausto, meu irmão. Peço que me perdoe se por acaso o ofendi. Não tive a intenção.

— Rodolfo, não...

— Por favor, não me interrompa. Preciso me explicar.

— Mas você não tem nada que se explicar...

— Mesmo assim. Só saí com Júlia porque Marta estava cansada para me acompanhar, e Júlia me ajudou a escolher um presente para mamãe. Como é seu aniversário no mês que vem, pensei que ela ficaria feliz com uma joia comprada na corte. Mas quero que saiba que Júlia, apesar de haver balançado meu coração no passado, hoje ocupa nele o lugar de irmã, pois que o de amada é agora de Marta.

Fausto olhou-o emocionado. Apesar de tudo, amava o irmão e não podia esconder o arrependimento e a vergonha por tê-lo julgado mal. Segurando-lhe a mão pousada sobre seu ombro, retrucou agradecido:

— Sei disso, Rodolfo, e quero que você me perdoe. Fui um tolo ciumento, mas prometo que isso nunca mais acontecerá.

No dia seguinte, partiram de volta à fazenda. Ninguém mais tocou no assunto da véspera, que parecia ter sido esquecido. Fausto tentava não demonstrar o ciúme que lhe corroía a alma. Mesmo após as escusas do irmão, mesmo depois de saber-se injusto e tolo, não conseguia dominar seu ciúme. Não sabia como explicá-lo. Por mais que quisesse, sentia como se o irmão representasse uma ameaça à sua felicidade com Júlia. Não havia razão plausível para aquilo, mas quem podia dominar os sentimentos? E mais, as sensações?

De volta à fazenda, foram recebidos com festa. Palmira, sabendo de seu retorno, mandara preparar lauto banquete. Não estava acostumada a separar-se dos dois filhos ao mesmo tempo, e sentira muitas saudades. Sentados à mesa do almoço, Rodolfo e Fausto participaram à mãe sua intenção de dar uma festa, em comemoração a seu aniversário. As obras da capela também já estavam bastante adiantadas e, se tudo corresse bem, poderiam inaugurá-la no mesmo dia, e a festa começaria com a primeira missa rezada na fazenda. Palmira encantou-se. Era tudo o que podia desejar de filhos tão amorosos e dedicados.

Já no final da refeição, Fausto mandou que servissem champanhe e pediu licença para falar. Certificando-se de que todas as atenções estavam voltadas para ele, começou a dizer:

— Mamãe, Camila, talvez a hora não seja das mais próprias, mas não posso mais esperar — a mãe e a irmã olharam-no surpresas, e ele prosseguiu: — Como já é do conhecimento de todos, Júlia e eu nos amamos e, por isso, gostaria de pedir sua mão em casamento.

Um raio não teria atingido Rodolfo com maior intensidade. Ele se levantou de chofre e acabou por derrubar a taça de champanhe sobre a mesa. Vendo o líquido espalhar-se sobre a toalha branca, emudeceu e tornou a se sentar. Não havia o que dizer, e qualquer reação contrária poderia pôr todos os seus planos a perder. Palmira olhou o filho e uma desconfiança começou a brotar em sua mente. Será que Rodolfo também estava apaixonado por Júlia? Era só o que faltava.

Quanto a Júlia, ergueu-se surpresa. Aquele pedido fora inesperado. Fausto não lhe participara a intenção de pedir-lhe a mão naquele dia, e aquilo a deixou embaraçada. No entanto, não podia esconder a felicidade. Amava-o imensamente e o que mais queria era tornar-se sua mulher. E depois, ele tinha razão. Já estavam enamorados há algum tempo, e nenhum dos dois era mais criança. Não havia motivo algum para que não concretizassem logo aquela união.

Dário sorriu para ela e estendeu-lhe a mão por cima da mesa. Gostava muito da tia e de tio Fausto, e achava que haviam sido feitos um para o outro. Ela segurou-lhe a mão, agradecida e, em seguida, olhou para Túlio, que permanecia cabisbaixo, sem nada dizer, bem como Constância, que comia a sobremesa sem prestar nenhuma atenção ao que se passava.

— Meu filho — começou Palmira, dirigindo-se a Fausto —, não acha que é ainda muito cedo?

— Não, mamãe, não acho. Como disse, Júlia e eu nos amamos, e não sei por que esperar.

— Mas Fausto, Júlia não tem pai e o irmão é que é responsável por ela. Contudo, não se encontra aqui presente entre nós.

— Quanto a isso, mamãe — interrompeu Camila —, não precisa se preocupar. Tenho certeza de que Leopoldo não se oporá. Escreverei uma carta a ele hoje mesmo, contando-lhe a novidade e pedindo-lhe que venha. Estou certa de que atenderá meu chamado.

Palmira lançou para ela um olhar de fogo. Aquele casamento não estava em seus planos, e ela não via meios de impedi-lo. Ainda pensou em tentar dissuadir o filho, mas achou que isso só serviria para aproximá-lo ainda mais de Júlia. Decidiu que seria melhor se calar. Ao menos por enquanto. Depois falaria com ele, longe das vistas dos demais, e tentaria chamá-lo à razão.

Agindo por um impulso que não saberia explicar, Fausto perguntou inesperadamente, dirigindo-se a Rodolfo:

— Por que não aproveita e pede também a mão de Marta?

Rodolfo remexeu-se, confuso. Não tinha a menor intenção de desposar Marta, mas o irmão tratava de encurralá-lo e forçar uma atitude sua. A moça não estava presente. Fora direto para casa, e Palmira aproveitou para externar toda a sua indignação:

— O quê? Isso é que não!

Camila olhou para a mãe, indignada, e indagou:

— Por que, mamãe? Marta me parece uma excelente moça.

— Mas é pobre. É filha de capataz. Como Rodolfo pode pensar em desposá-la?

Rodolfo começou a ficar nervoso. Estava em território perigoso e precisava tomar cuidado para não se queimar. Se, por um lado, concordava com a mãe e não tinha a menor intenção de se casar com a filha de um mero capataz, por outro, não podia deixar que Fausto e Júlia percebessem suas reais intenções. Era uma faca de dois gumes, e ele precisava agir com muita cautela, a fim de não se delatar. Tentando escolher as palavras, disse de forma sutil e estudada:

— Não é bem assim, mamãe. Marta e eu nos gostamos, mas ainda estamos nos conhecendo.

— Ora, Rodolfo! — interrompeu Júlia. — Então já não se conhecem o suficiente? Não estiveram juntos na corte?

— Como assim? — perguntou Palmira, aflita.

— Acalme-se, mamãe — tranquilizou Rodolfo. — Não é nada disso que a senhora está pensando.

— Oh! Não — apressou-se Júlia a corrigir suas palavras. — Por favor, dona Palmira, não me interprete mal. Marta é uma boa moça e muito direita também. Não era a isso que me referia. O que quis dizer é que Rodolfo e Marta passaram muito tempo juntos, conversando e se conhecendo.

— Júlia está certa, mamãe — endossou Fausto. — Eu mesmo fui testemunha de que ela é uma moça muito honesta e digna.

— Está bem, está bem — cortou Palmira, já enjoada daquela discussão exaltando as qualidades morais de Marta. — Mas, ainda assim, penso que ela não é moça para Rodolfo. Ele é um rapaz fino, educado, merece uma esposa à altura de sua posição social.

— E você, Rodolfo? — indagou Camila, voltando-se para o irmão. — Não diz nada?

Ele levantou os olhos, em dúvida.

— O que devo dizer? Marta é uma excelente moça, e gosto dela de verdade. No entanto, creio que ainda não chegou a hora de me decidir.

— Mas se foi você mesmo quem disse que a amava — lembrou-o Fausto, recordando a conversa que tiveram na noite anterior. — Ou será que já se esqueceu? Ou mudou de ideia?

— Não é nada disso.

— Mas você disse que amava Marta.

— Eu disse que Marta ocupava o lugar de amada em meu coração.

— Não é a mesma coisa?

Ele estava ficando confuso e transtornado. Queria fugir correndo dali e o teria feito, não fosse a mãe intervir em seu favor.

— Por favor, Fausto, não pressione seu irmão. Deixe que ele mesmo se decida. Eu, de minha parte, insisto que essa moça não é para ele.

— Está bem, mamãe — arrematou Camila. — Deixemos essa conversa para depois. Não vê que Rodolfo não está gostando?

A conversa tomou novos rumos, mas Fausto não parava de exaltar seu amor por Júlia. Até que Rodolfo, não podendo mais se conter, pediu licença e se retirou, saindo para a varanda em busca de ar. Estava ficando sufocado ali dentro e precisava respirar. Já não suportava mais a felicidade do irmão.

Capítulo 15

Uma semana depois, frei Ângelo chegou à fazenda Ouro Velho. Embora sua religião e credo fossem diferentes, ele logo simpatizou com a família de Ezequiel. O homem era amável e cortês, e sua esposa, gentil e educada. Em pouco tempo, ele se sentiu à vontade naquele ambiente. Marta, prevenida de sua chegada, tratara de ir esperá-lo, juntamente com Júlia, Camila e Dário, que muito ansiavam por conhecê-lo. Feitas as devidas apresentações, Júlia disse emocionada:

— Frei Ângelo, é um imenso prazer conhecê-lo. Há muito esperava essa oportunidade.

— Marta me falou muito bem da senhorita. Tem-lhe muito apreço e admiração.

— O sentimento é mútuo. Gosto de Marta como uma irmã.

— Ouvimos muito falar de sua habilidade — disse Rebeca.

— Que habilidade?

— Ora, com as coisas extraordinárias e sobrenaturais.

Frei Ângelo sorriu complacente. Não era velho, aparentando cerca de cinquenta anos, e guardava no semblante traços de uma bondade genuína e alegre.

— Minha senhora — disse —, mas o que é isso? Tenho algum conhecimento do mundo dos espíritos, mas posso assegurar-lhe que ele nada possui de extraordinário. Muito menos de sobrenatural. Isso são apenas crendices de gente ignorante.

Vendo que ela havia corado, frei Ângelo tratou logo de se corrigir:

— Perdoe-me, não quis ofendê-la. Não queria dizer que a senhora é ignorante, senão apenas das coisas espirituais. Mas não há com o que se preocupar. Quase ninguém tem acesso a essas informações, porque os homens estão ainda muito atrasados em relação às coisas de Deus. Tudo pensam que é obra do demônio, como se só o diabo fosse capaz de realizar feitos maravilhosos.

— Bem, frei Ângelo — disse Camila —, o senhor há de convir que fomos criados com essa crença.

— Sei disso e não pretendo mudá-la. Creio que ainda não é chegada a hora de se revelarem tais verdades.

— Por que não? — interessou-se Ezequiel.

— De que adianta uma revelação para ouvidos que ainda não estão prontos para ouvir?

— Como assim? — quis saber Júlia.

— Minha cara, de nada valem as verdades se quem as escuta permanece preso a conceitos antigos. Por mais que tentemos e nos esforcemos, ninguém vai acreditar. Pense bem. Há quinhentos anos, tinha-se a crença de que a Terra era quadrada, e quem dissesse o contrário era até queimado como bruxo. E isso por quê? Porque o homem de então ainda não havia amadurecido suas ideias para compreender que o mundo é redondo. A mesma coisa acontece com a verdade do espírito. Hoje, essa verdade é tida até como heresia, e mesmo eu corro o risco de ser expulso da Igreja e até excomungado.

— Bem, isso lá é verdade — concordou Ezequiel. — E o senhor não tem medo?

— Medo? Eu? Não, não tenho. Abracei a carreira religiosa por vocação, porque acreditava que poderia servir a Deus de uma forma útil. Com o tempo, descobri que minha maneira de servi-lo era estudando e praticando seus ensinamentos de uma forma mais livre e consciente, menos arraigada a valores históricos e mais próxima das reais necessidades do ser humano.

— E quais seriam essas necessidades?

— Conhecermo-nos a nós mesmos, em primeiro lugar. Somente aquele que conhece a si próprio, seus pendores, instintos e sentimentos, está apto a compreendê-los e transformá-los em proveitosas lições de vida. Conhecendo-se, o homem pode se programar para ser feliz e evitar o sofrimento.

— Meu caro frei — tornou Ezequiel, incrédulo —, sem querer ofendê-lo, não acha que isso é um sonho? O sofrimento existe, faz parte da humanidade desde que o mundo é mundo. E é através dele que aprendemos e nos aproximamos de Deus.

— De certa forma, sim. Mas não porque isso seja necessário. Não é. Nós aprendemos com o sofrimento sim, porque ainda somos muito ignorantes para compreender que podemos optar por caminhos menos dolorosos para crescer. E se nos aproximamos de Deus, não é porque o sofrimento, por si só, nos tenha elevado a Ele, mas sim porque conseguimos, de alguma forma, tirar algum proveito da dor e transformá-la em nosso próprio benefício. Infelizmente, em nossa infância espiritual, ainda não podemos compreender que ninguém vem ao mundo para sofrer, senão para ser feliz.

— Mas o sofrimento existe, e isso o senhor não pode negar — insistiu Ezequiel.

— Existe, não nego. Mas virá o dia em que aprenderemos a transformar nossas imperfeições movidos pelo amor, e não pela dor.

Ezequiel continuava olhando-o incrédulo. Queria muito acreditar no que ele dizia, mas via no sofrimento algo que não se podia evitar e já começava a se resignar com o infortúnio de Sara.

— Veja minha filha, por exemplo. Por que sofre? Uma menina ainda tão nova, tão meiga e, no entanto, padece vítima de maldita enfermidade.

Frei Ângelo endereçou-lhe um olhar bondoso e acrescentou:

— As enfermidades são apenas uma forma de nos mostrar que algo em nossa vida não vai bem. Elas nos indicam que há um desequilíbrio em nossas atitudes, apontando-nos o caminho para nosso restabelecimento não só físico, mas também espiritual.

— Concordo plenamente com o senhor — interveio Camila. — Em minhas experiências no convento, tive a oportunidade de observar que todos aqueles que adoeciam tinham algum tipo de enfermidade da alma. Muitos eram tristes, outros eram rancorosos, outros, ainda, viviam se atormentando por culpas, mágoas e ressentimentos.

— Minha querida — disse Ezequiel novamente —, isso faz parte da vida.

— Mas por quê? Será que a saúde não é o caminho natural da vida? Por que temos que adoecer?

— Não sei. Porque é a vontade de Deus.

— Por que Deus quer que Sara adoeça, enquanto há outros por aí praticando o mal e que nada sentem de ruim?

— Não sei. São os mistérios divinos, aos quais ninguém tem acesso.

— Engana-se, meu caro — objetou frei Ângelo. — Os mistérios de Deus estão aí para serem desvendados. Cabe a nós, espíritos eternos, descortinar o véu que encobre as maravilhosas lições de sabedoria escritas no sagrado livro da divindade.

— Tenho cá minhas dúvidas.

— Pois não devia. E quanto à senhora, dona Camila, está certa. Também já tive a oportunidade de observar a relação entre as enfermidades e os nossos conflitos internos. Servi durante muitos anos no hospital beneficente mantido por nossa paróquia e, em minhas experiências, também pude tirar conclusões muito interessantes.

— Que conclusões seriam essas?

— Notem bem. Ninguém nunca comprovou nada. São apenas deduções extraídas dos muitos anos de convívio com os doentes, principalmente com aqueles ditos abandonados da sorte.

— Por favor, frei Ângelo, prossiga — estimulou Camila, bastante interessada. — Conte-nos como conseguiu chegar a essas conclusões.

— Em primeiro lugar, separei os doentes em razão de seus males. Em uma das alas do hospital coloquei aqueles que sofriam de doenças relacionadas ao aparelho digestório. Em outra, acomodei os que sofriam dos pulmões, os que tinham problemas urinários e assim por diante. E sabem quais foram as conclusões que tirei?

— Quais?

— Em sua maioria, quem adoecia de problemas de fígado eram as pessoas que tinham muita raiva guardada dentro de si. Pessoas que alimentavam raiva por seus semelhantes, por seus pais, por seus desafetos, mas que nunca tiveram coragem de exprimir esse sentimento.

— Não acha que fizeram bem? — objetou Ezequiel. — Será que devemos agora sair por aí ofendendo, matando ou espancando as pessoas, só porque sentimos raiva delas?

— Não, em absoluto. O ser humano deve agir com discernimento e respeito, e jamais deve se deixar levar pelos impulsos e invadir a vida de seus irmãos.

— Então concorda comigo que a raiva é um sentimento que deve ser dominado, e não estimulado.

— Não se domina um sentimento fingindo que ele não existe. Quem assim age apenas mascara o sentimento, mas ele permanece ali, escondido, latente, sendo reprimido, quando deveria ser compreendido e externado.

— Ora, frei Ângelo — retrucou Rebeca —, se eu invejo alguém, por exemplo, sei exatamente por que estou invejando. Isso não é compreensão?

— Não, se não aceitar para si mesma que o que sente é inveja. Na maioria das vezes, nós colocamos uma capa na inveja e ela vira crítica. Se eu invejo alguém, não posso fingir que não tenho inveja só porque isso é feio ou reprovável pela sociedade. Não. Em primeiro lugar, tenho que aceitar que o sentimento existe e que é real. Em segundo lugar, devo tentar entender os motivos que me levaram a invejar, e eu preciso reconhecer que o sentimento parte de mim, nasce de uma incapacidade minha para alguma coisa. E, por fim, é preciso que eu o aceite e aprenda a conviver com ele, o que não significa que eu tenha que me resignar com a inveja e estimulá-la. Quando digo conviver com o sentimento, quero dizer que devo aceitá-lo como algo que existe em mim e que me incomoda, que faz mal a mim e a meus semelhantes. Se me faz mal, é preciso transformá-lo em algo positivo, e eu posso então aprender a direcionar essa inveja para construir algo que eu julgava impossível, mas que só depende de minha força de vontade e do meu grau de determinação.

— Com a inveja isso até pode ser fácil — ponderou Júlia —, porque podemos lidar com ela sem que tenhamos que envolver mais ninguém. Mas como externar determinados sentimentos, como a raiva, o ódio, sem agredir o ofensor?

— Para que nos expressemos, não é necessário agredir ninguém, basta que sejamos sinceros com aquele que nos ofendeu.

— Devolvendo a ofensa? — sugeriu Dário.

— Não. Devolvendo o ato em forma de esclarecimento, para que nosso irmão tenha a oportunidade de revê-lo. Se você me ofende e eu sinto raiva, não devo me calar, pois calando, transfiro para o meu corpo o que poderia ser devolvido ao universo em forma de expressão. Não devemos guardar a raiva, devemos sempre expressá-la de uma forma saudável, de preferência falando, colocando-nos diante de nosso ofensor e expondo a ele a nossa insatisfação. E isso deve ser feito com qualquer sentimento, e não apenas com a raiva. Se resolvemos as mágoas, as tristezas, os medos; se assumimos o que sentimos, em vez de tentarmos nos enganar, mentindo para nós mesmos que não nos deixamos dominar por nenhum sentimento que costumamos denominar de ruim ou feio; se compreendemos por que sentimos, então estaremos prontos para nos modificar para melhor. Só assim poderemos manter nosso organismo em perfeito equilíbrio.

— Mas que interessante! — impressionou-se Camila.

— Sim, muito interessante — concordou Ezequiel. — Só não sei se acredito nisso. Perdoe-me, frei Ângelo, mas isso são apenas palavras bonitas, que impressionam, não nego, mas cujo sentido prático ainda está bem longe de ser comprovado. As coisas não são assim tão simples quanto quer fazer parecer.

— Meu amigo, a vida, em si, é muito simples. Nós é que temos a mania de complicá-la.

— E qual seria a fórmula milagrosa para tanta simplicidade? — ironizou Ezequiel.

— O amor e a compreensão — disse frei Ângelo com convicção. — Somente aquele que compreende a si e a seus irmãos age com espontaneidade e simplicidade, porque é capaz de colocar amor em seus gestos e em suas palavras, e nunca age por maldade ou vingança.

— É verdade — disse Marta.

— E os problemas dos pulmões? — quis saber Rebeca, desviando o assunto. — A que se relacionariam?

— Normalmente estão relacionados a pessoas muito solitárias, tristes, carentes, que se sentem abandonadas ou rejeitadas.

— Viu só? — animou-se Camila. — Eu não falei?

— É verdade — concordou Rebeca. — Camila já nos havia dito a mesma coisa.

— Então minhas experiências não estão distantes da realidade! — concluiu frei Ângelo, com entusiasmo. — Se alguém que não conheço, de um lugar distante, tira as mesmas conclusões, é porque estamos no caminho certo!

— Não pode ser coincidência? — arriscou Dário.

— Não, meu filho. Acredito que coincidências não existam. As coisas estão todas nos seus lugares, assim como as pedras de uma pirâmide, que não estão dispostas ao acaso. Cada uma delas é essencial para a sustentação da construção inteira.

— Oh, frei Ângelo, suas palavras me parecem de profunda sabedoria — elogiou Rebeca. — Mal posso esperar para que conheça minha filha Sara.

— Então, o que estamos esperando? Por que não vamos agora mesmo ver a menina?

Frei Ângelo entrou no quarto de Sara acompanhado apenas por Rebeca. Vendo-a deitada sobre o leito, a respiração meio ofegante, condoeu-se. Aproximou-se da cama e, tocando-lhe gentilmente a testa, despertou-a. Sara abriu os olhos e sorriu para ele. Embora nunca o tivesse visto, não estranhou sua presença ali, e era como se já o estivesse esperando. Com um sorriso nos lábios, murmurou:

— Que bom que veio!

Rebeca, pensando que a filha delirava, adiantou-se e disse:

— Minha filha, este é frei Ângelo, de quem já lhe falei. Ele acaba de chegar. Veio aqui para tentar ajudá-la.

— Como vai, Sara?

— Estou bem. Na medida do possível, sinto-me bem.

Frei Ângelo olhou para ela com ternura. Vendo-a assim tão frágil, a impressão que dava era que ela não resistiria e perderia a batalha para aquela enfermidade cruel. No entanto, frei Ângelo sabia do potencial interno da menina. Podia sentir isso. Voltou-se para Rebeca e pediu:

— Gostaria de ficar a sós com ela por uns instantes.

Rebeca assentiu e se retirou. Estava esperançosa. Não sabia por que, mas tinha certeza de que aquele frei seria o único capaz de ajudá-los.

Quando frei Ângelo saiu do quarto de Sara, todos o aguardavam ansiosamente, e a primeira pergunta que lhes chegou à mente, e que Rebeca externou, foi:

— Ela vai ficar boa?

Frei Ângelo olhou-a penalizado. Podia sentir toda a sua angústia de mãe e gostaria de poder dar-lhe uma resposta mais conclusiva. Não querendo, porém, dar-lhe esperanças vãs, respondeu com a maior sinceridade possível:

— Isso só vai depender dela.

— Como assim? — indignou-se Ezequiel. — Sara está doente e é apenas uma menina. Como pode pretender que ela cure a si mesma?

— Seu Ezequiel — tornou frei Ângelo, bondoso e paciente. — Sua filha está em desequilíbrio e, por isso, adoeceu. Diante de um sentimento que não pôde compreender, não soube como expressá-lo e acabou por imprimir a enfermidade em seu corpo de carne. É preciso que ela entenda seus próprios sentimentos para que, compreendendo-os, possa transformá-los em fonte de saúde e de vida.

— Lá vem o senhor com as suas teorias...

— Não foi para isso que me chamaram? Para tentar ajudar a menina com as minhas... teorias?

— Sim, mas pensei que o senhor também conhecesse algum tipo de medicamento novo...

— Sinto decepcioná-lo, seu Ezequiel, mas meus métodos são esses, e o maior remédio que conheço é a fé incondicional em Deus.

— Isso mesmo, Ezequiel — recriminou Rebeca. — Precisamos tentar de tudo e chamamos frei Ângelo aqui porque ouvimos falar de sua bondade e de seus magníficos conhecimentos. Não vá você agora querer atrapalhar.

Ezequiel encarou o frei com certo ar de dúvida. Mas Rebeca estava certa. Era preciso tentar de tudo para salvar sua Sara, e se aquele frade dizia conhecer novos métodos, precisava dar-lhe crédito. Afinal, o homem era simpático e parecia ter bom coração e boa vontade. Se dera-se ao trabalho de deixar a corte e viajar até ali, era porque estava realmente disposto a ajudar.

— Está bem — suspirou, convencido. — O que devemos fazer?

— Em primeiro lugar, abrir as janelas. Deixar que a luz do Sol penetre em seu ambiente e renove suas energias.

— Mas, e as correntes de ar? — foi a vez de Rebeca protestar.

— Minha senhora, não precisa se preocupar com isso. Afinal, ela veio aqui para respirar ar puro, e trancando-a no quarto ela estará respirando sempre o mesmo ar contaminado.

— Faz sentido... — disse Camila de si para si.

— Deixe-a sair, sentir o Sol em seu rosto, caminhar ao ar livre.

— Ah, mas ela sai. Todas as manhãs, quando se sente bem, toma Sol no jardim.

— Deve tomar Sol sempre. Os raios solares são extremamente benéficos à saúde humana, desde que não haja uma exposição excessiva nem em horários muito quentes.

— Devo levá-la mesmo quando está de cama?

— Dona Rebeca, é preciso ter bom-senso. Se Sara não estiver disposta, não devemos forçá-la. Só ela é capaz de dizer como está se sentindo. Mas se ela quiser sair, devemos fazer sua vontade e levá-la para passear.

— Passear?

— Sim, passear. Ela não caminha, não é mesmo?

— Bem, não. Ela se cansa facilmente, e temos medo de que o cansaço excessivo acabe por enfraquecer-lhe ainda mais os pulmões.

— De uma certa forma, a senhora tem razão. Mas não devemos exagerar. É claro que Sara não deve fazer caminhadas longas nem exaustivas. Mas andar pela fazenda, ir até o riacho e até cavalgar são exercícios que só lhe farão bem. O Sol e o ar puro devem invadi-la por completo, tocar sua pele, seus pulmões, fazer com que ela perceba a maravilha que é estar viva. Além disso, procurem sempre conversar com ela, deem-lhe atenção, ajudem-na a sentir-se integrada à família e, principalmente, ao mundo.

— Muito bem — concordou Ezequiel, após alguns minutos de silêncio e expectativa. — E depois?

— Depois? Bem, estarei aqui para ajudá-la a entender seu processo de adoecimento e buscar a cura.

— Mas só? — indignou-se Ezequiel novamente. — Nenhum remédio?

— Por enquanto, não.

— Pretende curá-la só com sua conversa?

— Não, com meu auxílio. Pretendo ajudá-la a abrir seu coração e fortalecê-lo, para que ela acredite que a força da vida é capaz de nele penetrar, levando a seu corpo tudo o que for necessário para seu restabelecimento. Além disso, creio que posso ministrar-lhe doses de energia com minhas mãos.

Ezequiel estava incrédulo. Gostara de frei Ângelo, sentia que ele estava disposto a ajudar, mas ainda não confiava em seus métodos.

— Frei Ângelo — prosseguiu —, sei que suas intenções são boas. Contudo, quer negar o avanço da ciência?

— Em hipótese alguma. A ciência vem trazendo valorosos préstimos no auxílio aos enfermos, e não posso negar que está a serviço de Deus. No entanto, a cura para a enfermidade de sua filha não foi ainda descoberta pela ciência. No futuro, quem sabe? Mas agora, precisamos lutar com outras armas.

— Que armas?

— A confiança e a fé em Deus.

— Não sei se acredito nisso. Curar uma doença sem nenhum remédio? Parece-me impossível.

— Sabe, seu Ezequiel, quando adoecemos já trazemos em nosso íntimo o germe da cura. Basta que acreditemos nele e o desenvolvamos.

— Hum... não sei, não.

— Por que não me deixa tentar?

— O senhor não está entendendo. É claro que deixarei que tente. Contudo, creio que seria melhor o acompanhamento de um médico também.

— Faça como quiser. Um médico em nada atrapalhará o desenvolvimento de meu trabalho. Ao contrário, poderá diagnosticar mais prontamente a melhora de sua filha.

— Será mesmo?

— Estou quase certo. Como disse, a cura está nas mãos de Sara. Só o que farei é auxiliá-la a descobrir como utilizá-la. E gostaria também de experimentar algumas ervas medicinais.

— Ervas medicinais? Acredita nessas crendices?

— Não são crendices. Sabemos que os índios sempre se curaram com o auxílio das ervas. Por que não podemos fazer o mesmo?

— Porque somos homens civilizados.

— A civilização não está distante da natureza. Ao contrário, a química também se utiliza de diversas plantas medicinais, e são bastante conhecidas suas propriedades terapêuticas.

— Frei Ângelo — interrompeu Dário, emocionado. — Se me permite, gostaria de fazer-lhe um pedido especial.

— Diga, meu filho.

— Gostaria que me permitisse acompanhar o tratamento de Sara. Nós estamos apaixonados e em breve pretendemos nos casar.

— Isso será maravilhoso. Tudo de que ela precisa é sentir-se amada e querida. Tenho certeza de que sua presença em muito a auxiliará, sobretudo a ter confiança em si mesma. E Marta também poderá ajudar-me bastante.

— Como? — quis protestar Rebeca. — Ela não entende nada de medicina e cura.

— Engana-se, dona Rebeca. Marta possui o extraordinário dom de se ligar ao mundo espiritual, e os espíritos amigos nos poderão ser de grande valia.

Rebeca abaixou os olhos, confusa. Continuava não simpatizando muito com Marta, mas não podia negar que fora ela quem iniciara tudo aquilo. Sem ter o que dizer, ela apenas balbuciou:

— Sinto muito, frei Ângelo. Isso tudo é novo para mim.

— Não se preocupe. Peço a vocês que confiem em Deus e que orem. Orem todos os dias, com fé, com sinceridade. Não profiram preces mecânicas e decoradas. Orem com fervor, que Deus jamais deixa de atender seus filhos.

— Frei Ângelo, esquece-se de que não partilhamos de sua religião?

— Deus não possui religião, minha filha. A religião universal, aquela que liga os homens a Deus, é a que vem do coração. O amor, o respeito e a compreensão são as verdadeiras religiões que nos aproximam do Criador.

— Sábias palavras, frei Ângelo — concordou Ezequiel. — Também penso assim. Tanto que somos amigos há muitos anos.

— É uma bonita amizade a de vocês. É muito bonito ver pessoas que se amam sem se importar com fronteiras ou diferenças.

— Creio que são as diferenças que nos fazem crescer — disse Júlia.

— Sem dúvida, minha filha. Porque somos diferentes é que podemos trocar experiências e aprender uns com os outros.

— Bem, creio que frei Ângelo queira descansar um pouco agora — disse Rebeca. — Afinal, desde que chegou, nem foi conhecer seus aposentos.

— Tem razão — concordou Júlia. — Nós, em nossa ansiedade, acabamos por prendê-lo e nem nos demos conta de que deve estar exausto da viagem.

— Confesso que estou um pouco cansado, sim. Mas não foi nenhum sacrifício ficar aqui com vocês. São pessoas muito agradáveis.

— Obrigado, frei Ângelo. O senhor é que é muito gentil.

Rebeca tocou a sineta e Laurinda apareceu. Deu-lhe ordens para que levasse frei Ângelo ao quarto que lhe fora reservado. Ele estava tão cansado que logo adormeceu. Adormeceu e sonhou. Em seu sonho, via Sara, ainda criança, correndo por um campo muito verde, e Marta a seu lado, cuidando para que ela não se machucasse. Mais atrás, Rebeca surgiu e, a todo instante, chamava a atenção da menina. A menina, em dado momento, parou e sorriu para ela, estendendo as mãozinhas para que ela a erguesse no colo. Rebeca, porém, não lhe deu atenção. Seus olhos estavam presos na figura de um homem, que ia se aproximando pelo outro lado. Ela empurrou a menina para o lado e correu para ele, atirando--se em seus braços. No mesmo instante, Sara começou a chorar e logo foi atendida por Marta, que a colocou no colo e a embalou.

Frei Ângelo acordou assustado. O que significava aquilo? Com certeza, revira fragmentos de uma outra vida de Sara. Sim, ele acreditava em vidas passadas, e naquela, com certeza, acabaria por descobrir as origens da enfermidade da moça. Pensando nisso, tornou a fechar os olhos e agradeceu a Deus por lhe permitir desvendar os mistérios que acabariam por indicar a Sara o caminho da cura.

Capítulo 16

Na fazenda São Jerônimo, Rodolfo se roía por dentro. Vira quando Júlia e Marta se afastaram, em companhia de Camila e Dário, e ficara curioso. Aonde teriam ido? Intuitivamente percebeu que se dirigiam à fazenda Ouro Velho. Lembrava-se de algo que Marta lhe dissera. Algo sobre a doença da filha de seus vizinhos, e que um frei estaria indo para ajudá-la. Será que teriam ido recepcionar o tal frade?

Subitamente, Rodolfo começou a desconfiar que havia algo de errado com aquela família. Se eram amigos de Camila, por que ela nunca os apresentara? Por que nunca os chamara ali para conhecerem o resto da família, preferindo sair sorrateiramente, sempre sem dizer nada a ninguém? Havia algo de estranho com aquela gente, algo que a irmã não queria que eles descobrissem. Mas ele descobriria. Decidido, foi em busca de Túlio. Soube, pelos escravos, que o rapaz havia saído pelo meio do mato, sem dizer aonde fora. Rodolfo ficou intrigado. Aonde teria ido? Estava disposto a montar no cavalo e partir em seu encalço quando Terêncio apareceu.

— Seu Rodolfo...? — indagou, querendo certificar-se.

— Sim.

— Procura seu Túlio?

— Por quê? Sabe onde ele está?

— Não sei, mas posso imaginar.

— E onde seria?

— Quer que o leve até lá?

— Quero. Se sabe onde ele está, leve-me até ele.

Os dois montaram nos cavalos e partiram. À medida que iam avançando, Rodolfo ia reconhecendo o caminho e teve um estremecimento. Aquela era a direção do túmulo que improvisaram para Etelvina. Será que Terêncio descobrira tudo? Em breve chegaram ao local, e Rodolfo pôde constatar que era para lá mesmo que Túlio havia ido. Apearam e caminharam em silêncio, até se aproximarem bem do lugar onde Etelvina estava enterrada. A seu lado, ajoelhado, Túlio segurava um punhado de terra e chorava. Rodolfo, impressionado com aquilo, tomou a dianteira e bramiu:

— Mas o que significa isso?

Túlio pulou assustado. Não esperava que tivesse sido seguido e quase desmaiou de susto.

— Titio... o que faz aqui?

— Eu é que lhe pergunto. O que faz aí ajoelhado sobre esse monte de terra, chorando feito um bebê?

— Eu... eu...

— Talvez o senhor Túlio esteja pranteando a morte de sua amada... — disse Terêncio ironicamente.

Rodolfo alarmou-se. Estava claro que Terêncio descobrira a verdade. Ele sabia que Etelvina jazia ali. Será que imaginara que ele, Rodolfo, fora quem a matara?

— O que quer dizer com isso? — retrucou, tentando aparentar inocência.

— Quero dizer, seu Rodolfo, que a negra Etelvina está enterrada ali, bem debaixo dos pés de seu sobrinho.

Ele levantou a sobrancelha e encarou Túlio com fingida surpresa, perguntando logo em seguida:

— Isso é verdade?

— Como assim?

— Perguntei se Etelvina está enterrada aí.

Foi a vez de Túlio encarar o tio, surpreso. Rodolfo tentaria jogar nele a culpa pela morte da escrava. Mas ele não permitiria. Estava certo de que era apenas uma escrava, e que seu crime passaria impune. No entanto, recebera criação diversa da do tio. Por mais que soubesse de sua condição de superioridade, não podia deixar de pensar que havia um ser humano enterrado ali, um ser humano de cujo assassínio participara.

— Mas... mas... — gaguejou — por que a pergunta?

— Quero saber se a negra Etelvina está enterrada aí.

Túlio, embora estivesse com medo, sustentou o olhar duro de Rodolfo e retrucou com raiva:

— Por que me faz perguntas cuja resposta já conhece?

— Como assim? Não sei nada sobre isso.

— Olhe, tio Rodolfo, não adianta que não vou levar a culpa por algo que não fiz.

— O que quer dizer, rapaz?

— Quero dizer que você sabe que não fui eu quem a matou.

— Então ela está mesmo morta?

— Está sim, seu Rodolfo — concordou Terêncio. — Eu mesmo, no outro dia, a desenterrei.

— Você fez o quê?

— Descobri o corpo enterrado aí. Segui seu Túlio e o vi na mesma atitude em que hoje vimos. Depois que ele saiu, fui buscar uma pá e cavei. É a negra Etelvina quem está enterrada aí, pode ter certeza.

Túlio continuava a olhar para ele com ar desafiador. Estava morrendo de medo, mas não queria ser incriminado por aquilo. Já se envolvera demais com aquela história. Violentara a pobre da negra, humilhara seu amigo Trajano. Não queria ser acusado de assassinato. Rodolfo, vendo que Túlio não assumiria a culpa pela morte da escrava, voltou-se para Terêncio e ordenou:

— Terêncio, quero que volte agora mesmo para a fazenda. E bico calado. Ninguém deve saber o que houve aqui.

— Pois não, patrão. O senhor é quem manda.

Terêncio voltou para o lugar onde deixara seu cavalo e montou, sem maiores perguntas. Estava claro que fora Túlio quem matara a escrava. Quando ele se afastou, Rodolfo aproximou-se de Túlio e desfechou-lhe violento soco no queixo, fazendo com que o rapaz cambaleasse e caísse deitado sobre a cova rasa de Etelvina.

— Idiota! — vociferou. — O que pensa que está fazendo?

O outro levantou-se hesitante, as mãos pousadas sobre o queixo, tentando conter o sangue que lhe escorria da boca. Lutando para conter o pânico que naquele momento o dominava, respondeu súplice:

— Tio Rodolfo, por favor...

— Cale-se, imbecil! Quer nos destruir?

— Não... não...

— Então por que fez isso?

— Mas eu não fiz nada! Foi você quem quis me acusar da morte de Etelvina.

— E daí? Era só uma escrava.

— Se pensa assim, por que não assume logo que a matou?

— Não posso, já disse. E você não deve falar nada.

— O que quer que eu faça? Que assuma a culpa sozinho? Sinto, mas eu é que não posso fazer isso. Não fui eu que a matei.

— Isso não faz a menor diferença.

— Pode não fazer para você, mas faz para mim.

— Posso saber o que houve para que você, de repente, sentisse arroubos de arrependimento?

— Se quer mesmo saber, estou realmente arrependido.

— Oh! Muito nobre de sua parte. E por isso pretende acusar-me?

— Eu não o acusei. Mas também não quero levar a culpa de algo que não fiz.

— Não entendo por que a preocupação. Já disse que Etelvina era só uma escrava. Quem se importa com os negros?

— Ótimo. Já que pensa mesmo assim, insisto para que diga logo que você a matou. Com certeza, vovó não fará nada contra você.

— Já disse, não quero um levante entre os negros.

— Não acredito em você. Você tem é medo de que uma certa pessoa descubra, não é mesmo?

— A quem se refere?

— À minha tia Júlia.

— Como se atreve? Júlia ficou noiva de meu irmão.

— Contudo, você a ama e pretende roubá-la dele, não é verdade? E se ela descobrir o monstro que você é, não terá a mínima chance.

Rodolfo encarou-o, perplexo. O idiota até que chegara bem próximo da verdade.

— Cale essa boca! — gritou. — Você não sabe de nada!

— Sei muito mais do que imagina. Mas não se preocupe. Seu segredo ficará bem guardado comigo, desde que não queira transferir essa culpa para mim. Minha mãe jamais me perdoaria.

Rodolfo soltou um riso sarcástico e considerou:

— Como vê, meu caro, estamos ambos preocupados em não desgostar alguém que nos é importante.

— Com uma diferença. Eu sou inocente.

— Será mesmo? Esquece-se de sua participação?

— Não, não me esqueço. Mas não fui eu quem a estrangulou.

— Está bem, isso não vem ao caso. O que importa agora é que nos protejamos mutuamente. Terêncio sabe de tudo e poderá nos delatar.

— Protegermo-nos como?

— Tenho medo de que Terêncio não guarde esse segredo por muito tempo. Por isso precisamos agir. Procurar um culpado.

— Um culpado? Mas quem, meu Deus?

— Aquele negro, Trajano.

— Trajano? Mas ele não fez nada. Foi uma vítima.

— Ouça, Túlio, o que quer? Que sua mãe descubra o que fez, é?

— Não... claro que não...

— Então cale essa boca e faça o que eu mandar. Daremos um jeito de incriminar Trajano, e tudo ficará por isso mesmo.

— Esquece-se de que Trajano é protegido de minha mãe?

— E daí? O que ela fará para defender um assassino? Todos viram seu interesse por Etelvina. Viram que bateu em você por causa dela. Não será difícil fazer com que acreditem que ele, num acesso de ciúmes, a matou.

— Minha mãe jamais acreditará nessa história.

— Pouco me importa. Ela nada poderá provar contra nós. E depois, tudo isso poderia ter sido evitado se você não caísse na besteira de voltar aqui. O que deu em você, afinal? Isso lá é hora de sentir remorsos?

— Sinto muito, mas tenho consciência.

— Pois agora não é mais hora para isso. Se quiser salvar a pele, não diga nada a ninguém. Deixe tudo por minha conta. Quando estiver pronto, direi o que deve fazer.

Em seguida, voltaram para a fazenda. Túlio estava desgostoso consigo mesmo. Não queria mais participar daquilo. Já não prejudicara muita gente? Primeiro fora Raimunda. Depois Etelvina, e agora Trajano? Não queria, não podia aumentar ainda mais sua culpa. Olhou para Rodolfo e sentiu uma imensa raiva crescer dentro do seu peito. Apesar disso, estava atado ao poder do tio, sobrepujado por sua maldade. Mas precisava fazer alguma coisa. Não permitiria mais injustiças. Precisava pensar numa maneira de se livrar daquilo. Precisava confiar em alguém.

Foi só quando voltaram que Rodolfo se lembrou do motivo que o levara a procurar Túlio. Queria saber mais a respeito da família que arrendara a fazenda Ouro Velho, e ele poderia ajudá-lo. Quando chegaram, Túlio foi direto para o quarto, e Rodolfo foi atrás dele. Fechou a porta e sentou-se na beira da cama, encarando-o com olhar perscrutador.

— O que mais quer de mim? — indagou Túlio de má vontade.

— Mais um favorzinho.

— Que tipo de favor?

— Gostaria que me esclarecesse uma dúvida. Quero saber tudo sobre a família que arrendou a fazenda Ouro Velho.

Túlio olhou-o desconfiado. Embora não fosse muito ligado aos Zylberberg, ele os estimava e sabia o quanto poderia ser perigoso falar sobre eles. Túlio sabia que seu irmão estava noivo de Sara, e que a família fora para lá a conselho do médico, em busca de melhores ares para a doença da moça.

— Por que o interesse repentino?

— Não sei. Mas alguma coisa me diz que me escondem algo.

— Ora, tio Rodolfo, o que poderia ser?

— Não sei. É o que pretendo descobrir.

— De minha parte, sinto muito. Não posso ajudá-lo.

— Não pode ou não quer?

— Ouça, titio, essas pessoas são amigas de minha mãe, não minhas.

— Vai querer me convencer de que não as conhece?

— Vagamente.

— Ora, Túlio, mas o que é isso? Por acaso pensa que sou algum tonto? Então não vejo que todos os dias, à exceção de você, vai alguém para aqueles lados?

— E daí?

— E daí que é muito estranho.

— Não vejo nada de estranho nisso. São amigos de minha mãe e de Júlia. É natural que vão visitá-los.

— E seu irmão?

— O que tem Dário?

— Por que vai também?

— Não sei. Por que não pergunta a ele?

— Porque quero saber de você.

— Pois já disse que não sei de nada. São apenas pessoas, e eu não tenho a menor intimidade com elas.

— Como se chamam?

— Não me recordo.

Rodolfo coçou o queixo em sinal de dúvida. Estava claro que o sobrinho mentia. Por alguma razão, ele tentava proteger aquela família.

— Escute, Túlio, quer me fazer crer que sua mãe é amiga de uma família há anos e que você sequer sabe seus nomes?

— Já disse que não me lembro. Minha mãe tem muitos conhecidos. Pode ser qualquer um deles.

— Por exemplo?

— Por exemplo... os Silva e Souza, os Carvalho, os Arcoverde, os Soares Ferreira e tantos outros. Como vê, a lista é interminável.

Rodolfo encarou-o com ar cético. Não acreditara em uma palavra do que lhe dissera o sobrinho, mas achou melhor não insistir.

Balançou a cabeça em sinal de assentimento, levantou-se e saiu, acenando para Túlio da porta. Sem dizer uma palavra, dirigiu-se para o gabinete que fora de seu pai. Era ali que ele e o irmão tratavam de negócios e onde guardavam todos os documentos importantes. Rodolfo entrou sorrateiramente, fechando a porta atrás de si, e começou a vasculhar as gavetas, somente encontrando papéis relacionados à venda de sacas de café, de gado, alguns títulos, certidões, contratos bancários. Nada. Não havia nada que pudesse esclarecê-lo sobre os arrendatários da Ouro Velho. Até que, de repente, seus olhos se prenderam numa pasta de couro cru, cuidadosamente escondida sob um monte de papéis velhos e amarelecidos. Rodolfo retirou-os, afobado, e puxou a pasta, abrindo-a com ansiedade. Dentro, o contrato de arrendamento da fazenda, contendo os nomes do arrendador e do arrendatário. Como arrendador, constava o nome de sua mãe, Palmira Sales de Albuquerque, representada por seu filho, Fausto Sales de Albuquerque. Como arrendatário, imaginem, um tal de Ezequiel Zylberberg. Não era preciso dizer mais nada. Tudo estava esclarecido. Aquela família, que ninguém nunca vira, pertencia à desprezível classe dos judeus. Era lógico. Bastava ler aquele nome. Por isso Fausto se encarregara de tratar pessoalmente das negociações. Ele sabia que a mãe jamais permitiria uma heresia daquelas, mas por estar apaixonado por Júlia, faria tudo o que ela desejasse. Não bastava que fosse amiga dos negros. Era também dos judeus.

De posse de tão preciosa prova, Rodolfo sentiu-se satisfeito. Colocou de volta no lugar a pasta incriminadora, cobriu-a com os mesmos papéis velhos, fechou as gavetas e saiu. Aquilo era uma preciosidade. Era com aquela descoberta que ele pretendia, cedo ou tarde, ter Júlia em suas mãos. Utilizar-se-ia de todos os recursos disponíveis para tê-la e, assim, atingir o irmão. Primeiro, tentaria conquistá-la, oferecendo-lhe sua amizade e provocando a desconfiança de Fausto. Faria com que ela percebesse que ele era gentil, educado e galante, muito mais do que Fausto, sempre ocupado com os negócios. Mas, se isso não desse certo, saberia valer-se das provas que tinha em mãos. Mostrá-las-ia a Júlia e a faria ver que só dependia dele a permanência ou não de seus amiguinhos judeus em suas terras. Bastava mostrar aquilo à mãe para que ela mandasse expulsá-los dali, com ou sem contrato.

Dali foi sentar-se na varanda. Já entardecia, e logo Júlia despontaria com Camila e o sobrinho pela estradinha. Fausto, como sempre, iria ao seu encontro. Tudo parecia bem, e era assim que ele queria que continuasse.

Em pouco tempo a carruagem atravessou a cancela, e Fausto, montado em seu alazão, correu ao encontro da amada. Aquilo lhe dava náuseas. Ver como o irmão a beijava e a enlaçava lhe dava vontade de matá-los. Mas seria por pouco tempo. Logo que a carruagem se aproximou mais da casa grande, com Fausto cavalgando a seu lado, Rodolfo se levantou e foi ao encontro de Marta, que também vinha com eles. Ajudou-a a descer, beijou-a de leve na face e olhou discretamente para Júlia. Sentiu a raiva crescer dentro dele, mas não disse nada. Em vez disso, estendeu a mão para auxiliá-la também e, quando ela segurou a mão que ele lhe oferecia, Rodolfo propositalmente puxou-a para baixo, fazendo com que Júlia se desequilibrasse e quase fosse ao chão. Imediatamente, ele a amparou, sustendo-a por sob os braços. Júlia corou e agradeceu, logo se endireitando, e Fausto fingiu não perceber que ela enrubescia, talvez seduzida pelo contato de Rodolfo.

Enquanto Fausto chamava um escravo e entregava-lhe o cavalo, Rodolfo tratou logo de despachar Marta, sob o pretexto de que o pai a procurava, e ofereceu o braço a Júlia, seguindo com ela para dentro de casa. Ele a cobria de atenções, mas sempre fazendo aparentar certa displicência, certo desinteresse, no qual Fausto tentava acreditar. Já na sala de estar, Rodolfo indagou:

— E então, cara Júlia, divertiu-se hoje?

Júlia fitou-o sem entender e retrucou:

— Por que a pergunta?

— Por nada. É que se ausentou tão cedo...

— Saí em companhia de minha cunhada. Por quê?

— Por nada. Só curiosidade — e, após alguns segundos, acrescentou: — Foi visitar seus amigos?

— Amigos?

— Sim. Aqueles que arrendaram a Ouro Velho, como é mesmo o nome? — Júlia gelou, mas ele prosseguiu, displicente: — Não importa. E o tal frei? Já chegou?

— Sim... já sim...

— Que bom. Imagine, um frei vir de tão longe só para rezar por uma doentinha. Deve ser muito bondoso, esse frei.

— É... é sim.

— E de que mal sofre mesmo a menina?

Júlia começava a se sentir acuada. Por que Rodolfo, de repente, crivava-a de tantas perguntas?

— Ainda não sabemos ao certo.

— Nada grave, espero.

— Não. Com certeza não.

— Fico muito feliz em ouvir isso.

Fausto chegou e pediu licença, segurando Júlia vigorosamente pelo braço e levando-a para varanda. Ela fez um ar de reprovação e disse, contrariada:

— O que há com você, Fausto? Por que me trata desse jeito?

O moço, percebendo que apertava em demasia o braço de Júlia, soltou-o de repente, acrescentando envergonhado.

— Perdoe-me, querida. É que não gosto de vê-la junto de Rodolfo.

— Por quê? Pois não foi você mesmo quem disse que sentia ciúmes à toa? Que ele havia se arrependido e que estava apaixonado por Marta?

— E está. Mas não consigo evitar o ciúme e quase enlouqueço só de vê-la perto dele.

Júlia riu gostosamente e estalou-lhe um beijo na testa, acrescentando bem-humorada:

— Mas que tolinho! Então não sabe que o amo, e só a você?

— Eu sei, minha querida. Perdoe-me a insegurança. Eu também a amo e confio em você. Mas é que Rodolfo e eu somos tão iguais...

— Engana-se, meu amor. Hoje já posso distingui-los.

— Verdade? Como?

— Só você possui nos olhos o brilho do meu amor.

Fausto tomou-a nos braços e beijou-a com paixão, esquecendo-se da dúvida que o atormentava dia após dia.

Vendo o contato entre Fausto e Júlia, Rodolfo saiu desabalado. Sentia náuseas e precisava de ar puro. Correu para o jardim e inspirou. Era preciso acabar logo com aquilo. Enjoado, sentou-se num banco e ocultou o rosto entre as mãos, até que escutou um estalido próximo, como de passos quebrando um galho seco. Ergueu os olhos, assustado, e encontrou a prima parada diante dele, sempre com aquele sorriso diabólico, que lhe repuxava a cicatriz.

— Você já não pode mais suportar, não é mesmo? — disse ela.

— Prima Constância! Que susto me deu.

Ela continuava com aquele sorriso diabólico e acrescentou:

— Estou certa ou errada?

— Certa ou errada de quê?

— Do fato de que você já não pode mais suportar a felicidade de seu irmão.

— Não entendo o que quer dizer.

— Não mesmo? Não precisa fingir para mim. Estou do seu lado e posso ajudá-lo.

— Não sei do que está falando e não preciso de sua ajuda para nada.

— Será que não? Nem para conquistar Júlia?

— Está louca.

— Não estou, não. Pensa que não percebi o modo como olha para ela?

— Não a olho de modo algum.

— Está bem. Se quer acreditar nisso...

— Por que está me dizendo essas coisas?

— Porque quero ajudá-lo.

— A troco de quê? Nós mal nos conhecemos e não temos nada em comum.

— Nada, a não ser um objetivo.

— Como assim?

— Digamos que ambos queiramos destruir alguém.

Rodolfo calou-se e ficou olhando para ela. O que estaria pretendendo? Constância era praticamente uma estranha, e ele pouco sabia a seu respeito. Só o que sabia era que ela era filha da irmã de sua mãe e que fugira de casa, rejeitada por seu primo Inácio. Durante todos aqueles anos, quase não se tocara em seu nome. Ela havia sumido, desaparecido na poeira dos anos, e acabara por cair no esquecimento. O que estaria pretendendo, então? Ele a encarou com ar perscrutador e indagou:

— O que quer? Vingar-se de alguém?

Ela escancarou a boca num riso diabólico e respondeu:

— Vejo que é um rapaz esperto.

— Não respondeu minha pergunta.

— Está bem. Sim. Quero vingar-me de alguém. Quero vingar-me de Tonha.

— E por que acha que eu a ajudaria? Afinal, Tonha foi minha ama de leite, e até que gosto dela...

— Não seja fingido. Sei que você não gosta de negros.

— Mas Tonha é diferente. Foi quem nos criou.

— Você é quem sabe. Mas pense bem. Pense no que é mais importante para você: defender Tonha ou conquistar Júlia?

Intimamente, Rodolfo sabia que o mais importante para ele era destruir a felicidade do irmão e respondeu sem hesitar:

— Júlia.

— Pois muito bem. Deixe-me ajudá-lo. Em troca, só lhe peço que me entregue a negra.

— O que fará com ela?

Sem nem pestanejar, Constância retrucou, a voz vibrando de ódio:

— Vou matá-la. Vou fazer o que deveria ter feito há muito tempo.

Rodolfo empalideceu. Tonha sempre fora uma boa ama-seca, e ele bem que se afeiçoara a ela, apesar de seu desprezo pelos negros. Ele não desejava vê-la morta, mas se a proposta da prima valesse a pena, ela que o perdoasse, mas consideraria justa a troca. Suspirou fundo e indagou:

— E qual seria sua oferta?

— Muito simples. Em dia e hora combinados, quando todos estiverem dormindo, você entra sorrateiramente no quarto de Júlia, vestido com as roupas de seu irmão. Procure agir feito ele, com seus gestos, sua voz.

— E daí?

— Aproxime-se de seu leito. Deite-se ao lado dela, seja gentil.

— Está louca? Júlia saberá que não é Fausto e me repelirá, ou fará um escândalo.

— Não se você agir direito. Não a force a nada. Limite-se a fazer o que ela permitir. Você e Fausto são gêmeos. No escuro, será difícil distingui-los. Beije-a, acaricie-a, sopre-lhe palavras de amor. Diga-lhe que a ama e que está louco para tê-la. Mas não a force. Ao contrário, diga que, apesar de seu amor, não se importa de esperar. Mas diga isso ao mesmo tempo em que a beija. Se ela ceder, ótimo. Consume o ato. Se não, não insista. Diga que compreende, beije-a profundamente e saia.

— E depois?

— Deixe o resto por minha conta. Na manhã seguinte, saberei agir, e bem rápido, antes que Júlia e Fausto tenham tempo de se falar.

Rodolfo ergueu as sobrancelhas e replicou:

— Será que dará certo? Ela vai desmentir. E se Fausto acreditar nela?

— Duvido. Pelo que pude observar, seu irmão é muito ciumento e já está meio desconfiado. E depois, não se engane, meu bem. Conheço os homens e sei muito bem do que são capazes em nome do ciúme e da traição.

Constância alisou a cicatriz, lembrando-se do marinheiro que, num acesso de ciúme, quase a matara. Rodolfo, por sua vez, pôs-se a pensar. Talvez ela tivesse razão, e aquela fosse a oportunidade que vinha esperando havia tanto tempo. Investigava há muito o ciúme e a desconfiança do irmão, e não seria difícil incutir-lhe na mente a ideia de que Júlia o estava traindo. Ainda mais se pudesse contar com as oportunas e desinteressadas observações de Constância que, aparentemente, não teria motivo algum para fazer intrigas. E depois, ele e Fausto não eram iguais? Júlia não poderia mesmo diferenciá-los. Pensando em tudo isso, Rodolfo prosseguiu:

— O que acontecerá então?

— O resto é com você. Talvez Júlia fique com raiva e nunca mais queira vê-lo. Talvez se sinta envergonhada e o aceite para encobrir sua vergonha. Não sei. E você, faça como quiser. Poderá escolher.

Rodolfo silenciou. Depois que conseguisse o que queria, não se interessaria mais por Júlia e abandoná-la-ia também. Ela só serviria a seus propósitos de destruir o irmão. O que lhe aconteceria depois era problema dela. Que voltasse para São Paulo. Isso pouco lhe importava.

— E quanto a você? — tornou. — O que devo fazer exatamente para pagar esse favor?

— Só o que quero é a oportunidade de cravar um punhal no coração de Tonha. Arranje-me uma emboscada, um momento a sós com ela, e eu a matarei em silêncio. Ninguém saberá que fui eu.

Rodolfo assentiu. Apesar de sentir pena de Tonha, aquilo ainda serviria para desgostar o irmão ainda mais. Sabia o quanto ele gostava da escrava, e sua morte seria para ele motivo de grande pesar. Olhando para a prima, Rodolfo sentiu uma grande admiração por ela. Era uma mulher extraordinária e, não fosse a diferença de idade, muito gostaria de tê-la por amante. Fariam grandes coisas juntos!

— Agora vá — ordenou Constância. — Volte para casa e aguarde. Quando a hora chegar, eu o avisarei.

Rodolfo levantou-se, tomou a mão da prima e a beijou suavemente. Em seguida, voltou para casa sorrindo. Estava certo de que a felicidade do irmão tinha os dias contados. E a sua... bem, estava por começar.

Capítulo 17

Frei Ângelo, sentado no jardim em companhia de Sara, observava-a com estudada atenção. Apesar de tudo, ela era uma menina muito estranha, muito triste e fechada, e somente depois de muitas tentativas foi que ele conseguiu que ela se abrisse com ele. Após alguns instantes, Laurinda apareceu, trazendo na mão o chá que frei Ângelo lhe preparara com algumas ervas medicinais. Ela sorveu o líquido calmamente e sentiu-se melhor. Encarou o frei e perguntou:

— Por que é tão bom comigo?

— Porque quero que fique boa.

— Não sei mais se acredito nisso.

— Sara, é muito importante não desistir. Se você desistir da vida, a morte tomará conta de você. Não troque pela morte uma vida que mal começou.

Sara desatou a chorar e frei Ângelo, gentilmente segurando-lhe as mãos, retrucou com voz doce:

— Chore, criança. Chorar nos ajuda a ser mais humanos.

— Não entendo o que diz.

Frei Ângelo tomou-lhe novamente as mãozinhas finas e disse:

— Gostaria de lhe fazer uma pergunta.

— Que pergunta?

— Você é feliz?

Ela o encarou com ar de dúvida e respondeu, indecisa:

— Não sei.

— Por que não sabe? Por acaso não gosta de sua mãe, de seu pai? Não tem um noivo que a ama?

— Sim...

— E, mesmo assim, sente-se infeliz?

— Sabe, frei Ângelo, eu nunca fui uma menina alegre. Lembro-me de quando era criança... sempre me sentia um estorvo na vida de minha... de meus pais.

— Como assim? Seja sincera, conte-me tudo.

— Bem, é que eu sentia como se os estivesse atrapalhando.

— A ambos? Ou somente a um deles?

Ela levantou para ele os grandes olhos azuis e implorou:

— Promete que não conta nada?

— Pode confiar em minha discrição. Entenda isso como um segredo de confessionário.

— A minha mãe.

— Interessante. Por quê?

— Não sei definir. Mas desde cedo sentia como se ela não me quisesse. Como se eu a estivesse atrapalhando de algum jeito. E acabava me sentindo culpada, porque minha mãe, ao contrário dos meus sentimentos, sempre se desvelou para me agradar. Tenho certeza de seu amor por mim.

— E ainda assim sente-se um estorvo em sua vida?

— Sim. E sinto-me culpada por isso. Ela não merece. Por causa disso, fui me tornando cada vez mais arredia. Sempre tive poucos amigos, porque sempre achei que não gostavam de mim. Com o tempo, comecei a me isolar de todos, e não fosse pela companhia de Júlia e Dário, de quem sempre fui amiga, creio que não teria mesmo mais ninguém.

— Mas por que isso, Sara? Sua mãe parece muito preocupada com você. Não acha estranho que tenha essa sensação?

— Sim, acho muito estranho e até quero lutar contra isso. Mas não consigo. Embora ela tudo faça por mim, deixa sempre a impressão de que só faz por obrigação, de que não gosta de mim. Mas eu sei que gosta. Pensando nisso, a consciência me dói e fico confusa.

— E seu pai?

— Meu pai é diferente. Sinto nele um estranho. Também não sei definir.

— Mas não é o mesmo que sente com relação à sua mãe?

— Não. Como disse, sinto que minha mãe me rejeita. É um sentimento, de alguma forma. Com relação a meu pai, não. É como se ele fosse um estranho em minha vida. Gosto dele, mas é como se entre nós só existisse um vazio. Como se ele não fosse meu pai. Cheguei mesmo a pensar se não seria.

— No entanto, a semelhança entre vocês é muito grande.

— Eu sei. E é só por isso que hoje não desconfio mais de que não seja sua filha.

— E quanto a Júlia e Dário?

— Gosto muito deles. Sinto que são pessoas amigas. E Marta também. E sabe o que é mais estranho? Quando conheci Marta, logo gostei dela, e era como se já a conhecesse também.

— O que a leva a pensar assim?

Ela abaixou a voz e disse em tom de confidência:

— Já sonhei com ela. Diversas vezes.

— Verdade?

Frei Ângelo estava profundamente impressionado. Também sonhara com Sara no dia em que chegara à fazenda, mas fora apenas um sonho isolado, sem continuação. Contudo, algo lhe dizia que Sara guardava dentro de si muitos segredos, segredos que tinha medo de partilhar com alguém. Cada vez mais interessado, continuou:

— Que tipo de sonhos você tem?

— São estranhos. Sonho com as pessoas, mas com outros rostos, com outras roupas, em outros lugares. São diferentes, mas posso reconhecer cada um naqueles rostos estranhos.

Aquilo estava ficando cada vez mais interessante. Aquela menina, além de comprovar sua teoria a respeito da causa das enfermidades, também o auxiliaria a provar que havia outras vidas, e que essa não seria a primeira vez que estariam no mundo. Frei Ângelo estava certo de que ela se lembrava de uma outra vida, uma vida na qual todos os personagens daquela vida atual estavam interligados. Mal contendo a ansiedade e a euforia, continuou investigando:

— Vamos, Sara, conte-me esses sonhos.

— Não vai me achar louca?

— Sara, você não é louca. Quero que entenda que esses sonhos, ao que parece, são memórias de outras vidas, que muito nos podem ajudar a solucionar seus problemas de hoje.

— Não sei se acredito nisso.

— Então, como explica o fato de que já sonhou com Marta, antes mesmo de conhecê-la?

— Não sei.

— Pois eu sei. Você, de alguma forma, consegue estabelecer um contato com o mundo invisível e tem visões de fatos que se passaram com você há muitos anos.

— Mundo invisível?

— Sim, o mundo dos espíritos. É como se eles nos auxiliassem a ver e compreender certas coisas que aconteceram muito antes dessa vida atual.

— Não sei, frei Ângelo. Isso tudo é muito novo para mim.

— Por favor, acredite em mim. Você verá que tenho razão. E agora vamos, conte-me seus sonhos.

— São muitos...

— Conte-me um.

— Está bem. Da primeira vez que sonhei, vi-me como uma menina, correndo por um campo verdejante, e uma moça seguia ao meu lado. Mais tarde, vi que era Marta, e isso me assustou. Nesse sonho, minha mãe me deixava para estar com um homem, não sei quem é, não consegui vê-lo, mas parecia meu pai.

À medida que Sara falava, frei Ângelo estremecia. Tivera o mesmo sonho e sabia que aquilo não podia ser coincidência.

— Prossiga.

— Bem, quando minha mãe chegou perto desse homem, eu corri para ela, pedindo-lhe colo, mas ela me ignorou, empurrando-me para o lado. Depois, Marta chegou e me segurou.

— E o que mais?

— Mais nada. O sonho se misturou e tornou-se confuso.

— Pode me dizer quando foi que esses sonhos começaram?

— Sim. Logo que chegamos aqui.

Frei Ângelo estava satisfeito. Sabia que estava no caminho certo e tinha certeza de que, se o tempo não estivesse contra ele, ajudaria Sara a encontrar a cura para sua doença, desvendando, ainda, alguns dos mistérios que velavam a natureza da morte. No entanto, sabia que só aquilo não bastava. Aliado ao conhecimento das vidas passadas, era necessária uma mudança de postura. Sara tinha que se reaproximar das pessoas não física, mas espiritualmente. Frei Ângelo sabia que a solidão era um estado de espírito e que, muitas vezes, mesmo rodeada de várias pessoas, podia-se ter a sensação do isolamento. Por isso era importante que Sara começasse a ver nos pais e nos amigos pessoas capazes de completá-la intimamente, com ela trocando experiências, sensações e sentimentos. Sara precisava ligar-se às pessoas, envolver-se com elas, buscar sua companhia só pelo fato de poder partilhar o mesmo espaço emocional.

Deu-lhe um tapinha no joelho e continuou:

— Convidei Marta para vir aqui. Ela me ajudará.

— Como?

— Marta possui o estranho e maravilhoso dom de curar. Seus fluidos benéficos serão de grande valia no reequilíbrio e na reestruturação das células enfermas.

Pouco depois, Marta chegou em companhia de Júlia e Dário. Após os cumprimentos usuais, Marta levou Sara para dentro de casa para ministrar-lhe a troca energética. Depois que elas se afastaram, frei Ângelo disse a Dário:

— Meu filho, como sabe, sua ajuda também é de grande valia. Sara o ama muito, e você deve estar sempre a seu lado, não propriamente com o corpo, mas com a alma e o coração. Sara deve sentir sua presença como alguém especial, em quem pode confiar e partilhar sua vida. Quando estiver com ela, esteja por inteiro. Mostre-lhe que seu pensamento está voltado para ela, não como se não existisse nada no mundo além dela, mas como se ela fosse uma parte importante do universo. É muito importante que ela se sinta parte de um todo, e você, mais do que ninguém, pode ajudá-la a integrar-se a ele.

— Creia-me — retrucou o rapaz, — farei o possível e o impossível para ver Sara bem e feliz.

— Ótimo. Assim é que se fala. Conto com a ajuda de todos.

— O que, mais especificamente, devemos fazer? — quis saber Júlia.

— Bom, para começar, convidem Sara para sair. É importante que ela se identifique com um grupo.

— Podemos organizar passeios e piqueniques — sugeriu Dário.

— Isso seria excelente. Coloquem-na em companhia de gente jovem e saudável. Ajudem-na a se sentir querida e amada.

Pouco depois, os jovens se reuniam para uma prosa. Rebeca mandou servir limonada, e o assunto do dia era o passeio que fariam à cascata da Esmeralda no dia seguinte. Apesar de um pouco distante, era um lugar lindo e maravilhoso.

Quando Júlia e Marta voltaram para a fazenda São Jerônimo, foram ter com Camila e Fausto. Era hora de formarem um grupo, e seria divertido passearem juntos. Fausto ficou encantado com a ideia e logo concordou em ajudar. O problema seria Rodolfo. Ninguém julgava que ele já conhecesse a procedência da menina, e tinham medo de contar-lhe a verdade.

— Acho melhor não dizermos nada — opinou Dário, preocupado. — Não é necessário que ele saiba.

— Não seja tolo, Dário — objetou Fausto. — Não precisa ser muito esperto para concluir, pelos nomes, que são pessoas de origem judaica.

— Isso não quer dizer nada — considerou Camila. — São todos nomes bíblicos. Qualquer um poderia adotá-los.

— E o sobrenome? Zylberberg é muito revelador.

— Mas ele não precisa saber — sugeriu Júlia.

— E se ele perguntar?

— Ora, não sei — respondeu Dário, começando a ficar mal-humorado. — Invente qualquer coisa.

— Não será melhor contarmos logo a verdade? — ponderou Marta. — Mais cedo ou mais tarde ele vai acabar descobrindo mesmo. E depois, o que poderá fazer? Contar a dona Palmira? Expulsá-los daqui?

— Marta, você não conhece Rodolfo tão bem quanto eu. Ele é igual à minha mãe. Odeia os negros, os protestantes, os árabes e os judeus. Não sei o que será capaz de fazer, mas sei que não será boa coisa.

— Posso dar uma sugestão? — indagou Camila. — Sei que não é o mais correto, mas, em vista das circunstâncias, criem um sobrenome fictício, ao menos por um tempo. Enquanto isso, Marta pode ir preparando-o aos pouquinhos, ao mesmo tempo em que o contato com os Zylberberg poderá mostrar-lhe o quanto eles são maravilhosos. Depois que se afeiçoar a eles, tenho certeza de que os aceitará e acabará compreendendo nossos motivos.

— É uma boa ideia — concordou Dário. — No entanto, a senhora mesma disse que seu Ezequiel não havia gostado nada dessa história de mentir.

— Mas acabaram concordando. Não se preocupem. Deixem-nos por minha conta.

Acertada a história, Marta partiu em busca de Rodolfo, fazendo-lhe o convite para o passeio, e ele aceitou sem titubear. Não perguntara nada, e embora todos estranhassem sua falta de curiosidade, acharam melhor silenciar. No dia seguinte, bem cedinho, partiram de charrete para a cascata da Esmeralda. Sara foi apresentada a Rodolfo e, apesar de não simpatizar com ele, não disse nada. Estava feliz ao lado de Dário, e só ele já lhe bastava.

O passeio transcorreu maravilhoso. O lugar era lindo e paradisíaco, e as moças chegaram a se banhar no lago, longe das vistas dos rapazes. À tardinha retornaram, e Júlia ficou satisfeita. Sara, deliciada, ria-se abraçada a Dário. O passeio e os amigos fizeram-lhe muito bem, e ela pouco tossira durante o dia todo. Já começava a crer que se curaria.

Capítulo 18

Aproximava-se o dia do aniversário de Palmira, e a capela já estava praticamente pronta para a inauguração. Fausto, em companhia de Júlia, acompanhava os últimos retoques, opinando sobre detalhes da pintura aqui e ali. Estava entretido nessa tarefa quando Constância aproximou-se e elogiou:

— Está mesmo ficando uma beleza! É uma capela digna de uma rainha!

— Obrigado, prima — agradeceu ele, todo orgulhoso. — Mamãe merece.

— Fausto tem muito bom gosto — disse Júlia. — Foi ele mesmo quem escolheu as cores e as gravuras.

— Está muito bonito. Parabéns!

— Não se deixe impressionar pelo que Júlia diz. Ela tem a mania de enaltecer tudo o que faço.

— Ora, seu ingrato — protestou Júlia, num gracejo.

— Deixe estar, minha menina — objetou Constância. — Os homens são assim mesmo. Todos uns mal-agradecidos.

— Mas é verdade — tornou Fausto. — Tudo o que toco lhe parece fabuloso.

— As jovens apaixonadas são assim mesmo... Bem, agora vou deixá-los a sós. Imagino que devam ter muito o que fazer.

Desde esse dia, Constância não perdia a oportunidade de elogiar a dedicação de Júlia, ressaltando o quanto era apaixonada por Fausto.

— Que sorte você tem — disse certa feita. — Fisgou-a antes de seu irmão.

— É mesmo muita sorte — concordou Fausto, com desagrado.

— Vocês são tão parecidos... não sei como Júlia os distingue.

— Reconheço Fausto por sua maneira de ser — interrompeu Júlia —, pelos olhos cristalinos e sinceros, por sua voz, que é sempre tão amorosa...

— Você é mesmo um homem de sorte. Mas, cuidado; qualquer descuido e será bem fácil para Júlia trocá-lo por Rodolfo. E sem que você nem se dê conta.

— Isso jamais acontecerá! — contestou Júlia, indignada. — Amo Fausto e somente a ele. Jamais o trocaria por quem quer que fosse. Ainda mais por seu irmão.

— Ora, ora, minha querida, por que ficou tão zangada? Não quis ofendê-la e não falei por mal.

Júlia estava furiosa. Sem responder, levantou-se da poltrona onde estava sentada e saiu da sala, murmurando um "até logo" quase inaudível. Fausto levantou-se para ir atrás dela, e Constância, fingindo falar para si mesma, disse baixinho:

— Ora, vejam só. Parece até que se doeu porque tenho razão.

— O que disse? — perguntou Fausto, perplexo, estacando subitamente.

— Quem, eu? Nada, não, Fausto. Pensava aqui com meus botões.

Não disse mais nada. Passados alguns minutos, Fausto encontrou Júlia na cozinha, bebendo água, o semblante transtornado.

— Por que se zangou tanto? — perguntou desconfiado. — Constância não disse por mal.

— Não sei, Fausto. Mas algo em seu tom de voz me soou falso. Aquela conversa parecia um discurso decorado e encomendado. Como se quisesse nos envenenar.

— Minha querida, você está imaginando coisas. Constância não tem motivo algum para isso.

— Pode até ser que você tenha razão. Mas a fala dela não me convenceu.

— Está bem, Júlia, deixemos isso pra lá.

— Sim, Fausto, esqueçamos sua prima. Afinal, são apenas observações maldosas e infundadas.

Fausto puxou-a para si e beijou-a delicadamente, pousando, em seguida, sua cabeça em seu peito. Embora não dissesse mais nada e preferisse até não pensar mais no assunto, não conseguiu mais tirar as palavras de Constância da cabeça. Ele não queria, mas a dúvida o assaltava cada vez mais. Será que a prima tinha razão? Será que Júlia, inconscientemente, pendia para Rodolfo e não tinha coragem de lhe contar a verdade? Ele balançou a cabeça e voltou sua atenção para ela. Não. Ela o amava. Tinha certeza. Queria ter.

Conforme ficara acertado, todos os domingos os jovens aproveitariam o dia para passear juntos, e naquele domingo não seria diferente. Fazia um bonito dia de Sol, e Rodolfo, que acordara cedo e ficara à espreita, à espera de que Júlia descesse, encontrou-a sentada na varanda, apreciando os passarinhos que se banhavam ao Sol.

— Já de pé, logo tão cedo? — indagou, sorrindo polidamente.

— Ah! Bom dia... Rodolfo — respondeu ela com um pouco de dúvida. — É que está fazendo tanto calor... não pude mais dormir.

— É verdade. Também eu não pude mais ficar na cama. Dias como este é que são bons para passear.

— Tem razão. Está mesmo um dia muito bonito. Hoje iremos até o riacho fazer um piquenique. Acho até que já vou chamar Fausto.

— Ele ainda não acordou.

— Pois então, vou acordá-lo.

— Por que primeiro não vamos buscar Marta? Com certeza já se levantou. Na volta, irei ao quarto de meu irmão e o acordarei.

— Hum... está bem. Vamos. Deixemos que o preguiçoso durma um pouco mais.

Quando Fausto desceu para o desjejum, toda a família já estava reunida à mesa, com exceção de Rodolfo e Júlia. Estranhando a ausência de ambos, indagou:

— Onde estão Rodolfo e Júlia?

— Creio que saíram bem cedo — disse Constância, com certa malícia na voz.

— Onde foram?

— Não sei. Saíram sozinhos por aí...

Fausto silenciou, sombrio. Não queria deixar transparecer, mas estava furioso. Como Júlia se atrevia a sair de manhã, em companhia do irmão, sem nem ao menos falar com ele? Constância ria intimamente. Estava claro que Fausto roía-se de ciúme de Rodolfo. Terminada a refeição matinal, todos se levantaram, e Fausto saiu apressado. Já na varanda, avistou Terêncio, que chegava pelo outro lado da casa. Correu ao seu encontro e, fingindo naturalidade, disse:

— Bom dia, Terêncio.

— Bom dia.

— Por acaso você viu Júlia?

— Vi sim. Estava agorinha mesmo lá atrás, no pomar, em companhia de seu irmão.

Ele empalideceu. O que estariam os dois fazendo sozinhos no pomar? Não era o lugar mais apropriado para sua noiva estar em companhia de Rodolfo. Sentindo a raiva crescer dentro do peito, Fausto partiu para lá. Ao longe, viu-os colhendo limões, e estacou estarrecido. Rodolfo, na tentativa de apanhar as frutas, tocava as mãos de Júlia, e ela sorria, apanhando os limões de suas mãos e deitando-os numa enorme cesta de palha. Aquilo o enfureceu. Rosto ardendo em fogo, saiu em disparada, alcançando-os no exato instante em que a cesta tombava ao chão.

— Fausto! — exclamou Júlia. — Que bom que já acordou.

Fausto olhou-a com raiva e retrucou:

— O que estão fazendo?

— Ora essa, colhendo limões — apressou-se Rodolfo em dizer. — Marta vai nos preparar uma torta.

— Marta?

— Sim, Marta — concordou Júlia. — Viemos chamá-la para um piquenique, e Rodolfo sugeriu que ela fizesse uma torta de limão para você. Disse que é a sua preferida. Ainda é cedo, e há bastante tempo para assá-la.

— Por que não me chamaram?

Os olhos de Fausto soltavam chispas de fogo, mas Rodolfo fingiu não perceber. Tentando um tom amoroso e acolhedor, Júlia retrucou:

— Você estava dormindo, e não quisemos acordá-lo logo. Preferimos esperar que tudo estivesse pronto.

— Mas quanta gentileza de sua parte! Deixar-me dormir enquanto se diverte com meu irmão!

Júlia, percebendo o tom de ironia em sua voz, revidou magoada:

— Por que fala assim comigo? Não fiz nada.

— Fausto, meu irmão, o que é isso? De novo com esse ciúme? Não seja tolo.

Fausto já ia retrucar quando a voz de Marta se fez ouvir atrás deles.

— Então, como é? Esses limões vêm ou não? Assim não haverá tempo de assar a torta, e nos atrasaremos para pegar Sara.

Ela se aproximou e, vendo os limões caídos ao chão, começou a catá-los, quando Fausto declarou:

— Não se preocupem comigo, não quero torta alguma. E podem ir sem mim.

— Mas Fausto, sem você não tem graça nenhuma — protestou Júlia.

— Não é o que parece.

— Posso saber o que é que está acontecendo aqui? — interveio Marta.

Fausto encarou-a e respondeu entre dentes:

— Pergunte a seu noivo. Ele sabe melhor do que ninguém.

Sem esperar resposta, rodou nos calcanhares e saiu desabalado, sumindo entre as árvores. Marta, ainda sem entender, segurava os limões, perguntando indignada:

— Mas o que foi que deu nele?

— Nada, Marta, não houve nada — respondeu Rodolfo, com um sorriso triunfante nos lábios. — Creio que Fausto não sabe controlar seus impulsos.

— Ainda vamos fazer o piquenique?

— É claro que sim. Não foi o que combinamos? Passeios aos domingos? E depois, Sara nos aguarda, não é?

— E a torta de limão? Era para Fausto, mas se ele não quer ir...

— Ora, deixe a torta pra lá. Prepare apenas alguns sanduíches e vamos embora. Dário já deve estar à nossa procura...

— Perdão, Rodolfo, mas vão sem mim. De repente, perdi toda a vontade de ir.

— Ora, Júlia, o que é isso? Não vai deixar que o mau humor de Fausto estrague nossos planos, não é mesmo?

— Não é isso. É que perdi mesmo a vontade de ir. Sem Fausto, nenhum passeio, por melhor que seja, tem graça. Se ele não for, eu também não irei.

— Mas Júlia, nós já combinamos.

— Sinto, mas não vou. Vão vocês e divirtam-se.

— Sem você eu não vou — protestou Rodolfo, amuado.

Marta estacou. Ela o amava muito, e tudo com ele era divertido. Estar junto dele era tudo o que queria, e ela não podia entender por que ele precisava tanto da presença de Júlia.

— Por que não? — perguntou perplexa. — Por acaso minha companhia não lhe basta?

— Não é isso — respondeu confuso. — É que talvez Sara não se sinta à vontade sem a presença de Júlia.

— Isso é tolice — censurou Júlia. — Sara tem Dário. E você tem Marta...

— Júlia tem razão. Mas se não quiser ir, então está bem. Talvez eu não seja mesmo uma companhia tão interessante.

Marta estava profundamente sentida. Esperava que Rodolfo apreciasse sua companhia, mas de repente pôde perceber que ele, o tempo todo, ansiava por estar junto de Júlia. Como fora tola e ingênua! Estava claro que Rodolfo só a cortejava para disfarçar suas reais intenções. Era em Júlia que ele estava interessado, e Fausto já percebera isso. Apenas Júlia não percebia. Ou será que fingia não perceber?

Olhando para a amiga, Marta teve a certeza de que Júlia não estava interessada em Rodolfo. Só tinha olhos para Fausto, e Rodolfo nada significava para ela. Procurando disfarçar a dor que sentia naquele momento, com os lábios trêmulos, acrescentou:

— Bem, acho melhor deixarmos nosso piquenique para outro dia. Vou avisar Dário que hoje não iremos.

Com um meio sorriso, Júlia foi embora. Não tinha mais vontade de fazer nada. Se Fausto estava aborrecido com ela, ela iria esclarecer aquela situação de uma vez por todas. É claro que ele sentira ciúme de Rodolfo. Mas aquilo era uma tolice. Rodolfo era apenas seu amigo, e ela faria com que ele compreendesse isso de uma vez por todas. Amava-o e a mais ninguém, e provaria seu amor.

Quando Fausto deixou Júlia, partiu em desabalada carreira para a plantação. Não queria ver ninguém e pensou que ninguém se lembraria de procurá-lo no meio do cafezal, em pleno domingo. Quando Júlia chegou, procurando por ele, ninguém sabia onde estava. Ela ficou durante muito tempo esperando, mas nada. Fausto parecia haver desaparecido. Cansada de esperar, Júlia resolveu sair à sua procura. Mandou que lhe preparassem o cavalo e se foi.

Depois de cerca de uma hora de cavalgada, finalmente, resolveu procurá-lo na plantação. Era o único lugar em que ainda não tinha ido, e talvez ele se houvesse refugiado ali. Com efeito, na entrada do cafezal, Júlia avistou o cavalo de Fausto amarrado a uma árvore, mas nem sinal de seu amado. Disposta a encontrá-lo, Júlia apeou e começou a caminhar por entre os pés de café. Foi andando pelas trilhas que se formavam entre uma fileira de cafezal e outra, até que finalmente o viu. Ele estava sentado do outro lado da plantação, recostado à cerca que demarcava a área do plantio, joelho dobrado, cabeça afundada nas mãos. Estava tão quieto que parecia dormir. Júlia chegou mansamente, ajoelhou-se ao seu lado e, tocando-lhe gentilmente as mãos, declarou:

— Fausto, por que não acredita quando digo que o amo?

Ele ergueu a cabeça, assustado. Estava tão absorto em seus pensamentos que sequer escutara os passos de Júlia se aproximando. Vendo-a ali parada, olhos serenos, brilhantes, transparentes de amor, ele se comoveu. Não era possível que aquela mulher, cujo olhar cristalino derramava sobre ele fulgores de amor, estivesse mentindo. Não. Ela o amava. Tinha que amá-lo. Por que outra razão estaria ali, ajoelhada a seu lado, enfrentando seu próprio orgulho só para convencê-lo? Sentindo o coração descompassado, Fausto puxou-a para si e a beijou, e aquele era o beijo de uma mulher apaixonada. Depois, gentilmente afastando-a, acariciou suas faces, enxugou-lhe as lágrimas e disse com emoção:

— Júlia, minha querida, perdoe-me.

Ela o abraçou forte e desabafou, sentindo na voz um misto de medo e desespero:

— Por que, Fausto, por que duvida de mim?

— Não sei... não duvido de você. Mas é que quando a vejo com Rodolfo, não sei, o sangue me ferve, morro de ciúmes.

— Já não lhe disse que isso é bobagem?

— Será mesmo, Júlia?

— Não acredita em mim?

— Em você, sim, mas quanto a Rodolfo, tenho cá minhas dúvidas. Ele sempre arranja um jeito de se aproximar de você. É muito solícito, está sempre disponível a ajudá-la. E faz com que tudo pareça casual. Na verdade, não faz nada que possa, realmente, comprometê-lo, mas age de forma sorrateira, utilizando-se de palavras e gestos estudados, sempre dando a impressão de que é um amigo desinteressado, e eu é que sou o tolo ciumento, desconfiado do irmão que só quer ser gentil.

Júlia balançou a cabeça em sinal de compreensão e acrescentou:

— Sabe, Fausto, no começo eu até pensei que você pudesse ter razão. Mas depois, vendo o modo como Rodolfo me trata, percebi que está errado. Ele é muito solícito sim, e às vezes até um pouco artificial. Mas creio que é o jeito dele. É porque tem medo do que você possa pensar.

— Acha mesmo?

— Acho sim. Ele teve diversas oportunidades para me abordar, mas nunca o fez. Não nego que ele possa até sentir certa atração por mim, mas ele está se esforçando. Caso contrário, já teria tentado alguma coisa. Como disse, não lhe faltaram ocasiões.

— Não sei, Júlia. Não sei explicar, mas não confio nele.

— Pois confie em mim. Quantas vezes tenho de repetir que o amo?

Ela o beijou suavemente, e ele respondeu:

— Tem razão, Júlia. Sou mesmo um tolo.

— Um tolo apaixonado.

Ele suspirou e prosseguiu:

— Agora vamos voltar. Não quero que Rodolfo pense que estou zangado com ele ou que dou tanta importância ao que ele faz.

Ele se levantou, puxando-a pelas mãos e, antes que saíssem, ela disse:

— Espere um instante. Quero que me prometa uma coisa.

— O quê?

— Prometa-me que nunca mais vai desconfiar de mim.

— Eu prometo.

— E que também não brigará comigo, haja o que houver.

— Prometo.

— E, acima de tudo, prometa nunca mais duvidar de meu amor.

— Prometo.

Beijaram-se apaixonadamente e voltaram para a fazenda. Quando chegaram, Rodolfo os esperava ansiosamente. Eles desmontaram e seguiram em direção à casa grande de mãos dadas. Quando se aproximaram mais, Rodolfo, ocultando o despeito, interpelou-os:

— Vocês estão bem?

— Melhor impossível — respondeu Fausto. — Sabe, Rodolfo, quero que perdoe a minha atitude de hoje cedo. Foi tolice de minha parte. Não há motivo algum para sentir ciúmes de você.

— Sim... é isso mesmo...

— Sei que Júlia e você são apenas bons amigos, e agora percebo que não tenho com o que me preocupar. Ela jamais me trocaria por você ou por qualquer outro homem.

— Sem dúvida — rosnou entre dentes.

Fausto beijou Júlia suavemente nos lábios, e Rodolfo se afastou, fuzilando de ódio. Quanto mais os via juntos, mais sentia a necessidade de separá-los. Era preciso colocar logo seu plano em ação, ou ele sentia que estouraria.

Capítulo 19

Rodolfo deixou Fausto e Júlia às pressas e correu em direção à biblioteca, quase esbarrando em Túlio, que ia descendo as escadas.

— Túlio! — esbravejou. — Por que não olha por onde anda?

Túlio não respondeu e já ia seguindo avante, quando Rodolfo o deteve, entrando com ele na biblioteca.

— O que quer? — indagou Túlio de má vontade.

— Falar com você.

— Não tenho mais nada para falar com você. Já não chega o quanto me atormenta?

— Quero que saiba que já descobri o segredinho de seus amigos — ele não disse nada, e Rodolfo prosseguiu: — Zylberberg, hein? Ezequiel Zylberberg.

Túlio empalideceu e lançou-lhe um olhar frio, perguntando a meia-voz:

— O que tem isso de mais?

— Ora, não teria nada de mais se não fossem judeus.

— E daí? São apenas pessoas, como todo mundo. E depois, não devia falar assim. Não ficou amigo deles?

— Isso não vem ao caso. Mas é uma pena que minha mãe não pense como você, não é mesmo?

— Acho que está valorizando demais a informação que possui. Não creio que vovó fosse se ocupar de coisas tão pequenas.

— Acha mesmo que são pequenas? Pois deixe que o esclareça. Não são. Talvez até fossem para qualquer outra pessoa, mas não para minha mãe. Ela não gosta de negros, nem de protestantes, nem de judeus. Não gosta de ninguém que não idolatre Jesus pendurado na cruz. Aliás, para ela, os judeus são os únicos responsáveis pela morte de Jesus, e ela não lhes perdoa a imolação do Cordeiro.

— Tudo isso são tolices.

— Tolices que podem levar à expulsão de seus amigos daqui.

Túlio não estava gostando nada daquela conversa. Não sabia aonde o tio queria chegar, mas sabia que ele deveria estar planejando alguma coisa sórdida e cruel. Tentando não demonstrar nenhum receio, procurou sondar:

— Por que está me falando tudo isso?

— Porque preciso de sua ajuda. Se quiser salvar seus amiguinhos, terá que me ajudar.

— O que o faz pensar que eu o ajudaria? Os Zylberberg são amigos de minha mãe, não meus. Pouco me importa o que acontecerá a eles.

— Não creio que você seja tão indiferente quanto quer parecer. Sei que gosta de sua mãe e de Júlia, e não gostaria de vê-las sofrer. Isso sem falar na tola paixão de seu irmão por aquela moça enfermiça. E agora, saia da minha frente. Se não quer me ajudar, não me atrapalhe. Mas depois, não diga que não avisei.

Ele já ia empurrando o sobrinho para fora da biblioteca, mas Túlio o impediu:

— Espere! O que quer que eu faça?

Rodolfo voltou-se para ele e dirigiu-lhe um sorriso diabólico, murmurando entre dentes:

— Agora estamos começando a nos entender. O que quero de você é muito simples. Quero que me ajude a separar Júlia de Fausto.

— Está louco. Não posso fazer isso.

— Ah! Pode sim.

— Não posso, não. E depois, não tenho a menor influência sobre eles.

— Mas não se trata disso. Pretendo usar outros artifícios.

— Que artifícios?

Rodolfo chegou mais para perto dele e, abaixando a voz, sussurrou:

— Etelvina.

— Etelvina? Por acaso está louco, é? O que tio Fausto e tia Júlia têm a ver com isso?

— Muita coisa. Imagine se Júlia descobre o que Fausto fez com a negrinha.

— Mas ele não fez nada.

— Só que ninguém precisa saber disso.

— Não entendo aonde quer chegar. Não estava disposto a incriminar Trajano?

— É que mudei de ideia, sabe? Resolvi que não me convém que Trajano tenha matado Etelvina. Para mim, melhor seria que o assassino fosse outro. Acho que Fausto seria excelente!

— Você enlouqueceu de vez. Não vê que isso é sandice? Que não dará certo? Ninguém acreditaria.

— Caberá a você convencer a todos.

— Quer me dizer como farei isso?

— Contando-lhes a história, praticamente como aconteceu. Apenas troque alguns personagens. Diga que, em vez de estar comigo, você estava com Fausto, e que foi ele quem violentou e matou a escrava.

— Mas como? E eu? Devo assinar minha confissão de culpa?

— Não seja tolo. Diga que Fausto mandou que você levasse Trajano à beira do riacho para conversarem, fazerem as pazes, e que lá encontraram Etelvina. Você, impressionado com a fatalidade que ocorreu no passado, desistiu da negrinha, mas seu tio Fausto, movido pelo desejo, tratou de violentá-la e depois, arrependido, para esconder o que fizera, resolveu matá-la, para não perder Júlia.

— Ninguém vai acreditar. Tio Fausto não costuma se deitar com as negras.

— Ah, mas isso foi antes de Júlia. Sua tia é muito casta, sabe? E não permite que Fausto a toque antes do casamento. Por isso, ele precisava aliviar o desejo que sentia por ela com outra pessoa. E só podia ser uma escrava.

— Você é completamente louco. Essa mentira não funcionará.

— Além do mais, há testemunhas...

— Testemunhas? Quem?

— Trajano. Chame o negro e faça com que confirme a história de que você o levou lá só para conversarem, e que ele viu Fausto matar a negra, sem que nada pudesse fazer.

— Trajano nunca fará isso.

— Fará se você o ameaçar. Diga-lhe que, se ele cooperar, salvará a pele do tronco. Caso contrário, darei um jeito para que ele seja acusado e açoitado até a morte.

— Tio Rodolfo, essa é a maior insanidade que já ouvi. Não daria certo. Tio Fausto se defenderia. Ninguém acreditaria, e você é quem ficará desacreditado e vencido.

— Não diga isso. Se eu cair, levo-o comigo.

Rodolfo, furioso, virou-lhe as costas e saiu da biblioteca, deixando Túlio entregue a seus próprios pensamentos. Estava claro que o tio enlouquecera. Aquela ideia, além de absurda, era totalmente inverossímil. Ninguém em sã consciência acreditaria naquela versão. Contudo, Túlio tinha que concordar que o testemunho de Trajano em muito influenciaria naquela infâmia. A mãe e a tia tinham total confiança no negro, e se ele confirmasse aquela versão da história, as duas não duvidariam, e todas as evidências apontariam mesmo para Fausto.

Túlio estava com medo. Se concordasse em levar aquele plano adiante, poderia ser responsável pela infelicidade de Júlia e de Fausto. Do contrário, se recusasse, talvez o mundo inteiro ruísse sobre sua cabeça, e ele fosse obrigado a conviver com o repúdio e a indiferença da família. Quanto mais pensava, mais Túlio sentia que deveria fazer alguma coisa para evitar uma tragédia. Sentia como se a solução daquele caso estivesse em suas mãos. Precisava deter Rodolfo, mas, o que faria? Em seu íntimo, sabia que só precisava ter coragem. Errara, sim, e muito. Mas não havia mais como apagar seu erro, e viver para o resto da vida carregando aquela culpa parecia um fardo pesado demais para suportar. Túlio sentia que chegava a uma encruzilhada em sua vida. Precisava decidir-se: ou falava a verdade e suportava o peso das consequências de seus atos, ou mentia e tentava resguardar sua imagem, já tão comprometida por um erro do passado. Pensando em tudo isso, tomou sua decisão. Salvar-se-ia.

Rodolfo, por sua vez, parecia fora de si. Pretendia não apenas acabar com a felicidade do irmão, mas também desmoralizá-lo e aniquilá-lo. O plano de Constância, por si só, já seria suficiente para acabar com ele. Mas Rodolfo queria mais. Queria destruí-lo totalmente. A história de Etelvina faria com que Júlia, Camila e Dário vissem nele um monstro, e ele teria sua imagem comprometida por aquele incidente. E ainda havia os Zylberberg. Fausto sabia, desde o princípio, que eles eram judeus e, ainda assim, arrendara-lhes a fazenda, ocultando da mãe a verdade sobre sua origem. Mas logo que ela descobrisse que Fausto silenciara só para agradar Júlia, voltar-se-ia contra ele também. Aí sua vingança estaria completa. Além de infeliz, desmoralizado e repudiado por todos, Fausto passaria por verdadeiro cafajeste, mentiroso e ardiloso, que enganara Júlia, a mãe e o resto da família só para conseguir seus objetivos. O que mais poderia desejar?

Já se passara muito tempo desde o fatídico episódio que culminara com a morte de Etelvina e, desde esse dia, Trajano nunca mais fora visto na fazenda São Jerônimo. Palmira, do alto de sua soberba, não esquecia que o escravo se atrevera a encostar a mão em seu neto e nunca mais permitiu que ele se aproximasse da fazenda. Se Camila queria protegê-lo, que o fizesse longe dali. Trajano até que estava feliz na fazenda Ouro Velho. Não havia outros escravos vivendo ali, à exceção de Laurinda e Juarez, e ele não precisava ficar trancado na senzala. Ajudava nos serviços domésticos, fazia compras, cortava lenha. E à noite, quando todos iam dormir, recolhia-se ao quarto contíguo ao de Juarez e Laurinda e, muitas vezes, chorava sozinho a perda da doce Etelvina, a quem poderia ter amado e tomado por esposa.

Em seu íntimo, contudo, lamentava a separação de seus senhores. Gostava de Camila, de Júlia e dos meninos. Apesar de vê-los constantemente, pois que sempre apareciam em visita a Sara, era diferente. Era obrigado a viver separado deles, e era como se tivesse sido arrancado do seio de sua família. Ainda sentia imensa mágoa de Túlio. Sempre fora seu amigo, encobrira suas peraltices da infância, justificara suas loucuras de juventude. E tudo isso para quê? Para terminar rejeitado pelo rapaz, odiado como se fosse seu inimigo. Apesar de tudo, Trajano continuava a gostar de Túlio. Sabia que o moço não era propriamente mau, e muito lhe doía perceber que enveredara por um caminho de perdição.

Naquele dia, em especial, Trajano não conseguia parar de pensar em Túlio. Chegara a sonhar com ele, e em seu sonho, o rapaz lhe pedia perdão e ajuda. Ele não compreendia aquele sonho, mas temia que alguma coisa estivesse errada com o sinhozinho. Desde aquela manhã não conseguia tirar Túlio da cabeça, e qual não fora seu espanto ao encontrá-lo na fazenda, sentado na sala de visitas, em companhia de Ezequiel e Rebeca. Quando o viu, Trajano não pôde conter a surpresa. Laurinda fora chamá-lo, dizendo que havia visita para ele, mas ele jamais poderia supor que fosse Túlio. Ao entrar na sala, passado o susto do primeiro momento, abaixou os olhos e indagou humilde:

— A sinhá mandou me chamar?

— Mandei sim — respondeu Rebeca. — Túlio veio visitar Sara e pediu para falar com você também.

Trajano levantou os olhos para ele, esperando encontrar algum tipo de ressentimento em seu olhar. Em vez disso, só o que pôde perceber foi a dor e a frustração, e isso o condoeu.

— Como vai, Trajano? — indagou Túlio, levantando-se e aproximando-se dele.

— Muito bem, sinhozinho, obrigado.

— Túlio quer lhe falar — adiantou-se Ezequiel.

— Será que podemos sair?

— Como o sinhô quiser.

Túlio pediu licença e saiu com Trajano para o quintal. Estava emocionado, e só então percebera o quanto sentira sua falta. Afinal, estava acostumado à presença do negro. Tinha-o como amigo e protetor, e muito lamentava tudo o que o fizera passar. Vendo que Trajano seguia mudo a seu lado, Túlio, escolhendo bem as palavras, principiou:

— Há muito queria falar-lhe.

O escravo pousou sobre ele os olhos negros, nos quais refletia a angústia da dúvida, do medo e da desconfiança, e retrucou:

— Por quê?

— Porque... porque desejava pedir-lhe... perdão.

Trajano deu um salto para trás e disse, indignado:

— Mas o que é isso, sinhozinho? Quer me enganar de novo, é?

— Não, Trajano, não é nada disso. Queria falar-lhe. Estou arrependido do que fiz.

— O sinhô vai me desculpar, mas não acredito, não.

— Por favor, Trajano, acredite, é a verdade.

— O sinhozinho está tramando alguma coisa?

— Mas que horror! Não estou não.

— Então por que veio?

— Já disse. Queria falar-lhe. Estou arrependido. A culpa vem me corroendo por dentro. Não sei mais o que fazer.

O outro ainda o olhava em dúvida.

— Hum... não sei, não. Acho que o sinhozinho está querendo alguma coisa. Mas o quê? Já não basta o que fez com a pobre Etelvina? Comigo, não reclamo. Mas Etelvina... o que foi que ela lhe fez? Sinceramente, sinhô, ela não merecia...

Túlio desatou a chorar, atirando-se nos braços de Trajano, que ficou confuso, sem ter o que fazer. Estava sem jeito, sem saber o que pensar, e quanto mais tentava afastar-se do rapaz, mais Túlio se apegava a ele, chorando copiosamente. Até que Trajano, não podendo mais suportar aquela cena, acabou por convencer-se da sinceridade daquelas lágrimas e perguntou, condoído:

— Mas o que houve? Por que chora assim?

— Oh! Trajano, então não percebe? A culpa me consome dia a dia. Sinto-me responsável pela morte de Etelvina. Não queria. Foi um acidente.

— O sinhozinho vai me desculpar outra vez, mas acidente não foi, não. Sinhô Rodolfo matou a pobre da Etelvina muito bem matado. Eu vi. Ninguém me contou.

— Eu sei, eu sei. Mas eu não queria. Juro que não queria. E agora... tenho medo.

— Medo de quê?

— Medo do que possa acontecer. De ser descoberto.

— Não sei do que tem medo. Seu tio nunca falará nada, e eu... bem, o sinhozinho soube calar a minha boca direitinho.

— Não, Trajano, você não está entendendo.

— Não estou mesmo.

— Guarda raiva de mim?

Trajano hesitou.

— Raiva, não. Acho que fiquei magoado. Pensei que fosse meu amigo, que me quisesse bem como eu quero bem ao sinhozinho. Foi muito triste descobrir que sou apenas um monte de lixo.

— Não diga isso, Trajano. Você é uma pessoa muito especial.

— Hum... sei. Especial para quê?

— Especial. Só especial.

— Escute, sinhô Túlio, não acredito que veio até aqui só para me dizer essas coisas meio sem pé nem cabeça. Não estou entendendo aonde quer chegar.

Túlio suspirou e virou a cabeça para o outro lado, fitando o horizonte. Era preciso acabar logo com aquilo. Fora até ali com uma missão e precisava desincumbir-se dela o mais rápido possível. Quanto mais demorasse, mais difícil se tornaria. Passados alguns instantes, Túlio encheu-se de coragem e, olhos nos olhos, declarou:

— Pois bem, Trajano, vou lhe dizer a que vim. Tio Rodolfo está desesperado. Quer, a todo custo, separar minha tia Júlia de meu tio Fausto.

— Por quê?

— Creio que esteja apaixonado por ela.

— Sinceramente, sinhozinho, sinhô Rodolfo não merece sinhazinha Júlia, não.

— Eu sei. Mas ele insiste, e o fato é que esboçou um plano para desacreditar tio Fausto, não só diante dela, mas de toda a família. E para isso conta com a sua... colaboração.

— Minha colaboração? Não estou entendendo.

— Deixe que lhe explique.

Em poucas palavras, Túlio narrou a Trajano o plano traçado por Rodolfo. O escravo, à medida que o outro falava, ia ficando cada vez mais horrorizado. Não imaginava que podia haver tanta maldade no coração do ser humano. Quando Túlio terminou, Trajano estava arrasado. Aquilo era demais para ele. Fora obrigado a silenciar sobre o assassinato de Etelvina. Mas ter que mentir para incriminar um inocente? Ele cobriu o rosto e chorou, e Túlio pousou as mãos sobre seus ombros e disse, tentando parecer confiante:

— Não se preocupe. Tenho certeza de que tudo dará certo.

Caía uma chuva fininha, e Marta apressou o passo, encolhendo-se dentro da capa para não se molhar muito. O caminho cheio de lama dificultava-lhe a caminhada, mas ela ia resoluta. Precisava falar com Rodolfo e não podia mais esperar. Encontrou-o na biblioteca, aprontando a contabilidade, pediu licença e entrou. Ao vê-la, ele demonstrou uma certa contrariedade. Sem lhe dar chance de falar, disse rispidamente:

— O que quer aqui, Marta? Não vê que estou ocupado?

— Preciso falar com você.

— Agora não.

— Mas não posso esperar.

— Seja o que for que tenha a me dizer, vai ter que esperar, sim. Agora, por favor, saia. Está me atrapalhando.

— O que há com você, Rodolfo? Por que me trata assim? Por acaso não me ama mais?

— Ouça, Marta, não estou com vontade de escutar suas lamúrias.

— Lamúrias? Mas quando foi que me lamuriei com você? Ao contrário, sou sempre amável, gentil... desvelo-me para agradá-lo.

— Pare com isso, por favor. Não estou com paciência para choramingos.

— Mas o que há com você? Há pouco dizia que me amava.

— Pare, já disse! Vá-se embora daqui. Não me aborreça mais!

Marta começou a chorar e, atirando-se a seus pés, suplicou:

— Não me trate assim. Eu o amo.

— Não me interessa o seu amor.

— O que houve para você mudar tão de repente? Era tão carinhoso...

— Marta, já estou farto dessa ladainha. Saia daqui, ou serei obrigado a expulsá-la.

— Pensa que não sei?

— Não sabe o quê?

— Pensa que não sei que você me usou esse tempo todo, só para se aproximar de Júlia?

— Está louca — respondeu num sussurro.

— Será que estou mesmo? Ou será que foi você quem perdeu a cabeça por causa da noiva de seu irmão?

— Cale-se!

— Não, não vou me calar. Eu já percebi tudo. Você me usou. Nunca me amou. Só tem olhos para Júlia. Mas não adianta. Ela não o ama, e sim a Fausto. E por mais que você faça, nunca conseguirá ser igual a ele.

Rodolfo, sentindo já o sangue subindo às faces, não se conteve e esbofeteou Marta várias vezes, arrancando-lhe sentidas lágrimas de dor e de humilhação.

— Ordinária! — vociferou. — Quem pensa que é para falar comigo desse jeito?

— Eu o amo, Rodolfo. Quero ser sua mulher. Não importa o que faça, amo-o ainda assim. Meu amor é puro e verdadeiro. Só aqueles que conhecem a real acepção do amor são capazes de compreender e aceitar o ser amado como ele é. E eu, Rodolfo, por amá-lo demais, posso compreender e perdoar todas as suas atitudes impensadas e inconsequentes.

Vendo-a ali caída no chão, chorando, o rosto inchado das bofetadas, Rodolfo retrocedeu. Ele não queria que ninguém soubesse daquela cena. Aquilo só atrapalharia seus planos. Era preciso fazer com que Marta se calasse.

— Ouça, Marta, não quero brigar com você. Perdoe-me por ter-lhe batido. Perdi a cabeça, você me provocou.

— Sinto muito, mas eu só disse a verdade.

— Não, Marta, está enganada. Não sinto nada por Júlia. É de você que gosto.

— A quem quer enganar? A mim? Ou a você mesmo?

— Não quero enganar ninguém. Estou dizendo a verdade. Um dia, pensei mesmo que amasse Júlia. Mas depois percebi que tudo não passou de ilusão. E quando a conheci, apaixonei-me por você.

— Suas atitudes não são as de um homem apaixonado.

— Uma coisa nada ter a ver com outra. Sou um homem estouvado, tenho o sangue quente. Não consigo me conter quando me provocam. E você me tirou do sério. Mas não queria bater em você e estou arrependido. Juro que isso não vai mais acontecer.

— Isso não me importa.

— Mas importa para mim. Não quero que pense que sou um canalha.

— Por quê? Por haver me batido ou por desejar a futura mulher de seu irmão?

Rodolfo mordeu os lábios, segurando a raiva dentro de si. Tinha vontade de esganá-la, mas precisava se controlar.

— Por favor, Marta, pare com isso — retrucou, rangendo os dentes.

— Vou parar sim, Rodolfo, mas não porque está me pedindo. Vou parar porque já confirmei minhas suspeitas. No entanto, não se preocupe. Não pretendo dizer nada a ninguém.

— O que quer dizer?

— Quero dizer que eu o amo, não importa o que faça. E mais dia menos dia, você mesmo vai perceber que seu sentimento por Júlia é um erro. Ela não o ama e não é mulher para você. Dia chegará em que você só terá a mim para apoiá-lo.

Marta saiu e Rodolfo ficou pensativo. A tola! Pensava que ele estava apaixonado por Júlia. No fundo, sabia que gostava mesmo de Marta, mas o sabor da vingança era mais doce no corpo de Júlia. Embora Rodolfo nem soubesse bem do que pretendia se vingar...

Capítulo 20

Sara conversava com frei Ângelo no jardim. Apesar de mais animada com os frequentes passeios e a conversa com os amigos, naquele dia estava muito abatida. Quase não comera, e o peito doía a cada vez que respirava.

— E então, Sara? — indagou o frei. — Não quer me contar o que houve?

Ela olhou para ele desanimada. Estava cansada e sem muita vontade de conversar.

— Não sei — respondeu ela, afinal, sem muita convicção. — Não sei ao certo.

— Você hoje não está muito bem.

— Não sinto vontade de conversar.

— Não quer nem tentar? Por que não continua a me contar seus sonhos?

— Meus sonhos?

— Sim. No outro dia, você me disse que tinha sonhos muito estranhos e até me contou um deles, que achei muito interessante. Não quer me contar outro?

— Acha mesmo necessário? Não estou com muito ânimo para isso agora.

— Acho que, além de necessário, será muito útil. Mas, se você não quiser, se não estiver disposta, não faz mal. Podemos deixar para outro dia.

Ela suspirou e retrucou:

— Está bem. Se acha que é importante — fez uma pausa, tentando lembrar-se de algo, e começou: — Bem, teve uma vez que sonhei com minha mãe chorando muito. Estava toda de preto, debruçada sobre um caixão. Dentro, um homem jazia. Era seu marido e meu pai.

— Na vida atual?

— Não, apenas no sonho.

— Sabe quem era hoje?

— Não, não sei. Acho que não o conheço.

— Bem, não importa. E você?

— Em meu sonho, eu era ainda um bebê. Não devia ter mais do que um ano, um ano e meio.

— E o que aconteceu?

— Como disse, minha mãe chorava muito. Eu estava no colo de Marta, sem entender bem o que se passava. Era um enterro, e havia muitas pessoas conhecidas.

— E depois?

— Não me lembro direito. Só o que sei é que minha mãe só pensava no marido morto. Lembro-me de seu olhar para mim. Um olhar de ódio, de mágoa, como a perguntar: "por que ele, e não você?"

— Só isso?

— Sim.

— Hum... interessante. Esse sonho só vem reforçar a minha teoria.

— Que teoria?

— De que você começou a se sentir abandonada em outra vida e trouxe para a atual esse sentimento.

— Será mesmo? — ela ainda duvidava.

— Estou quase certo.

Sara ficou pensativa. Aquilo tudo era muito confuso, mas fazia sentido. No entanto, não tinha elementos suficientes para acreditar completamente.

— Bem — prosseguiu ela —, seja como for, o fato é que o sonho me pareceu bem real.

— E foi, com certeza. Na verdade, não foi propriamente um sonho, mas uma evocação, uma lembrança de outra vida.

— Não sei, frei Ângelo, ainda não acredito muito nisso.

— Mas vai acreditar. — Ele fez uma pausa e continuou: — Não se lembra de mais nada? Outro sonho?

— Sim. Houve uma vez em que sonhei novamente com mamãe e Marta. E adivinhe! — frei Ângelo remexeu-se na cadeira, e ela prosseguiu: — Elas eram irmãs.

— É mesmo?

— Sim. Nesse sonho, Marta vinha me visitar e trazia muitos presentes. Pegava-me no colo, dava-me beijos, estreitava-me de encontro ao peito. Eu a adorava e costumava inclusive chamá-la de mãe.

— Interessante...

— Sim. E depois teve outro, em que eu via o segundo casamento de minha mãe, dessa vez com meu pai de verdade. Lembro-me de ouvi-lo falar para minha mãe que gostava muito de crianças e que gostaria que ela lhe desse filhos. Como minha mãe não conseguia engravidar, ele queria que eu gostasse dele como pai, e disse que minha mãe deveria tratar-me com mais atenção. Depois a cena se modificou, e vi mamãe brigando com Marta, acusando-a de querer me roubar, e Marta foi proibida de me ver. Fui trancada em casa e chorei muito.

— E depois?

— Não sei. Tenho lembranças confusas.

— Agora compreendo por que sua mãe não simpatizou com Marta.

— É verdade. E segundo Júlia me disse, na primeira vez em que ela aqui esteve, eu estava delirando, mas de repente abri os olhos e, quando a vi, chamei-a justamente de mamãe. Minha mãe ficou indignada. Pensou que fosse devido ao meu estado.

— Imagino.

— Em outro sonho, eu estava sentada na sala, brincando de bonecas, e o marido de minha mãe falava comigo. Ela, sentada numa poltrona, bordava uma toalha de linho e sorria para mim. De repente, meu pai se levantou e saiu, atendendo ao chamado de um criado. Eu me voltei para minha mãe, mostrando-lhe a boneca, mas ela não me deu a menor importância. Ao contrário, repreendeu-me por atrapalhar seu bordado.

Frei Ângelo ficou pensativo. As coisas começavam a se encaixar, e ele disse para Sara:

— Isso que você me conta é muito revelador.

— Acha mesmo?

— É claro que sim. Não tenho mais dúvidas de que essa sua enfermidade começou em outra vida. Você perdeu o pai ainda bebê. Sua mãe não lhe dava atenção, obrigou-a a conviver com um homem que era praticamente um estranho e, além disso, afastou-a da única pessoa a quem você realmente amava, a sua tia, hoje Marta. Não vê como tudo se encaixa?

— Não será apenas coincidência?

— Acredita mesmo em coincidências? Não acha que é *coincidência* demais você sonhar com essas pessoas, nas situações em que me descreveu, exatamente em circunstâncias que justifiquem o porquê de sua enfermidade?

— Pensando bem, é estranho, sim. Não creio, realmente, que tudo seja obra do acaso.

— Tampouco eu, minha cara. Há, por detrás dessa história, uma força em muito superior a nós, que entrelaça os destinos de forma a que tudo se encaixe perfeitamente, sem deixar uma peça sequer fora do lugar.

— É verdade.

— Está cansada? Aborrecida?

— Não, frei Ângelo, estou bem e gostaria de continuar.

— Ótimo.

Ela olhou para o alto, tentando se lembrar de mais alguma coisa, e prosseguiu:

— Lembro-me de haver sonhado com crianças brincando no jardim ao lado de minha casa. Elas me chamavam, e eu as olhava com olhar entristecido, recusando-me a brincar com elas.

— Foi se fechando.

— Sim. Fui me fechando e me isolando cada vez mais, e passei a me alimentar mal. Até que um dia...

Sara abaixou os olhos e começou a chorar de mansinho. Era óbvio que as lembranças que evocava eram profundamente dolorosas. Embora frei Ângelo percebesse isso, sabia que aquilo era fundamental para o tratamento e a incentivou a continuar:

— Um dia...

— Um dia sonhei que corria na chuva, contra o vento. Depois, vi-me deitada numa cama imensa, ardendo em febre. Vi minha mãe entrar com o médico. Ele se abaixou sobre mim e disse: pneumonia. Em pouco tempo fui definhando, até que não pude mais resistir e morri ainda bem pequenina.

Ela ainda chorava, e frei Ângelo a abraçou. Podia imaginar como Sara estava se sentindo com tudo aquilo. Seus sonhos eram muito significativos, e ele estava certo de que os fatos ocorridos em sua vida passada acabaram por imprimir na menina o mal de que antes padecera e de que ainda hoje sofria. A conversa foi encerrada. Não precisava dizer mais nada. Todos os sonhos que tivera posteriormente estavam relacionados ao mesmo assunto: o sentimento de abandono por causa da mãe, que não a desejava, e porque Marta, a única pessoa que realmente se importava com ela, fora afastada de seu convívio. Sara conseguira alcançar o âmago de sua própria alma e só com o tempo poderia aprender a transformar a dor que sentia em lição de vida para o presente e o futuro.

Sara despediu-se de frei Ângelo e foi ao encontro de Dário, que chegava. O rapaz enlaçou-a pela cintura, beijando-a suavemente, e disse:

— Vim fazer-lhe um convite especial.

— Para quê?

— Vamos todos à vila hoje à tarde. Não gostaria de vir conosco?

Sara entristeceu e replicou:

— Eu adoraria, mas não sinto forças para sair. Uma coisa é passear com você, Júlia, Marta, Fausto e Rodolfo. Outra coisa é estar no meio de gente estranha. Isso me assusta.

Frei Ângelo, que passava nesse exato momento, ouvindo as últimas palavras de Sara, repreendeu-a:

— Sara, Sara. Quando é que vai aprender?

— Aprender o quê?

— Quantas vezes tenho que lhe dizer para não fugir do contato com as pessoas? É importante para você sair, misturar-se a elas, divertir-se.

— Era o que eu ia dizer-lhe, frei Ângelo — concordou Dário.

— Pois então, minha querida? Não perca essa oportunidade. Você tem feito excelentes progressos, em grande parte graças a seu próprio esforço. Por que recuar agora?

— É isso mesmo, Sara. Nosso bom frei tem razão, como sempre. Vamos, não se enterre dentro de casa. Você não morreu. Ou será que já se julga morta?

Sara mordeu os lábios e acabou por concordar:

— Está bem. Convenceram-me.

— Ótimo. Assim é que se fala! Vá e se entregue. Não pense em nada e viva o momento. Faça de todos os momentos de sua vida um momento especial e você descobrirá como a vida pode ser maravilhosa!

Mais tarde, Sara partiu em companhia de Dário para a vila. Encontrariam Fausto, Júlia, Rodolfo e Marta. Havia uma companhia de teatro amador na vila, e os atores encenariam *Hamlet* no pequeno teatro da escola dominical. Sara divertiu-se muito. Quando voltou para casa já era noite, e os pais estavam preocupados. Já iam repreendê-la, mas, ao notarem o ar de felicidade com que chegou, desistiram. Se ela estava feliz, não seriam eles a estragar sua felicidade. Porque a felicidade para Sara era mais do que um estado de alegria transitória. Era o caminho para a cura.

Capítulo 21

Na véspera do aniversário de Palmira o alvoroço já era geral na fazenda São Jerônimo. A capela finalmente seria inaugurada, e Palmira queria que tudo estivesse perfeito. Desde cedo já se haviam iniciado os preparativos para a festa, e os escravos foram para a frente da capela, enfeitando o terreiro com bandeirolas e lanterninhas. Todos os fazendeiros da região haviam sido convidados, e Rodolfo, logo pela manhã, tivera uma ideia que colocaria Júlia em pânico. Ele bateu na porta do quarto da mãe e entrou. Ela estava sentada em frente ao espelho, e uma escrava bem novinha escovava-lhe os cabelos encanecidos. Quando viu o filho, abriu um sorriso, e ele disse, logo após beijá-la nas faces:

— Então, mamãe, amanhã é o grande dia!

— Parece mentira que a capela ficou pronta.

— E a senhora fará mais um ano de vida...

— Na minha idade, meu filho, contamos anos a menos.

— Ora, mas o que é isso? A senhora é ainda muito jovem.

— Deixe de bobagens, Rodolfo. Então não sei que já estou bem próximo da morte?

— Não diga isso. A senhora ainda viverá muitos anos.

— Deus o ouça, meu filho, embora não creia muito...

Rodolfo foi até a janela, olhou para fora e disse, sem encará-la:

— Mamãe, gostaria de falar com a senhora.

— Sim, meu filho, o que é?

— Estive pensando... já que convidamos todos os fazendeiros da região, por que não convidarmos também nossos inquilinos da Ouro Velho?

Palmira levantou as sobrancelhas e retrucou, sem maior interesse:

— Por quê? Nem os conhecemos.

— Por isso mesmo. Arrendamos a fazenda para eles, mas nunca fomos apresentados. Não acha uma indelicadeza?

— Não, não acho. O que temos com eles são negócios. Não são pessoas de nossas relações.

— Mas por que não podemos convidá-los? Poderia ser interessante. E depois, eles são amigos de Camila.

— De Camila?

— Sim, mamãe. A senhora não sabia?

Palmira pensou durante alguns segundos e respondeu:

— Não me recordo.

— Pois Fausto lhe disse. A senhora é que não se lembra.

— Se não me lembro é porque não deve ser importante. Pois se nem Camila fala neles...

— Pois é. Não acha isso estranho?

Ela torceu os lábios. Sim, no fundo, era estranho. Nunca pensara sobre aquilo, mas já que Rodolfo falara, tinha que concordar que ele não deixava de ter razão. Se aquelas pessoas eram amigas de sua filha, por que ela nunca falava nelas? Por que nunca os convidara para ir até lá? Seria natural que se interessasse em aproximá-los. Pensando nisso, indagou:

— Será que não são gente direita?

— Não creio. Afinal, são amigos de Camila, e ela não faria amizade com pessoas desonestas ou de má índole.

— Mas então, por que nunca nos apresentou?

— Para falar a verdade, já vi a moça algumas vezes e até já a acompanhei em alguns passeios.

— Então, já os conhece?

— Não, somente Sara, a filha. Já participei de alguns passeios em que ela estava presente, mas ainda não fui apresentado a seus pais. Seria uma ótima oportunidade para conhecê-los também.

— Acha que devemos?

— Sim, mamãe, acho que sim. Afinal, Camila falou deles muito por alto, e eu, até hoje, só vi a filha doente.

— Doente? Que doença tem ela?

— Não sei ao certo, mamãe. Mas Camila nos contou. Não se lembra?

Palmira apertou os olhos, tentando se lembrar. Sim, realmente, Camila falara algo sobre uma família com uma filha enferma, que para ali fora em busca de melhores ares. Lembrava-se de que, a princípio, relutara em arrendar-lhes a fazenda, mas Fausto acabara por convencê-la e resolvera tudo, e ela não dera muita importância ao caso. Ela já estava ficando velha e cansada, e sua memória também já não era mais a mesma. Costumava lembrar-se apenas do que era importante. Tentando recordar o que lhe dissera a filha, respondeu indecisa:

— Lembro-me de que Camila disse algo sobre eles...

— Então? Por que não os convidamos também?

— Não sei, meu filho, não estou bem certa. Se a moça é doente, talvez seja melhor deixá-los quietos em seu canto.

— Mas que bobagem, mamãe. Talvez até lhe faça bem. Afinal, são pessoas de posses e posição.

— Meu filho, não entendo o porquê desse interesse repentino.

— Já disse. Porque são pessoas diferentes e devem ser interessantes.

— Mas virá tanta gente...

— Gente que estamos mais do que acostumados a ver.

— E daí? São todas pessoas de bem.

— Mamãe, posso saber por que a relutância em convidá-los?

Ela estacou e encarou o filho. Na verdade, ele tinha razão. Ela estava mesmo relutando em convidar seus vizinhos, mas nem sabia por quê. Nunca ouvira nada a seu respeito, mas sentiu certa inquietação ao pensar neles. Contudo, não havia nenhum motivo para recusar-se a convidá-los. Não os conhecia, mas sabia que eram pessoas ricas e direitas. Que mal faria? Pesando bem os motivos, acabou por dizer:

— Está bem. Você tem razão. Não há motivo algum para não convidá-los. Mande um escravo hoje levar-lhes um convite.

— Obrigado, mamãe.

Rodolfo estalou-lhe um beijo na bochecha e correu em direção à porta. A mãe, de repente, como que se lembrando do motivo que a levara a não se interessar por aquela gente, gritou lá de dentro do quarto, tão alto que Rodolfo escutou-a já do alto da escada:

— Mas que não me tragam aquele negro insolente!

Partindo dali, Rodolfo saiu em busca de Túlio. O rapaz estava no terreiro, acompanhando a decoração da festa, e franziu o cenho quando viu o tio se aproximar. A seu lado, Camila, Júlia e Marta, animadas, davam ordens aos escravos, indicando-lhes onde deveriam prender as lanternas e as bandeirinhas. Ao ver o irmão se aproximar, Camila se retraiu e olhou para o filho, que lhe devolveu um olhar imperceptível, afastando-se logo em seguida. Rodolfo foi atrás dele e, segurando-o pelo braço, disse:

— Aonde pensa que vai?

— Solte-me — respondeu Túlio de má vontade, puxando o braço com violência.

— Espere um instante, rapaz. Quero falar com você.

— O que quer dessa vez?

— Adivinhe.

— Olhe, tio Rodolfo, não estou nem um pouco interessado em seus gracejos. Vá logo ao assunto ou então me deixe em paz.

— Nossa, mas que mau humor!

— Não sei por que você está tão bem-humorado.

— Não sabe? Pois vou lhe contar — respondeu cantando. — Mamãe deu autorização para convidar seus amiguinhos, os Zylberberg, para a festa de amanhã. Não é fantástico?

Túlio gelou. O que o tio pretendia com aquilo?

— Ficou louco? — revidou em tom agressivo. — O que quer? Arruinar minha mãe e minha tia? Por que não procura algo melhor para fazer e nos deixa em paz?

Rodolfo, visivelmente irritado, agarrou o sobrinho pelo colarinho e, olhos nos olhos, esbravejou, destilando veneno:

— Ouça aqui, garoto, não se faça de sonso comigo! Sei muito bem que você não é nenhum santinho!

Assustado, Túlio segurou-lhe as mãos e, sustentando-lhe o olhar, respondeu com aparente firmeza e ousadia:

— Solte-me. Não sou seu escravo para você me tratar desse jeito.

Rodolfo soltou um riso de escárnio e largou-lhe o colarinho, que Túlio logo tratou de ajeitar. Encarando-o ainda, ameaçou:

— Não se esqueça do que combinamos.

— Não me esqueci.

— Acho bom mesmo. Senão...

— Não me ameace, tio Rodolfo. Você já me bateu uma vez, mas não me conhece e não sabe do que sou capaz.

— Ficou valente, rapaz? O que vai fazer? Bater-me também? Matar-me?

Túlio não respondeu. No fundo, morria de medo de Rodolfo. Julgava-o louco e bem sabia que ele sim era capaz das maiores barbaridades. No entanto, o temperamento ousado e atrevido de Túlio não lhe permitia enfraquecer, e ele tentava, a todo custo, manter sua hombridade, não se deixando acovardar diante de Rodolfo. Tinha medo, sim. Mas o tio não precisava saber disso, e ele pretendia não deixar transparecer. Ainda encarando-o, afirmou:

— De você só quero distância.

— Não enquanto eu não conseguir o que quero. E para conseguir o que quero, preciso de sua, digamos, cooperação.

— O que quer que eu faça?

— Quero que vá à fazenda Ouro Velho convidar seus amigos. Diga-lhes que é um convite especial, da parte de minha mãe, e que não faltem.

— É só isso?

— Sim. Agora, vá.

Sem contestar, Túlio se foi. O que estaria Rodolfo pretendendo? Em silêncio, passou pelo terreiro e dirigiu-se para as cocheiras. Camila, vendo-o passar apressado, chamou-o, mas ele não respondeu. Mais que depressa, ela seguiu em seu encalço e viu quando ele encilhou o cavalo, partindo em disparada em direção à fazenda Ouro Velho. Ela pediu que lhe preparassem uma charrete e saiu atrás dele. Túlio, no meio do caminho, freou um pouco o animal e foi seguindo devagar pela trilha, sem pressa de chegar. Pouco depois, Camila o alcançou. Emparelhou com ele e dirigiu-lhe um olhar perscrutador, e ele saltou do cavalo, olhando para a mãe com ar de súplica. Ela desceu da carruagem e o abraçou, e ele começou a chorar. Túlio era um doidivanas, ela sabia, mas era um menino. Seu menino, a quem ela sempre amaria e ajudaria.

Voltando para o terreiro, Rodolfo saiu à procura de Marta que, juntamente com Júlia, ajudava os escravos com as bandeirinhas.

O terreiro estava ficando uma beleza, e a festa seria um sucesso. Logo que as viu, correu para elas, beijando Marta friamente nos lábios. Sorriu para Júlia e disse com excitação:

— Vocês nem imaginam a surpresa que lhes preparei para amanhã.

— É mesmo, Rodolfo? — retrucou Júlia com interesse.

— É sim.

— Podemos saber o que é? — indagou Marta.

— Não, não podem. Pois se é surpresa...

— Não pode nem nos dar uma pista?

— Bem, só o que posso lhes dizer é que atingirá o coração de Júlia mais do que o de qualquer outro.

— De Júlia?

— Sim, minha querida. Mas não precisa ficar com ciúmes.

— Não estou com ciúmes — disse Marta zangada. — Sei que Júlia é minha amiga.

Fausto aproximou-se. Vinha apressado, olhos fixos em Rodolfo. Embora lutasse desesperadamente contra si mesmo, ainda não conseguia confiar no irmão.

— Olá! — cumprimentou. — O que estão fazendo?

— Nada de mais — disse Rodolfo. — Apenas apreciando os preparativos da festa. Parece que será um sucesso!

— Com certeza, meu irmão. Será uma festa muito especial.

— Disso eu não duvido — concluiu Rodolfo, soltando uma gargalhada estridente, enquanto se afastava, levando Marta pela mão.

Do outro lado, Constância os observava com ar malicioso. Já planejara tudo. Só precisava falar com Rodolfo e instruí-lo bem, para que não fizesse nada de errado. Quando eles passaram perto dela, Constância chamou:

— Rodolfo, será que poderia vir comigo um instante?

O rapaz encarou-a com ar significativo, pediu licença a Marta e saiu com a prima. Os dois foram caminhando lado a lado, e Constância ia dizendo:

— Será amanhã.

— Amanhã? Mas é a festa de mamãe...

— Por isso mesmo. Depois da festa, todos estarão exaustos e só pensarão em dormir. Ocasião ideal para uma pequena traição, não acha? Todos pensarão que Júlia, aproveitando-se do cansaço e do sono pesado de Fausto, atraiu você a seu quarto para que lhe fizesse o que seu irmão se recusa a fazer.

Rodolfo soltou uma gargalhada. Se aquele plano desse certo, Fausto estaria acabado e terminaria tudo com Júlia. Caso contrário... não queria nem pensar. E havia ainda os Zylberberg. Avaliando as armas que tinha contra o irmão, achou que os Zylberberg poderiam esperar. Mesmo que comparecessem à festa, não faria nada contra eles... por enquanto.

— O que devo fazer?

— Depois que a festa acabar, vá para o seu quarto. Lá encontrará as roupas de Fausto, que tirei de seu armário sem que ele percebesse. Vista-se depressa e fique à espreita. Quando o lampião do quarto de Júlia se apagar, espere cerca de meia hora e entre. Depois, faça como lhe mandei. Mas não se esqueça: seja gentil e não a force. Disso vai depender todo o sucesso de nosso plano.

— Não se preocupe, Constância. Farei tudo direitinho.

— Na manhã seguinte, agirei bem cedinho. À hora do café já terei contado tudo a Fausto, à minha maneira. Provavelmente ele ficará agressivo com você. Mas não revide nem tente desmentir o acontecido. Diga-lhe que Júlia o convidou, e que você, por mais que se esforçasse, não pôde resistir à tentação.

— E quanto a Júlia?

— Esqueça Júlia e confie em si mesmo. Você é inteligente e saberá escolher as palavras certas para se defender. Mas não tente dizer que não aconteceu. Diga que só aconteceu porque Júlia o provocou, e insista em que ela sabia que era você, e não Fausto.

Tudo acertado, Rodolfo voltou para perto de Marta, que não desconfiava de nada.

— O que ela queria? — indagou a moça.

— Nada. Apenas mostrar-me o presente que vai dar a mamãe.

No dia seguinte, os arranjos para a festa de Palmira estavam praticamente concluídos, restando apenas alguns detalhes de última hora. A matriarca da família Sales de Albuquerque, apesar de saudosa dos que a haviam precedido no túmulo, sentia-se feliz. Tinha a companhia dos filhos, dos netos e da sobrinha.

Constância despertou ansiosa. Estava bem próximo o dia em que, finalmente, ultimaria sua vingança. Mais um pouco e teria em suas mãos aquela que fora a causa de toda a sua desgraça. Mais um pouco e Tonha sentiria toda a fúria de seu ódio e experimentaria na carne a lâmina afiada de seu punhal. Já antegozava o prazer que sentiria ao ver o sangue da negra espalhado pelo chão. A imagem de Tonha morta a encheu de euforia, e Constância foi para a cozinha, onde Tonha preparava os quitutes para a festa. Quando Tonha a viu entrar, soltou um grito e ficou parada a olhá-la, como se tivesse visto um fantasma, e a outra indagou com rispidez:

— O que foi que houve, negra? Por acaso pareço alguma assombração?

Tonha ficou a olhá-la com ar de espanto, até que respondeu:

— Perdão, sinhá, não foi nada.

Tonha voltou a concentrar sua atenção nos doces que estava preparando. Constância aproximou-se do fogão e começou a levantar as tampas das caçarolas, cheirando seu conteúdo. Tonha, a seu lado, fingia não lhe prestar atenção, mas podia sentir a presença de alguém ali. Quando ela entrara, vira nitidamente o espírito de Inácio a seu lado, envolto em uma túnica branca, acompanhando-a com ar de tristeza e preocupação. Inácio... o grande amor de sua vida. Lembrou-se dele com ternura, da época em que estavam apaixonados, dos momentos em que mais nada parecia importar. Como o amara... E como sofrera com sua perda. Desde que ele morrera naquele incêndio, não havia um dia sequer em que não pensasse nele.

Por uma fração de segundos, seus olhos se encontraram, e Tonha pôde perceber que Inácio tentava dizer-lhe alguma coisa, mas ela não conseguiu compreender. Há muito tempo nem sonhava com ele, e vê-lo causou-lhe enorme emoção. Tonha sabia que a presença de Inácio ali deveria ter algum motivo sério. Talvez quisesse alertá-la de algum perigo ou protegê-la. Não sabia. Em silêncio, elevou seu pensamento a Deus e guardou silêncio.

A festa estava marcada para começar às seis horas, com uma missa a ser rezada na capela pelo padre João, para comemorar tanto sua inauguração quanto o aniversário de Palmira. Ainda era cedo e já estava tudo praticamente pronto. Camila e Júlia cuidaram de tudo direitinho, e não havia muito mais o que fazer. Os quitutes estavam adiantados, a decoração impecável. Fausto até mandara trazer do Rio de Janeiro uma pequena orquestra para animar o baile.

À hora do almoço, com a família toda reunida, Rodolfo pediu licença e levantou-se para falar. Todos voltaram para ele sua atenção, e ele, retirando do bolso um pequeno embrulho, depositou-o na frente de Palmira, dizendo com a voz carregada de uma emoção forçada e pouco convincente:

— Mamãe, quero que aceite esta pequena lembrança como um presente especial do meu coração.

Palmira abriu o embrulho com mãos trêmulas. Dentro, um pequeno pássaro todo de esmeraldas brilhou ao contato com a luz externa, e ela exclamou, admirada:

— Oh! Meu filho, mas é lindo! Deve ter custado uma fortuna.

— O preço não importa. O que importa é vê-la feliz.

— Mas, meu filho, não precisava. Você e Fausto já não me deram a capela de presente? O que mais poderia desejar?

— Mas este é um presente especial de meu coração. Meu e de Júlia.

Júlia olhou-o espantada. O broche fora uma ideia dela sim, mas Rodolfo lhe dissera que o estava comprando para dá-lo em seu nome e no de Fausto. Colocara até o nome do irmão no cartão que escrevera na ocasião. Júlia apenas ajudara a escolher a joia, nada mais.

— Seu e de Júlia? — repetiu Palmira.

— Sim, mamãe, meu e de Júlia.

— Na verdade, dona Palmira — contestou a moça —, eu apenas ajudei Rodolfo a escolher. Mas a ideia foi dele, não minha.

— Logo vi — disse Palmira para si mesma.

— Bem, mamãe, isso não importa, não é mesmo? — disse Fausto com ironia. — O que importa é que Rodolfo lhe deu o presente, não é?

Rodolfo enrubesceu, mas não disse nada. Palmira pegou o broche e admirou-o. Era mesmo uma beleza, e ela tencionava usá-lo mais tarde, na hora da missa.

Depois do almoço, Júlia saiu de braços dados com Fausto para o quintal, e Rodolfo seguia-os com o olhar. Era visível o esforço que Fausto fazia para não demonstrar contrariedade. Rodolfo mentira a respeito do broche. Por quê? E Júlia? Será que não sabia? Fausto sentia vontade de interpelá-la, mas, lembrando-se da promessa que lhe fizera, não disse nada. Júlia, por outro lado, não se sentia à vontade. Rodolfo armara-lhe uma cilada, e ela se sentia enganada e usada. O que estaria ele pretendendo? Será que ainda a amava? Pensando nisso, Júlia concluiu que Fausto talvez tivesse razão. E se Rodolfo estivesse fingindo todo aquele tempo, fazendo-se passar por amigo desinteressado quando, na verdade, o que queria mesmo era conquistá-la, afastando-a de Fausto? Ela sentiu um calafrio e já ia expor ao noivo suas ideias quando Terêncio apareceu, a mando de Rodolfo, chamando Fausto às pressas. Era um problema com o fornecedor de vinhos, e alguém precisava resolver.

— Mas justo hoje? — fez Fausto indignado. — Era só o que me faltava. Ficarmos sem vinho logo no dia da festa.

— Acalme-se, meu bem. Tenho certeza de que não é nada de mais.

Enquanto Fausto se afastava, Rodolfo resolveu entrar em ação. Vendo que Júlia voltava sozinha para a casa grande, esgueirou-se para o quintal e deu a volta por trás dela, surpreendendo-a pelas costas. A moça levou um susto enorme e soltou um grito agudo, mas Rodolfo tranquilizou-a:

— Não se assuste, Júlia. Sou eu...

Ela estava furiosa com ele, e foi logo exigindo explicações:

— Por que fez aquilo, Rodolfo?

— Aquilo o quê? — indagou, fingindo-se surpreso.

— Disse-me que o broche era um presente seu e de Fausto. Por que mentiu?

Fazendo-se de magoado, Rodolfo justificou:

— Perdoe-me, Júlia, mas não menti...

— Como não? Pois se inventou que o presente era meu também...

— Minha querida, mas que bobagem. Ficou aborrecida por isso? E eu que pensei que a estivesse ajudando... a você e a Fausto.

— Ajudando-nos? Mas como, se fez parecer que havia entre nós algum tipo de cumplicidade?

— Júlia, minha querida, você entendeu tudo errado. Eu apenas pensei que isso ajudaria mamãe a olhá-la com outros olhos. Minha mãe não é como eu, que se esquece das ofensas rapidamente, e só o que quis foi mostrar-lhe que você não lhe guarda mágoa pelo que aconteceu no dia em que discutiram por causa de Trajano.

— Isso já foi há tanto tempo...

— Mas minha mãe não se esqueceu.

Ela coçou a testa, desconfiada, e retrucou:

— Se é assim, por que não incluiu Fausto também?

— Por quê? Não sei. Esqueci-me. Talvez tenha sido um erro e uma grosseria, mas não tive a intenção de causar nenhum problema. Fausto se aborreceu?

— Ele não me disse, mas creio que sim. Eu o conheço e sei que estava contrariado.

— Júlia, por favor, acredite em mim. Não quis aborrecê-los. Novamente, peço que me perdoe. E não se preocupe com Fausto. Falarei com ele e tudo se resolverá.

Júlia já não acreditava mais nele. Fausto tinha razão. Ele era ardiloso e parecia ter sempre uma desculpa para justificar suas boas intenções. No entanto, não queria brigar com ele. Afinal, era dia do aniversário de dona Palmira, e uma briga nesse momento só serviria para piorar as coisas. Ela daria razão ao filho e estabelecer-se-ia entre eles um clima de animosidade que era melhor evitar. O mais apropriado no momento era fingir que não percebera nada e ir mostrando-lhe que estava perdendo tempo se pensava que ela trocaria Fausto por ele.

Enquanto isso, Fausto se desembaraçara do fornecedor e voltara, à procura de Júlia. Rodolfo, aproveitando-se da distração da moça com a conversa, foi conduzindo-a para o jardim, em direção ao caramanchão, e ela nem percebera quando pararam e se sentaram em um banco, à sombra de uma roseira. Por isso Fausto não a encontrara. Constância, porém, mancomunada com o primo, logo que viu Fausto aparecer, seguiu distraída em sua direção, como se estivesse apenas passeando e tomando ar.

— Constância — chamou ele —, por acaso viu Júlia?

— Júlia? Ah, sim — e fingindo que os confundia, acrescentou: — Estava agorinha mesmo caminhando com Fausto pelas alamedas do jardim.

Sem responder, Fausto virou-lhe as costas e saiu desabalado em direção ao caramanchão, alcançando-o bem no momento em que Rodolfo, percebendo-lhe a aproximação, segurava a mãe de Júlia e perguntava:

— Amigos?

Fausto chegou feito um furacão e quase espancou Rodolfo que, espertamente, soltou a mão de Júlia e exclamou:

— Fausto! Que bom que chegou. Queria mesmo falar com você, pedir-lhe desculpas...

Mas Fausto não queria escutar. Estava farto de Rodolfo e de suas desculpas. E Júlia... por mais que quisesse, não conseguia afastar a desconfiança. Ele olhou rapidamente para o irmão, sorriu amargamente e puxou Júlia pela mão, sem dizer nada. Fizera-lhe uma promessa e pretendia cumpri-la, mas não conseguia disfarçar o ciúme e o despeito que lhe oprimiam o coração. Júlia, temendo que Fausto se zangasse, começou a dizer:

— Fausto, deixe-me explicar...

— Não precisa explicar nada — cortou ele. — Já vi tudo e prefiro que não diga nada.

Júlia silenciou, os olhos rasos d'água. Será que Fausto duvidava dela? Tudo indicava que sim. E se duvidada mesmo, então não era mais digno de seu amor.

Capítulo 22

Às seis horas em ponto, o padre João iniciou a missa na capela de São Jerônimo, padroeiro da fazenda há mais de cinquenta anos. A capela estava toda enfeitada, com a imagem do santo imponente sobre o altar. Todos os fazendeiros da região estavam presentes, e havia até gente em pé. Só a irmã de Palmira, Zuleica, e a sobrinha, Berenice, não haviam comparecido. Estavam para chegar da Europa, mas não conseguiram voltar a tempo.

Uma hora depois, quando o padre deu por encerrado o culto, Palmira convidou os presentes para o jantar. À noite, as portas do salão de baile se abriram. A orquestra começou a tocar e os pares começaram a se formar para a dança. Palmira, apesar de feliz, não aceitara o convite de nenhum dos filhos para a valsa. Ainda estava de luto, e o fato de haver concordado com aquela festa não a isentava dos procedimentos adequados ao seu estado de pesar pela morte do marido.

Fausto, cabisbaixo, procurava disfarçar o mau humor e dançava maquinalmente com Júlia, que tentava ocultar a mágoa e a decepção. Rodolfo não largava Marta e, a todo instante, tomava conta dos passos do irmão, intimamente adivinhando-lhe os pensamentos. Ele se deixara dominar pela desconfiança, e era patente que ele e Júlia haviam se desentendido. Tanto melhor. Aquilo ainda facilitaria as coisas, pois Júlia, na ânsia de fazer as pazes com Fausto, acabaria por entregar-se a ele, Rodolfo, sem nem perceber.

Estava tão absorvido com os movimentos de Fausto que nem se lembrava mais dos Zylberberg. Embora ele soubesse que a presença deles ali acabaria por desequilibrar ainda mais o irmão, que tudo faria para afastá-los da companhia da mãe, os judeus haviam passado a segundo plano. Haveria tempo para eles, e não importava que não tivessem comparecido.

Os Zylberberg na verdade haviam desconfiado do convite de Túlio e acharam melhor consultar Camila. Embora ela muito quisesse apresentá-los à mãe, temia uma reação adversa por parte dela e achara melhor esperar. Assim, Camila os aconselhara a não irem, e eles até se sentiram aliviados, não se considerando ainda prontos para enfrentar a adversidade de Palmira.

O baile transcorreu sem incidentes, e Palmira exibia, orgulhosa, o broche de esmeraldas que Rodolfo lhe dera, cuidadosamente ajeitado sobre a renda preta do vestido. Apesar de não entender por que Fausto fora o único a não presenteá-la, não disse nada. Afinal, a capela era um presente maravilhoso, e ela não tinha do que se queixar. No fundo, porém, ao receber o broche de Rodolfo, esperou que Fausto também lhe desse algo mais pessoal e ficou um pouco decepcionada quando ele chegou ao baile de mãos abanando.

De madrugada, quando o último convidado se retirou, estavam todos exaustos e só o que queriam era dormir. Fausto ainda não voltara a falar direito com Júlia, e quando ela o procurou para dar-lhe um beijo de boa noite, ele virou discretamente o rosto, oferecendo-lhe a face. Aquilo a magoou profundamente, mas Rodolfo, que a tudo assistira, exultou. Parecia que o céu conspirava a seu favor. Já em seu quarto, Júlia trocou de roupa e deitou-se na cama, soprando o lampião, e pôs-se a pensar em Fausto. Ela o amava muito. Seu quase desprezo a magoara profundamente, e ela começou a chorar baixinho. Sentindo, porém, as pálpebras pesarem, Júlia logo adormeceu, ainda com Fausto em seus pensamentos. Cerca de meia hora depois, um ruído na porta a despertou. Ela abriu os olhos, sonolenta, e viu uma silhueta masculina aproximar-se da cama. Assustou-se e fez que ia se levantar, mas o vulto, acercando-se mais dela, beijou-a apaixonadamente e sussurrou:

— Júlia, querida, perdoe-me. Eu a amo e fui injusto com você.

Não fossem aquelas suas palavras e talvez Júlia até desconfiaria. No entanto, ele dissera exatamente aquilo que ela esperara ouvir a noite toda, e ela nem pensou que pudesse não ser Fausto o homem que ali estava, atendendo ao seu desejo, desculpando-se e falando de amor. Além disso, Rodolfo falava tão baixinho, e sua voz era tão parecida com a de Fausto, que Júlia nem sequer desconfiou. Parecia que ele sussurrava em seu ouvido as doces palavras que ela, tão desesperadamente, ansiava por escutar. Totalmente enleada, retrucou:

— Oh! Fausto! Nem sabe o quanto esperava ouvir isso. Como pôde desconfiar de mim?

— Perdoe-me! Perdoe-me! — sua voz era quase súplice. — Fui cego, o ciúme me tirou a razão. Mas eu a amo tanto...

E começou a beijá-la delicadamente, primeiro nos lábios, depois descendo pelo pescoço, pelas orelhas, pela nuca. Júlia sentiu um arrepio de prazer. Sabia que não devia, mas ela o amava e também estava confiante em seu amor por ela. À medida que Rodolfo a beijava, ela ia amolecendo, e ele começou a deslizar as mãos sobre o seu corpo, ao mesmo tempo em que sussurrava:

— Meu amor... quero que seja minha... minha, para sempre...

Júlia já estava quase se deixando seduzir, sentindo o corpo trêmulo de Rodolfo de encontro ao seu. Ele começou a levantar-lhe a camisola, de forma suave e delicada, e ela foi se entregando. Até que, de repente, sentindo próxima a consumação do ato sexual, uma luzinha de discernimento começou a despontar dentro dela e, empurrando-o delicadamente, disse:

— Não, Fausto, não... não está direito...

Rodolfo, consumido pelo desejo, a muito custo conseguiu conter-se. Com voz hesitante, respondeu baixinho:

— Tem razão, minha querida, perdoe-me. Não devia ter feito isso. Mas é que a amo...

Com gestos de calculada compreensão e resignação, Rodolfo afastou-se de Júlia, sentando-se na cama, de costas para ela. A moça, ouvindo-lhe a respiração ofegante, levantou o rosto para ele, vislumbrando-lhe o tórax musculoso na penumbra. Naquele momento, sentiu o coração disparar, e o desejo tomou conta de seu corpo. Ela o abraçou por trás e mordeu-lhe o lóbulo da orelha, acrescentando, cheia de emoção:

— Eu o amo. Quero ser sua.

Rodolfo voltou-se para ela e tomou-a nos braços, mansamente recomeçando seu ritual de amor. Só que dessa vez, Júlia não o repeliu. Ao contrário, entregou-se a ele com paixão, certa de que estavam concretizando seu amor.

Tudo terminado, Rodolfo beijou-a apaixonada e carinhosamente, fez-lhe juras de amor e saiu. No corredor às escuras, caminhou de volta a seu quarto e ainda pôde vislumbrar a porta do quarto de Constância se fechando lentamente. Despiu as roupas de Fausto e guardou-as no armário, bem escondidas, para, no dia seguinte, colocá-las junto com a pilha de roupas para lavar. Estava exultante! O resultado de sua empreitada fora melhor do que esperava.

Na manhã seguinte, bem cedo, Constância pulou da cama e foi bater na porta do quarto de Fausto. O rapaz, ainda semiadormecido, foi atender e assustou-se com a presença da prima ali, àquelas horas.

— Constância! — exclamou, num bocejo. — O que faz aqui tão cedo?

— Vim preveni-lo — respondeu a meia-voz, entrando rapidamente e fechando a porta atrás de si.

— Prevenir-me? De quê?

— Ouça, não quero me intrometer em sua vida, nem tampouco censurá-lo. Já fui jovem também e apaixonada, e sei como são os arroubos da juventude.

— Não entendo o que quer dizer.

— O que você fez foi muito imprudente. A sorte foi que fui em quem viu, e não sua mãe...

Fausto, embora desconhecendo o que havia se passado, imaginou tratar-se de Rodolfo. Na certa, o irmão fizera alguma besteira, e ela os confundira. O mais provável era que tivesse dormido com alguma escrava, o que, efetivamente, enfureceria a mãe. Balançando a cabeça em negativa, protestou:

— Creio que esteja enganada, prima. Seja o que for que tenha visto, não fui eu. Provavelmente, Rodolfo.

— Rodolfo?! — fez ela, admirada. — Ora, meu caro, não precisa fingir para mim, pois não direi nada. Imagine... Rodolfo saindo do quarto de Júlia no meio da noite, semidespido e desalinhado! Ora, Fausto, francamente...

Fausto desabou fulminado. O que era aquilo? Algum pesadelo? Completamente fora de si, correu em direção ao quarto de Júlia e escancarou a porta. A moça dormia placidamente, um sorriso de felicidade a iluminar-lhe o rosto. Por um momento, seu coração se enterneceu. Ela parecia um anjo e não seria capaz de traí-lo de forma tão vil. Constância devia ter se enganado. Na certa, sonhara e se confundira. Com os olhos úmidos, abaixou a cabeça e suspirou. Foi então que viu, jogado a um canto, um lençol branco, cuidadosamente dobrado e oculto sob a mesinha. Curioso, abaixou-se e puxou o lençol, desdobrando-o freneticamente. Em seguida, atirou-o no chão, horrorizado, e correu porta afora. Jamais esqueceria aquela imagem. A imagem do sangue de Júlia derramado sobre o lençol.

Partindo dali, correu para a cocheira, encilhou o cavalo e saiu sem rumo. Queria esquecer o que vira, esquecer que amava Júlia. Esta, porém, logo que ele saiu, despertou com o barulho. Ao levantar-se, percebeu que alguém estivera ali. Vendo a porta escancarada e o lençol aberto, jogado no chão, compreendeu que havia sido descoberta. Rapidamente, lavou-se, vestiu-se e correu ao quarto de Camila. A cunhada também acabara de se levantar e preparava-se para o café.

— Bom dia — disse Camila, beijando-a no rosto. — Dormiu bem?

Júlia balbuciou, um tanto quanto constrangida:

— Camila... por acaso esteve em meu quarto hoje cedo?

— Eu? Não, por quê?

— Jura?

— Juro. Por quê? O que foi que houve?

Percebendo-lhe a palidez, Camila tomou-a pela mão e a fez sentar-se.

— Muito bem — disse. — O que aconteceu? Vamos, conte-me. Pode confiar em mim. Sou sua amiga e quero ajudá-la.

Júlia confiava em Camila como jamais confiara em mais ninguém. Se ela dissera que não havia estado em seu quarto, era porque não estivera mesmo. Mas quem teria sido? Pelo estado em que encontrara a porta e o lençol podia deduzir que, fosse quem fosse, não gostara nada do que vira. E só havia duas pessoas que reagiriam assim: Rodolfo ou Palmira.

Calmamente, Júlia contou à cunhada tudo o que havia acontecido na noite anterior, sem omitir nenhum detalhe. Fora maravilhoso, mas alguém os descobrira, e ela precisava avisar Fausto. Ao final da narrativa, Camila considerou:

— Ouça, meu bem, não se atormente tanto. O que você fez foi uma loucura, uma precipitação. No entanto, é certo que vocês se amam e que pretendem se casar.

— É verdade.

— Então, não há com o que se preocupar. Por mais que mamãe ou Rodolfo os recriminem, não poderão fazer nada. Já está consumado. Só o que temos a fazer é marcar para logo a data do casamento.

— Acha mesmo?

— Claro que sim. Você e Fausto se amam, já tiveram uma noite de amor. Não há por que esperar.

— Oh! Camila, você é tão boa!

— Não se esqueça de que passei por situação semelhante. Só que o homem que me desonrou não me amava e quase arruinou minha vida.

Júlia, percebendo certo tom de tristeza na voz de Camila, retrucou penalizada:

— Eu sinto tanto!

— Não precisa, minha filha. Hoje sou feliz ao lado de seu irmão. Mas você não precisa passar por nada do que eu passei. E agora, vá procurar Fausto e converse com ele. É importante que estejam unidos.

Por mais que tentasse, Júlia não conseguiu encontrar Fausto. Procurou por toda parte. Até foi a cavalo ao cafezal, onde ele se escondera da outra vez, mas nada. Ninguém o vira e ninguém sabia onde estava. Rodolfo também havia desaparecido. Desaparecido não. Refugiara-se no quarto o dia todo, pretextando uma forte dor de cabeça, consequência do vinho da noite anterior. Júlia começou a se inquietar. Será que Fausto se arrependera e não tinha coragem de enfrentá-la? Se assim fosse, era porque não a amava. Senão, que outros motivos teria para sumir no dia imediato à sua primeira noite de amor?

Ela estava desanimada e, ao cair da noite, sentou-se na varanda em companhia de Camila, que tentava, de todas as formas, encorajá-la. Foi então que divisaram no crepúsculo o vulto de Fausto se aproximando a cavalo. Júlia deu um salto da cadeira e, coração em disparada, correu para a escada, esperando que ele chegasse e fosse falar com ela. Em vez disso, ele subiu, batendo as botas no assoalho, e passou por ela feito uma bala, sem lhe dirigir um olhar sequer. Júlia foi atrás dele, tentando segurar-lhe o braço, e chamou:

— Fausto! O que houve? Por quê...?

Ele puxou o braço bruscamente, encarou-a com os olhos em fogo e, chispando de ódio, vociferou:

— Solte-me, sua ordinária! Por que não corre atrás de seu amante?

Os olhos de Júlia encheram-se de lágrimas e ela soltou-o, confusa. Fausto saiu em disparada, e ela lançou para Camila um olhar de indignação. Não conseguia compreender. Então Fausto a amava de noite e, no dia seguinte, a rejeitava e ofendia? Será que a estava acusando de indigna por ter se entregado a ele antes do casamento? Teria ele coragem de acusá-la de mulher fácil só porque não o repelira, julgando-a indigna de tornar-se sua esposa? Pensaria que ela deveria ter resistido a suas carícias, mesmo sabendo que o amava e que só se entregaria a ele? A ele e a mais ninguém? Júlia não sabia o que pensar e desatou num choro convulso, que Camila tentava conter.

— Acalme-se, minha menina — disse com brandura. — Alguma coisa deve ter acontecido.

— Mas o quê? O quê? Fausto disse que me amava, prometeu casar-se comigo. Será que me enganei com ele?

— Não creio. O mais provável é que algo de muito grave tenha acontecido.

— Mas o quê? O que seria tão grave a ponto de fazê-lo esquecer nosso amor e humilhar-me daquela maneira?

— Não sei, Júlia, mas prometo que vou descobrir.

Camila levou-a para o quarto, deitou-a na cama e só saiu depois que ela adormeceu, indo direto bater na porta do quarto de Fausto. Como o irmão não respondesse, ela rodou a maçaneta e entrou. Fausto estava sentado em uma poltrona, de frente para a janela, e não a ouviu bater nem a viu entrar. Ela se aproximou dele e o tocou levemente no ombro. Fausto virou-se lentamente e fitou-a.

— O que quer? — indagou com raiva. — Veio tentar defender sua protegida?

— Como posso defender alguém que nem sabe do que é acusada?

— Ora, Camila, não se faça de desentendida. Duvido que Júlia não tenha lhe contado o que aconteceu.

— Contou sim. Mas isso não é motivo para tratá-la do jeito que a tratou. Se ela fez o que fez, foi por amor.

— Mas que bonito! Se ela ama Rodolfo, e não a mim, por que não foi sincera comigo e não me contou? Eu ficaria triste, é verdade, mas acabaria por entender e aceitar. Mas trair-me... isso não. Não posso admitir.

Camila, a princípio, não entendeu bem do que ele estava falando e permaneceu ali parada, olhando para ele meio apalermada. No entanto, tudo começava a fazer sentido. O desaparecimento de Fausto, sua reação... a conveniente dor de cabeça de Rodolfo... De repente, foi como se todas as peças de um quebra-cabeça se encaixassem, e ela pôde nitidamente visualizar toda a trama de que Júlia fora vítima. Coberta de horror, ela deu um salto e indagou:

— O que está me dizendo? Era Rodolfo na noite passada, e não você?

— Ouça, Camila, não adianta agora tentar me convencer de que Júlia não sabia que era Rodolfo. Esse truque dos irmãos gêmeos já é velho e não convence ninguém.

— Mas ela não sabia mesmo. Ela me disse que foi você...

— Mentira! Não adianta querer me fazer acreditar nesse conto da carochinha, porque não vai dar certo! Não sou nenhum tolo! Eu bem que deveria ter desconfiado. Aqueles dois, sempre juntos, sempre fingindo nada existir entre eles, fazendo com que parecesse que eu era um idiota ciumento. Como fui estúpido!

— Mas Fausto, ela não sabia. Posso lhe assegurar que os confundiu.

— Confundiu... pois se foi ela mesma quem disse que éramos inconfundíveis.

— Mas estava escuro. Ela me disse que era você. A mesma voz, os mesmos gestos carinhosos. Até as roupas eram as suas. Fausto, você e Rodolfo são idênticos. Não é difícil se enganar, ainda mais na penumbra.

— Vai querer agora me convencer desse absurdo? De que Júlia se entregou a Rodolfo pensando que era eu? Ora, minha cara, isso é ridículo. E depois, Rodolfo jamais iria ao quarto de Júlia se ela não o convidasse ou ao menos o estimulasse.

— Está errado, Fausto. Tudo é possível.

— Será que Júlia não reconheceria meus beijos, meus carinhos? Não, Camila, Júlia sabia que estava nos braços de Rodolfo, e não nos meus. Na certa, pensou que eu não fosse bom o bastante para ela. Sempre a respeitando, querendo esperar. Ela é uma ordinária, isso sim.

— Não diga isso! Ela o ama.

— Bem se vê o quanto me ama.

Camila deixou caírem os braços ao longo do corpo e suspirou desanimada. Como faria para convencê-lo?

— Escute, Fausto, e tente raciocinar. Se tudo ia bem entre vocês, por que Júlia se entregaria a Rodolfo?

— Não sei. Talvez não tenha tido coragem suficiente para assumir que já não era a mim que desejava, e sim a ele. Afinal, Rodolfo é impetuoso, arrojado, e eu sou um tolo respeitador. E as mulheres gostam disso, não é Camila? No fundo, gostam de homens atrevidos e ousados.

— Mas isso é um disparate!

— Será? Eu estava cego de amor e não pude perceber que Júlia já não se interessava mais por mim.

— Fausto, isso é um absurdo. Júlia o ama, não o trocaria por ninguém.

— Não acredito em você. Ela estava me enganando, e bem debaixo do meu nariz. Não fosse por Constância, jamais teria descoberto.

— Constância? O que ela ter a ver com isso?

— Foi ela quem me avisou sobre eles.

Camila começava a entender. Tudo não passara de uma trama diabólica para separar Fausto e Júlia. Mas por quê? O que Constância lucraria com isso?

— Por que acha que Constância o avisou? Não acha que pretendia, deliberadamente, provocar uma briga entre vocês?

— Isso é uma tolice. Constância contou-me sem querer. Ela sim, confundiu Rodolfo comigo e pensou que fosse eu quem vira saindo do quarto de Júlia, no meio da noite. Veio alertar-me quanto a mamãe.

— Fausto, seja razoável. Não vê que Constância e Rodolfo armaram tudo isso direitinho? E que você caiu sem nem pestanejar?

— Por que Constância faria isso? O que lucraria com nossa separação?

— Não sei. Mas algum motivo deve existir.

— Não acredito nisso. Você está tentando arranjar uma desculpa que justifique a indignidade de Júlia.

— Ouça, Fausto, conheço Constância muito bem. Ela sempre foi ardilosa, maquiavélica. Se entrou nessa história, é porque alguma coisa em troca Rodolfo lhe prometeu.

— Isso é loucura! Rodolfo nada tem que possa lhe interessar.

— Tem sim, Fausto. Só não sei o que é. Mas vou descobrir. Pode apostar.

Por mais que se esforçasse, Fausto não conseguiu conter o pranto e desatou a chorar, agarrando-se à cintura da irmã. Camila acariciou seus cabelos, ergueu seu queixo e perguntou:

— Você confia em mim?

Ele olhou-a em dúvida e replicou:

— Por quê?
— Confia ou não confia?
— Sim... — respondeu hesitante.
— Pois muito bem. Façamos o seguinte: deixe-me investigar. Se descobrir que Júlia é inocente, promete que a aceitará de volta?
— Vai perder seu tempo.
— Não faz mal. Você promete?
— Mas ela agora já não é mais moça... como aceitá-la, se já foi deflorada por outro?
— Você a ama?
— Sim. Apesar de tudo, não posso negar que a amo.
— Então saberá vencer o preconceito e aceitá-la.
Camila saiu dali disposta a descobrir a verdade. Ela não tinha dúvidas de que aquilo era obra de Constância. Era bem o seu estilo. O que tinha a fazer era desmascará-la, e era o que faria.

Capítulo 23

Mais um dia amanhecia, e Sara preparou-se para sair. Tivera uma noite péssima, com febre e calafrios. Tossira sem parar e chegara a pensar que morreria. Frei Ângelo não saiu de sua cabeceira, rezando e pedindo a Deus que não a deixasse desistir. Não quando tudo começava a melhorar. Aos poucos ela foi se acalmando, até que a febre cedeu, a tosse cessou e ela conseguiu adormecer.

Sara lavou-se e penteou os cabelos, auxiliada por Laurinda, e olhou-se no espelho. Sob os olhos, a mancha roxa começava a se dissipar. A tez, ainda que bastante pálida, já mostrava sinais de um colorido fugidio, embora ainda não houvesse readquirido o viço próprio da mocidade. Estava magra, quase esquálida, os ossos despontando aqui e ali, e ainda sentia no peito uma dor que parecia queimar. Apesar de estar sem apetite, pensou em juntar-se à família para o café. Podia não sentir muita fome, mas tinha vontade de participar da alegria do desjejum.

À mesa do café, apenas a mãe não estava presente. Encontrava-se na cozinha, preparando uma bandeja para levar-lhe no quarto. Frei Ângelo conversava com Ezequiel, que estacou, sustendo no ar a xícara de chá que já ia levando aos lábios assim que viu a filha se aproximar. De um salto, soltou a xícara e exclamou:

— Sara! O que faz aqui, minha filha?

— Ora, papai, vim juntar-me a vocês.

— Mas... mas...

— Está se sentindo melhor? — indagou frei Ângelo.

— Sinto-me bem melhor sim, obrigada. Parece que recobrei um pouco o ânimo.

— Mas que notícia maravilhosa! — animou-se o pai. — Era tudo o que esperávamos ouvir.

— E mamãe?

— Na cozinha, preparando uma bandeja para levar ao seu quarto.

— Pobre mamãe. Sempre a se desvelar. Pois vou lá dizer-lhe que não se incomode. Estou mais bem-disposta hoje.

Nesse instante, Rebeca, avisada por Laurinda da presença de Sara à mesa, chegou apressada e, vendo a filha sentada ao lado do marido, derramou lágrimas de felicidade e disse:

— Oh! Graças aos céus, minha filha! Quando Laurinda me disse, não pude acreditar.

— Não pôde acreditar por que, dona Rebeca? — indignou-se frei Ângelo. — A recuperação de Sara já era esperada. Ou não era?

Rebeca, um pouco confusa, retrucou meio sem jeito:

— Claro... claro que era... Mas depois da noite passada...

— Ora, mamãe, a noite passada foi apenas uma recaída. Não vai se repetir.

— Assim é que se fala, minha filha — disse frei Ângelo, animando-a.

— Frei Ângelo está operando milagres — retrucou Sara, sorrindo para ele.

Rebeca voltou-se para ele e acrescentou com emoção:

— Obrigada, frei Ângelo. O que está fazendo por minha filha não tem preço.

— O único preço possível é sua felicidade. E agora, dona Rebeca, por que não se senta? Sara deve estar com fome.

Ela torceu o nariz e, olhando para um bolo de fubá que se encontrava sobre a mesa, objetou:

— Na verdade, não estou com muita fome, não. Mas queria fazer-lhes companhia.

Rebeca e Ezequiel se entreolharam, e ela insistiu:

— Por que não toma ao menos uma xícara de chá ou de leite?

Sara pensou por alguns instantes. Não sentia fome, era verdade, mas a ideia de uma xícara de leite até que lhe pareceu apetitosa, e ela acabou por concordar:

— Leite está bem, mamãe.

Rebeca serviu-lhe uma xícara de leite puro, e Sara começou a beber devagarzinho. Estava uma delícia! Doce e morninho, e ela sentiu imenso prazer em saborear aquele leite. Sem perceber, bebeu a xícara inteira e pediu mais, servindo-se de um pedacinho de pão para acompanhar. Não comeu muito, mas já era um bom começo.

Depois do café, frei Ângelo e Sara retiraram-se para o jardim, onde costumavam ter suas conversas. A manhã estava fresca e ensolarada, e Sara inspirou fundo, sentindo o ar puro penetrando em seus pulmões. Tossiu levemente, olhou para frei Ângelo e sorriu. Apesar do tanto que tossira na noite anterior, ao menos não expelira sangue, o que era bom sinal. Os dois sentaram-se e levantaram os rostos para o Sol. Àquela hora o calor ainda era ameno, e um banho de Sol era extremamente saudável e prazeroso. Frei Ângelo fechou os olhos e, sem abri-los, observou:

— Você nos assustou ontem, Sara. Pensei que fôssemos perdê-la.

— E por pouco não perdem mesmo. Cheguei a pensar que fosse morrer.

— Graças a Deus que você se recuperou.

— Sim, graças a Deus.

— Sabe, Sara, pensei que sair com Júlia e os demais fosse bom para você.

— Oh, mas é! Gosto de nossos passeios. À exceção de Rodolfo, sempre sarcástico e mordaz, os outros são muito agradáveis. Têm me ajudado bastante.

— Ótimo! Fico feliz em saber disso.

— Não se deixe impressionar pelo que houve ontem, frei Ângelo. Foi uma crise isolada e passageira.

— O que será que provocou isso?

— Não sei. Talvez tenha sido a decepção por não poder estar junto de Dário na festa de sua avó.

— Será?

— Creio que sim. Eu queria ir, estar junto dele, apresentar-me como sua noiva. Mas quando papai disse que não iríamos, fiquei frustrada, sentindo-me rejeitada de novo, só porque somos judeus. Como se o fato de ser judeu fosse algo do que se envergonhar.

— Não há do que se envergonhar, Sara. Mas é bem possível que sua recaída tenha sido causada por isso, sim. Afinal, sabemos que uma das maiores causas de sua enfermidade é, justamente, o sentimento de rejeição, não é mesmo?

— É sim. Mas já passou. Sinto como se, em meio a toda aquela crise, algo em mim tivesse se transformado, trazendo para meu espírito uma compreensão que antes não sentia.

— Como assim?

— Não sei explicar. É como se conseguisse ter mais confiança em mim mesma e, sobretudo, em Deus. Se não pude estar junto de Dário ontem, com certeza é porque ainda não era o momento apropriado. Talvez dona Palmira fosse nos destratar ou algo de muito ruim pudesse nos acontecer.

— Que bom que pensa assim, Sara.

— Pois é. Fiquei imaginando que, se fosse algo bom para nós, tudo teria dado certo e nós teríamos ido à festa.

— Posso saber o que foi que deu em você para alcançar essa compreensão?

— O senhor, frei Ângelo. O senhor foi quem me ensinou a ter fé e confiança em mim e em Deus. Hoje de manhã, quando acordei e vi que havia sobrevivido à noite passada, foi que me dei conta da infinita bondade de Deus. Sei que Deus é perfeito e nada faria que pudesse me prejudicar. Só foi necessário que eu compreendesse que a ajuda que vem de Deus nem sempre é aquela que desejamos mas, com certeza, é a de que mais precisamos no momento. Quando compreendi isso, foi muito mais fácil aceitar.

— Sara, o que me diz é maravilhoso. É por isso que você hoje está melhor. Se conseguiu entender essas coisas e está tentando transformá-las, não será mais necessário que a enfermidade venha para alertá-la.

— É verdade. Não vou dizer que não estou triste nem frustrada. Estou. Mas consegui encarar a tristeza e a frustração como coisas que acontecem na vida de todo mundo, com as quais aprendemos a lidar e, sobretudo, que elas não significam que não sejamos queridos ou que sejamos rejeitados por quem amamos.

— Continue assim, Sara, e tenho certeza de que conseguirá controlar sua doença.

— O senhor, mais do que ninguém, vem me ajudando muito. Os passeios e os amigos são agradáveis, fazem-me sentir viva e com vontade de viver. Mas só o senhor consegue acender em mim a luz da compreensão.

— Isso é muito bom. Somente quando nos compreendemos é que podemos nos modificar.

— Sabe, frei Ângelo, desde que o senhor aqui chegou, comecei a me olhar de uma maneira diferente. Não como uma pobrezinha ou um estorvo, mas como alguém que é capaz de ser alguém, de se dar o devido valor, de se olhar no espelho e se sentir capaz de ser amada. É claro que, de vez em quando, tenho uma recaída, como ontem, e me vejo de novo naquela posição da pobre menina abandonada. Mas isso passa rápido, e logo retomo o meu equilíbrio.

— Sara, você é mesmo uma menina especial. E pode ter certeza: a cura de sua doença está mesmo em suas mãos.

— Pois é. Hoje acredito nisso. Com o desenrolar de nossas... sessões... comecei a analisar minha vida, meus medos, minha solidão, e hoje estou certa de que o senhor tinha razão. Eu sempre fui uma menina só e triste, e se esses sentimentos não têm origem nesta vida, essa origem só pode estar em vidas anteriores.

— Acredita agora?

— Sim. Os sonhos me levaram a isso. Analisando-os bem, vejo que tudo se encaixa. Só eles podem explicar o fato de eu sentir tanta rejeição, sem que nunca tenha sido rejeitada.

— É verdade. Como você mesma pôde perceber, em uma vida anterior você não conseguiu suportar essa rejeição e passou a se fechar cada vez mais dentro de si. Em vez de lutar contra a tristeza, deixou que o sentimento a dominasse e entregou-se ao desânimo, desistindo de tentar ser feliz. Com isso, foi se fechando, fechando, até que adoeceu, e logo de quê? Dos pulmões.

— Sim. Como lhe disse, sonhei que era uma menina e que tinha pneumonia.

— Está vendo? Sempre a mesma coisa. Solidão e tristeza. Naquela vida você desenvolveu uma pneumonia que acabou matando-a, e nesta, quase envereda pelo mesmo caminho, ou pior, abrindo espaço em seu corpo físico para que a tuberculose se instalasse.

— Tem razão. Mas não quero padecer. Não dessa vez. Sinto que deixei para trás algo muito importante em minha vida e que hoje quero resgatar.

— Dário?

— Sim. Sei que o perdi, pois a morte prematura impediu-me de viver a seu lado. Hoje tenho novamente essa oportunidade e não quero desperdiçá-la. Quero viver e ser feliz ao lado do homem que amo.

— Assim é que se fala, Sara.

— Sei que vou conseguir. Hoje posso dizer que compreendo minha doença, e graças ao senhor, que me fez acreditar que já vivemos muitas vidas.

Frei Ângelo voltou o rosto contra o Sol e viu que Dário ia se aproximando, em companhia de Júlia.

— Por falar em Dário...

Sara ergueu-se vagarosamente e estendeu os braços para ele, que foi correndo ao seu encontro. Logo que a alcançou, tomou-a nos braços e ergueu-a, beijando-a suavemente. Ela corou e, virando-se para Júlia, cumprimentou:

— Olá, Júlia.

— Olá, Sara. Como está?

— Melhor agora que vocês chegaram.

— Venha — interrompeu Dário. — Caminhemos um pouco ao Sol.

Frei Ângelo convidou Júlia a sentar-se junto dele. Ela estava abatida, e os olhos inchados demonstravam que havia chorado. Não querendo violar sua intimidade, mas ansioso por ajudá-la, perguntou:

— Está tudo bem, Júlia?

Júlia não respondeu. Desatou a chorar, e de forma tão sentida que frei Ângelo se preocupou. O que teria acontecido?

— Não quer me contar o que houve? — arriscou.

— Oh! Frei Ângelo, por favor, deixe-me apenas ficar aqui a seu lado.

Ela pousou a cabeça no colo do frei e continuou a soluçar. Embora ela não lhe dissesse, frei Ângelo tinha certeza de que algo muito sério havia acontecido, e sua intuição lhe dizia que havia sido com Fausto. Contudo, achou melhor não falar nada. Estava claro que Júlia não queria conversar. Queria apenas um colo amigo e acolhedor, onde pudesse dar livre curso às lágrimas e desabafar. Vendo que ela, finalmente, se acalmara, frei Ângelo tentou novamente:

— Não quer mesmo me contar o que aconteceu?

Júlia não sabia o que dizer. Sequer sabia ainda o que acontecera. Só o que sabia era que Fausto a tratara mal e não conseguia atinar no motivo.

— Frei Ângelo, gostaria de me confessar.

— Pois não, minha filha. Vamos lá dentro. Preciso me preparar e...

— Não, frei Ângelo, isso não será necessário. Posso confessar-me aqui mesmo, e sem qualquer indumentária especial.

— Está bem, minha filha, fale.

— Frei Ângelo, eu... eu... entreguei-me a Fausto na noite passada.

— E...?

— E agora ele me despreza. Oh! Frei Ângelo, estou desesperada, não sei o que fazer. Entreguei-me porque o amava e pensei que ele também me amasse. Mas agora, não sei mais em que acreditar. Ele me destratou, humilhou-me. Foi horrível! Sei que errei, mas foi por amor! Por amor, entende isso?

Ele tomou suas mãos com ternura e disse com voz bondosa:

— É claro que sim, criança. Não se desespere.

— Como não? Ele me abandonou, não quer me ver, não fala comigo...

— Minha filha, quer a absolvição do padre ou o conselho do amigo?

— Os dois.

— Pois bem. Como padre, devo recomendar-lhe que entregue seu coração a Deus e peça para que tudo se esclareça. Como amigo, devo dizer-lhe que não acredito que Fausto a tenha abandonado.

— Não?

— Não. Alguma coisa aconteceu que o fez tratá-la da forma como a tratou.

— Mas o quê? Eu não fiz nada.

— Não sei, minha filha, mas sinto que vocês foram vítimas da maldade alheia.

— Será? Mas quem faria uma coisa dessas?

— Não sei e não quero conjecturar. Não devemos julgar nem levantar falsos testemunhos.

— E o que farei?

— Confie e aguarde. Deus jamais desampara aqueles que nele creem.

Júlia voltou para casa com o coração mais sereno, mais confiante. Em seu íntimo, sabia que estava prestes a atravessar duras provas, mas acreditava que as superaria. Tinha que acreditar.

Capítulo 24

Quando Júlia descobriu o que havia acontecido, desesperou-se. Não fosse tão corajosa, teria se matado. Aquilo não podia ser real. Era uma crueldade do destino, e ela não podia se conformar, embora Camila tentasse, a todo custo, consolá-la.

— Acalme-se, querida. Desespero não leva a nada.

— Oh! Camila! Sinto que o mundo inteiro ruiu sob meus pés.

— Não diga isso. Nem tudo está perdido.

— Como não? O que será de mim agora? Perdi Fausto... A vida sem ele não vale a pena.

— Minha querida, deixe tudo por minha conta. Descobrirei a verdade e Fausto será seu novamente.

— Fausto nunca acreditará em mim. E depois, mesmo que acredite, já não servirei mais para ele.

— Engana-se. Ele a ama e saberá superar o que aconteceu.

— Acha mesmo que ele um dia poderá me perdoar?

— Não, não acho que você deva pedir-lhe perdão. O perdão é para os que erram, e você nada fez de errado. Você apenas seguiu seu coração e foi enganada, agiu sob a influência de uma ilusão. Pense apenas no sentimento que a moveu, e não no homem que a seduziu. Se soubesse que era Rodolfo quem ali estava, você jamais teria se entregado a ele. Mas lembre-se que o que sentiu foi verdadeiro e maravilhoso, porque sentiu por Fausto. Era a Fausto que você queria se entregar. Foi para Fausto que você soprou palavras de amor. Não invalide esse sentimento, que foi puro, só porque Fausto, naquele momento, era uma ilusão. Pense apenas no seu amor por ele, e esse amor lhe dará forças para colocá-lo no lugar que lhe pertence.

Júlia estava chorando e retrucou entre lágrimas:

— Camila, você é maravilhosa!

— Sou sua amiga, além de uma mulher bastante vivida, é claro.

— Como fará para descobrir a verdade?

— Se Constância está metida nisso, só pode ser por um motivo.

— Que motivo? Dona Constância mal me conhece; mal conhece seus irmãos. Que motivos poderia ter para querer destruir-me?

— Você não, meu bem. Acho que você foi apenas um instrumento. Tenho certeza de que o que ela quer é destruir Tonha.

— Tonha? Mas por quê?

— Lembra-se da história que lhe contei? De como Constância se apaixonou por Inácio que, por sua vez, apaixonou-se por Tonha? Pois é. Constância jamais conseguiu separá-los, e agora creio que voltou para terminar sua vingança.

— Se quer vingar-se de Tonha, por que teve que me usar? Gosto de Tonha, mas não tenho com ela nenhum tipo de relação.

— É isso o que me intriga. Se bem conheço minha prima, ela deve ter ajudado Rodolfo em troca de algum favor. Mas que favor seria esse?

— E quanto a Rodolfo?

— Não sei. Rodolfo está arredio, evitando encontrar-se com Fausto.

— Fausto não lhe tomou satisfações?

— Ao que me consta, não. Creio que Fausto não quer mais mexer na ferida, por medo ou por vergonha. Mas não está falando com Rodolfo.

— Minha vontade é de matá-lo! Eu mesma vou procurá-lo e exigir explicações! Aquele canalha!

— Você não vai fazer nada disso. E depois, de que adiantará? Só servirá para atiçar ainda mais o ódio de Fausto, que entenderá sua reação como cobrança de uma atitude por parte de Rodolfo, e não como desabafo e indignação.

Júlia desabou, desanimada.

— O que faço, então?

— Por enquanto, nada.

— Será que alguém mais sabe o que houve?

— Creio que não. Se mamãe soubesse, por exemplo, já teria acontecido algum rebuliço. Mas tudo está calmo, e é melhor que continue assim.

— Camila... quero ir embora. Não posso mais ficar aqui entre Fausto e Rodolfo, agindo como se nada tivesse acontecido.

— Já esperava por isso e acho que tem razão. É melhor que você fique por uns tempos na fazenda Ouro Velho. Tenho certeza de que Ezequiel e Rebeca não se importarão.

No dia seguinte, bem cedo, Júlia partiu para a fazenda Ouro Velho sem maiores explicações. Palmira, apesar de desconhecer aquela história sórdida, logo desconfiou que Fausto e Júlia haviam brigado, e exultou. Não disse nada, mas, intimamente, regozijava--se por ver a moça afastada dali.

Na Ouro Velho Júlia foi recebida com carinho, e todos respeitaram sua tristeza. Trataram de acomodá-la e fazer com que se sentisse em casa, e frei Ângelo dizia-lhe sempre:

— Não se preocupe, minha filha. Tenha fé e Deus a ajudará.

Depois que Júlia se foi, Camila sentiu-se mais à vontade para agir. Com a desculpa de que não andava se sentindo muito bem, pediu à mãe que lhe disponibilizasse uma negrinha, para fazer-lhe companhia durante a noite. Palmira, sem desconfiar de nada, mandou vir da senzala uma escrava novinha, e assim, todas as noites Camila mandava que ela montasse guarda, espreitando a porta do quarto de Constância. Durante o dia, Camila fazia-a dormir. Não queria que ela nem cochilasse em sua vigília, e a negrinha passava as noites em claro, sem nem piscar, para ver se Constância saía ao apagar das velas.

Enquanto isso, Rodolfo se felicitava. O plano fora perfeito, e o irmão estava arrasado. Ao contrário do que esperava, Fausto não o procurara e nem dissera nada. Na certa, não queria expor sua vergonha, a vergonha de ser traído, enganado, ludibriado pela mulher que dizia amá-lo. Mas ele não podia perder a oportunidade de espicaçá-lo. Vencera e estava por cima, e era preciso humilhar e espezinhar o irmão.

Fausto, não querendo expor sua dor, tentou disfarçar o mais que pôde. Contudo, não podia suportar a presença do irmão. Não podia nem olhar para ele, muito menos escutar sua voz. Por isso, deixou de acompanhar a família às refeições, optando por comer em seu quarto ou na cozinha. Palmira sabia que havia algo errado, mas preferiu não perguntar. O filho brigara com Júlia, e era óbvio que não queria tocar no assunto com ninguém.

Alguns dias após a partida de Júlia, Rodolfo, vendo Fausto atravessar a sala a caminho da cozinha, perguntou a Camila, com falsa displicência:

— Por que Júlia partiu sem nem ao menos se despedir?

Pronto. Aquilo foi o suficiente para tirar Fausto do eixo. O rapaz, que vinha guardando dentro de si um ódio surdo e imensurável, não pôde resistir e explodiu:

— Canalha!

E desfechou violento soco no queixo do irmão, que caiu para trás, por cima da cadeira. Fausto, enlouquecido, partiu pra cima dele e continuou a esmurrá-lo, gritando com um brilho de ódio no olhar:

— Canalha! Cafajeste!

Os demais, apavorados, levantaram-se e acorreram, Dário tentando segurar os braços do tio.

— Pelo amor de Deus, tio Fausto — implorava —, o que foi que lhe deu?

Fausto não dava ouvidos e continuava a bater. Apenas Túlio parecia satisfeito. Rodolfo bem que merecia uma surra. Palmira, porém, recobrando-se do susto, acercou-se deles e ordenou:

— Chega, Fausto, estou mandando! Largue-o!

Ouvindo a voz da mãe, Fausto soltou o irmão e ajoelhou-se no chão, ao lado dele, arfando, exausto. Constância correu para Rodolfo, ajudando-o a se levantar, enquanto Tonha chegava da cozinha trazendo uma bacia com água morna e toalhas limpas. Ajudada por Dário, conduziram-no para o sofá e o deitaram, e Tonha pôs-se a limpar-lhe as feridas. Nesse momento, Constância lançou-lhe um olhar de tanto ódio, que Tonha chegou a sentir-se mal e recuou, assustada. Mas Rodolfo precisava de cuidados, e ela não deixaria de cuidar de seu menino por causa daquela bruxa. O rapaz, vendo a bondade e a dedicação com que Tonha limpava e tratava seus ferimentos, por um momento, arrependeu-se. A prima, todavia, percebendo o que lhe ia na alma, sentou-se a seu lado e soprou-lhe no ouvido:

— Nem pense em voltar atrás na palavra empenhada.

E afastou-se no exato instante em que Palmira ia chegando. Conseguira, finalmente, acalmar Fausto e queria certificar-se de que Rodolfo estava bem. Vendo que não se ferira gravemente, indagou:

— Muito bem. Podem me explicar o que é que está acontecendo?

Rodolfo, fingindo sofrimento, considerou:

— Pergunte a Fausto. Afinal, foi ele quem me bateu.

Ela virou-se para Fausto e continuou:

— E então?

— E então o quê? — retrucou, num misto de raiva, vergonha e confusão.

— Estou esperando que me diga o que aconteceu. Por que bateu em seu irmão?

Fausto não queria dizer. Sentia tanto ódio que parecia que ia explodir, e rosnou entre dentes:

— Pergunte a ele.

— Estou perguntando a você. Você o agrediu. Quero saber por quê.

Como Fausto não respondesse, ela prosseguiu:

— Aposto que é por causa de Júlia, não é mesmo? É claro que é, e essa não é a primeira vez. Mas vocês deviam se envergonhar, os dois. Brigar assim pelo amor de uma mulher...

— Eles me traíram, mamãe! — explodiu Fausto, não conseguindo mais conter a fúria dentro do peito. — Dormiram juntos, aqui mesmo, nesta casa, bem debaixo de nossos narizes!

Palmira levou um choque. Não esperava por aquilo. Contudo, já vivera o suficiente para não se deixar impressionar e, tentando manter a calma, replicou:

— E isso é motivo para espancar seu irmão?

Ele fitou-a, incrédulo.

— Acha que não? Ele me traiu, meu próprio irmão, deitou-se com a mulher que eu amava, bem ao lado de minha porta!

— Só fiz isso porque ela me provocou — defendeu-se Rodolfo, com voz hesitante.

— Canalha! — gritou Fausto. — E você não podia perder a oportunidade, não é mesmo?

— Fausto — retrucou ele em tom conciliador e amistoso —, sei que o que vou lhe dizer é difícil, mas procure entender. Não quis traí-lo, mas Júlia me provocou, se ofereceu...

— Cale-se! Cale-se, cretino! Não quero ouvir mais nada!

— Mas é preciso, Fausto, você tem que saber quem é Júlia.

— Não! Não!

— Sinto, meu irmão, mas é Júlia quem não presta. Deitou-se comigo porque disse que você não era homem suficiente para ela. Roía-se de desejo, mas você, cheio de pudores, não queria fazê-la mulher...

— Pare! Por Deus, pare! Não me torture!

— Sinto muito, meu irmão. Eu não queria, tentei lutar contra meus instintos. Você é meu irmão, não queria traí-lo. Mas sou homem, e ela provocou... Fui fraco, sei, não resisti...

Constância estava impressionada. Rodolfo saía-se melhor do que ela esperava. Estava perfeito em seu papel de pobre irmão seduzido. Todos pareciam convencidos, até aquela idiota da Tonha. Só Camila não se deixara convencer. Em dado momento, não podendo mais suportar aquela cena patética, achou que já era hora de intervir.

— Chega, Rodolfo! A quem quer enganar? Pensa que não sei o que fizeram? Pensam que não descobri seu plano sórdido?

— Camila — objetou a mãe —, do que é que está falando?

— Estou falando do plano que Rodolfo e Constância engendraram para destruir Júlia e Fausto.

— Eu?! — fez Constância, indignada. — Era só o que me faltava. Não seja ridícula, Camila. Sei o quanto gosta de Júlia, mas deixe-me fora dessa história. Não tenho nada com isso.

— Não seja tola, Camila — repreendeu Palmira. — Por que quer justificar a indignidade de sua cunhada acusando injustamente sua prima? Não vê que isso não é direito?

— Mas foi exatamente o que aconteceu.

— Não acredito em você. Constância não tem motivo algum para prejudicar Júlia.

— Vai defendê-la de novo, mamãe, como fez trinta anos atrás?

— Isso é uma outra história, minha filha. Não misture as coisas.

— Sim — cortou Constância, com voz chorosa. — Só porque errei uma vez serei culpada pelas desgraças de todo mundo?

— Constância está certa, Camila. Ela não tem nada com isso. Não arrume escusas insólitas e infundadas só para salvar Júlia.

Camila calou-se. Não adiantava tentar convencê-los, porque ninguém acreditaria. Não tinham mesmo motivos para acreditar. Assenhoreando-se da situação, Palmira decretou:

— Muito bem. Não quero ouvir mais nem uma palavra sobre essa história. Júlia não é digna de nenhum de meus filhos, e fico feliz que tenha partido. De hoje em diante, não se toca mais no nome daquela vagabunda aqui.

— Mamãe! — ia protestando Camila.

— Não diga mais nada, minha filha. Está decidido. E quem não estiver satisfeito, pode juntar-se a ela.

Ninguém disse mais nada. Camila estava perplexa e revoltada com a atitude da mãe. Mais uma vez ela defendia Constância, mesmo sabendo do que ela era capaz. Não fosse a determinação em desmascarar a prima, teria partido também. Mas, por enquanto, não podia. A felicidade de Júlia e de Fausto dependia dela, e ela não permitiria que a cunhada carregasse para sempre a culpa por algo que não fizera.

Capítulo 25

Daquele dia em diante, Palmira, sempre que possível, evitava tocar no nome de Júlia, considerando encerrada aquela história. Ela fora indigna e mentirosa, e não merecia perdão. Por isso, não queria mais ouvir falar em seu nome. Dário e Túlio também não acreditavam na versão de Rodolfo, mas, aconselhados por Camila, não disseram nada. Túlio, principalmente, sabia muito bem do que o tio era capaz. Em vista disso, julgou que Rodolfo, já satisfeito, não precisasse mais dele, e começou a relaxar. Mas Rodolfo, ao contrário do que ele pensava, não se esquecera, e logo tratou de lembrá-lo de seu indigno compromisso.

— Olá, Túlio — disse Rodolfo, em tom sarcástico, assim que o sobrinho abriu a porta do quarto.

— O que quer? — perguntou apreensivo e nada satisfeito.

— Não vá me dizer que já se esqueceu do nosso compromisso.

— Não tenho compromisso algum com você.

— Ah, tem sim. E dos mais importantes.

— Escute aqui, tio Rodolfo, por que não me deixa em paz? Já não conseguiu o que queria? Não dormiu com minha tia Júlia? O que mais quer de mim?

— Quero apenas lembrá-lo de sua promessa.

— Por quê?

— Porque posso precisar. Não quero desperdiçar nenhuma das minhas armas contra Fausto.

— Está louco! O que pretende? Já não o destruiu?

— Não o suficiente.

Naquele momento, Túlio pôde perceber o quanto Rodolfo estava perturbado. Pensara que o tio gostava de Júlia, mas percebia que a verdade é que odiava o irmão. Rodolfo não estava interessado em conquistar o amor de sua tia, mas em destruir seu próprio irmão. Mas por quê? O que ele lhe fizera? Túlio, por mais que se esforçasse, não conseguia atinar nos motivos que impulsionavam Rodolfo a destruir Fausto. E, realmente, não havia motivo algum. Não nessa vida, mas em outra, muitos séculos atrás.

Túlio e Rodolfo eram, então, os filhos mais jovens de Licurgo, que ficara viúvo quando eles ainda eram bem pequenos. Não podendo suportar a ausência da mulher, Licurgo casara-se de novo, e sua nova esposa, Palmira, também viúva, trouxera consigo um filhinho, Fausto, quase da mesma idade que seus enteados.

A nova madrasta, embora não fosse pobre, não possuía a nobreza do pai de Rodolfo, o que, inclusive, levara seu irmão mais velho a abandonar a casa paterna. Rodolfo, porém, ainda criança, logo tratara de discriminar Fausto, afastando-o das brincadeiras e dos passeios. Quando Fausto, indignado, pedia para acompanhá-los, Rodolfo respondia, do alto de sua soberba:

— Não pode. Você não é igual a mim.

Naquela época, Júlia era prima dos rapazes e ia se casar com Rodolfo, até que conheceu Fausto e se interessou por ele. A moça, a princípio, ainda hesitara em romper o romance com o primo, em virtude de sua alta posição social, o que causara enorme desgosto em Fausto. Mas depois, vendo que seu coração pendia mesmo para Fausto, acabara por entregar-se a ele e abandonara o primo para poder desposá-lo, ocasionando violenta reação de Rodolfo.

Para completar, Fausto era um moço hábil e inteligente. Dedicara-se à carreira política e logo fora chamado a representar seu país em embaixadas do mundo todo. Ao mesmo tempo em que sua carreira crescia vertiginosamente, Rodolfo não conseguira ser mais do que um simples capitão, encarregado de dirigir inexpressivo exército e, assim mesmo, por influência de seu pai. A inveja o foi dominando. Fausto, embora não fosse dotado da mesma nobreza de sangue que ele, conseguia sobressair-se em tudo o que fazia, ao passo que Rodolfo, por mais que se esforçasse, não conseguia se igualar ao brilho e sucesso do outro.

Fausto se casaria com Júlia e com ela partiria para um país distante. Mas Rodolfo não estava disposto a permitir. Às vésperas do casamento, lançara-lhe em face um duelo, e Fausto o teria matado, não fosse a interferência de Júlia. Rodolfo, porém, embora poupado, acabara humilhado, escarnecido por todos, e terminara seus dias sozinho, isolado no castelo da família, alimentado apenas pelo ódio que sentia do rival.

Mas a intervenção de Júlia cobrira Fausto de desconfiança. Por mais que ela fizesse ou dissesse, o fato era que Fausto não conseguia acreditar que a moça não tinha mais nenhum interesse em Rodolfo e que só intercedera em seu favor por uma questão de humanidade. Afinal, eram primos, estiveram comprometidos, e não lhe agradava nada ser o motivo da morte de seu antigo namorado. Júlia sentia muita pena de Rodolfo e sempre que estava de volta a seu país ia visitá-lo em seu castelo. Quando Fausto descobrira, enchera-se de ciúme, julgando que a esposa o estava traindo, e não conseguia acreditar quando ela lhe dizia que não havia nada entre eles. Desde esse dia, Fausto passara a tratar Júlia com certa indiferença, sempre desconfiado de seus gestos e de suas palavras. Afinal, não havia se entregado a ele antes do casamento? Por que não poderia entregar-se a Rodolfo depois?

Depois que desencarnaram, Fausto e Rodolfo assumiram o compromisso de nascer como irmãos gêmeos, numa tentativa de superar suas diferenças, aprendendo que todos somos iguais aos olhos de Deus. Fausto, mais consciente, mais depressa se imbuíra do desejo de se reconciliar com o irmão, mas Rodolfo, ainda muito apegado aos valores terrenos, não conseguira vencer suas próprias tendências e novamente enveredava pela amarga senda do ódio.

Mas nada disso Túlio conhecia. Para ele, o ódio de Rodolfo por Fausto não tinha motivo nem explicação, ainda mais porque eram gêmeos, e ele não conseguia entender aquela rivalidade. Achava que o tio estava enlouquecendo e sentia medo dele. Mas queria afastar-se de tudo aquilo. Já não tinha seus problemas, sua culpa? Por que ter que carregar também a cruz de Rodolfo?

— Não se esqueça — tornou Rodolfo, chamando-o de volta à realidade. — Posso precisar de você. Não vá falhar comigo.

Túlio não respondeu, e ele se foi. Até quando seu martírio continuaria?

Em pouco tempo Rodolfo reunia-se a Constância. Precisava, ele também, pagar a promessa que fizera.

— Já pensou em tudo? — indagou Rodolfo.

— Como sempre.

— E o que idealizou dessa vez?

— Quero que a chame ao seu quarto.

— Para quê?

— Assim que todos se recolherem, chame-a ao seu quarto. Diga-lhe que a comida lhe causou certa indisposição e peça-lhe para preparar-lhe um chá. Pelo que conheço de Tonha, ela irá lá nos fundos colher algumas ervas. Por via das dúvidas, eu mesma me encarregarei de esvaziar as caixinhas de chá, o que a obrigará a usar ervas frescas. Lá, então, a sós com ela, executarei minha vingança.

— Esta noite?

— Esta noite. Não posso esperar nem mais um dia.

Naquela noite, depois que todos foram dormir, Rodolfo puxou a sineta, que tocava na cozinha, e Tonha apareceu.

— Deseja alguma coisa, sinhô?

— Sim, Tonha... — disse devagarzinho, enquanto se retorcia na cama, as mãos apertando a barriga.

— Está sentindo alguma coisa?

— Hum, hum. Uma dor aqui no estômago, não sei o que é.

— Será que foi algo que comeu? Eu bem falei a sinhá Palmira para não colocar pimenta no pirão...

— Por favor, Tonha, deixe isso pra lá. Faça-me um chá, por favor.

— É pra já, sinhozinho. Vou fazer um chá de boldo especial. Se vomitar, não faz mal. Vai limpar por dentro.

Quando Tonha saiu, a porta do quarto de Camila se fechou. A negrinha encarregada de vigiar os aposentos de Constância, ouvindo barulho no corredor, entreabriu a porta e espiou. Vendo, porém, que se tratava de Tonha, não deu importância ao fato e tornou a fechar a porta, vagarosamente. Com o *clique* da fechadura, Camila despertou.

— O que houve? — indagou sonolenta.

— Nada, sinhá. Foi apenas Tonha, que foi ao quarto de sinhô Rodolfo.

— Tonha? Está bem...

De repente, Camila deu um salto. O que estaria Tonha fazendo ali, justamente no quarto de Rodolfo, e àquelas horas? Ela pulou da cama e correu ao quarto de Constância, empurrando a porta bem devagar. A prima não estava, e a cama, ainda feita, delatava que ela ainda nem se deitara. Intuitivamente compreendendo o que estava se passando, voltou a seu quarto e ordenou à escrava:

— Vá agora mesmo ao quarto de mamãe e diga-lhe para se encontrar comigo lá fora!

— Mas sinhá...

— Agora! Vá!

Nesse ínterim, Tonha, não encontrando nenhuma erva na cozinha, saiu para o quintal, a fim de colher algumas para o chá. Ao chegar perto do canteiro, ouviu uma voz fantasmagórica atrás de si:

— Olá, Tonha.

Ela se assustou e levou a mão ao peito. Constância sorriu aquele sorriso diabólico e aproximou-se dela.

— Sinhá Constância! O que faz aqui?

— Quero conversar.

— Não acha que já é um pouco tarde? Só vim preparar um chá para...

— Nunca é tarde para falar de Inácio — cortou Constância, rispidamente.

— Inácio? Desculpe, sinhá, mas Inácio está morto, e não quero falar sobre ele, não. A sinhá não tem o direito.

— Não? Mas eu o amava! E o merecia. Muito mais do que você... negra!

Tonha abaixou os olhos e retrucou com voz sumida:

— O que quer, sinhá?

— Vingança!

— Mas Inácio está morto. Não pode pensar que fui eu que o matei...

— Você? Não, negra estúpida, sei que não foi você. E sabe como sei? Porque fui eu! Fui eu que matei Inácio!

— A sinhá?

— Por sua culpa, negra, ateamos fogo naquela casa, eu e Basílio, para queimá-la viva. A você e àquela intrometida da Aline, e seu maridinho. Pensávamos que Inácio estivesse em seu próprio quarto, na ala oposta da casa. Mas ele não estava, não é negra? Estava com você, em sua cama, em seus braços...

— Sinhá, por favor...

— Por que foi se intrometer entre nós? Você é apenas uma escrava. Por que teve que me roubar Inácio? O único homem a quem amei em toda a minha vida.

Constância chorava desesperadamente. A saudade e o remorso a roíam por dentro, e ela não podia suportar. Tonha, apesar de tudo, condoeu-se dela. Colocando a mão em seu ombro, disse com voz humilde e branda:

— Sinhá Constância, deixe isso para lá. Já passou. Não adianta mais. A sinhá deve esquecer e viver sua vida...

— Não, negra! Jamais poderei viver em paz enquanto você não estiver morta!

Constância ergueu o braço, e a lâmina do punhal brilhou na luz do luar. Já ia desferir o golpe quando sentiu que a seguravam por trás, subjugando-a, e ela tombou.

— Não! — gritou Camila, enquanto se esforçava para dominá-la.

As duas lutaram, até que o punhal caiu da mão de Constância, e Palmira o recolheu. Quando a negrinha fora ao seu quarto, berrando feito uma cabrita, Palmira ficara furiosa e até lhe dera uns tapas. Mas ela falava no nome de Camila com tanta insistência, que ela acabou se convencendo. Andando o mais depressa que podia, auxiliada pela negrinha, chegou bem a tempo de ouvir a confissão de Constância. Camila, que chegara primeiro, vendo a porta da cozinha aberta, correu e avistou as duas discutindo. Em silêncio, deu a volta no terreiro e ocultou-se nas sombras, atrás da prima, o que lhe permitiu saltar sobre ela bem a tempo de impedir que desferisse em Tonha o golpe fatal.

— Pode soltá-la, Camila — ordenou Palmira, olhos secos, chispando de ódio. — Não suje suas mãos com o sangue de uma assassina.

— Tia Palmira, eu...

— Cale a boca, sua víbora! Como pôde enganar-me dessa forma? Confiei em você, dei-lhe meu apoio. Mais do que isso; amei-a como a uma filha. Por que me apunhala pelas costas?

— Eu... eu...

— Você matou meu filho. Você matou Inácio... e Aline...

— Não, não. A culpa foi de Tonha...

— Tonha é uma tola e uma atrevida. Mas você... é uma assassina! Assassina!

Constância descontrolou-se. Ouvindo as acusações da tia, desatou a chorar. Nesse momento, atraídos pela gritaria, os outros começaram a chegar. Primeiro chegou Fausto. Depois chegaram Túlio e Dário. E, por fim, Rodolfo, todo nervoso. O plano falhara, o que era extremamente perigoso.

— Saia daqui! — berrava Palmira. — Terêncio! Terêncio!

Terêncio, cujas acomodações ficavam ali bem próximo, ouvira toda a conversa.

— Chamou, dona Palmira?

— Terêncio, pegue essa criminosa, leve-a para a vila e entregue-a ao chefe da guarda — disse secamente. — Nunca mais quero vê-la.

— Sim, senhora.

Terêncio agarrou-a pelos punhos e começou a arrastá-la, ao mesmo tempo em que ela gritava:

— Por favor, tia Palmira, perdoe-me! Não quero ser presa! Foi um acidente, eu não queria! Tenha piedade, por favor!

Palmira já lhe havia dado as costas, fazendo-se surda a suas súplicas, quando Camila fez parar o capataz, dizendo:

— Espere um pouco, Terêncio. Há algo que preciso saber — virou-se para Constância e indagou: — Como foi que preparou tudo isso, Constância? Como sabia que Tonha estava aqui fora?

Ela encarou Rodolfo e gargalhou. Ia cair, sim, mas levaria mais alguém com ela. Sem hesitar, apontou para o primo e disparou:

— Foi a paga que recebi por ajudar Rodolfo a enganar aquela tola da Júlia e deitar-se com ela.

— O quê? — urrou Fausto, perplexo. — O que está dizendo?

— É mentira! — gritou Rodolfo. — Não veem o que ela está fazendo? Quer acusar-me só para salvar a pele.

— É mesmo? — replicou Constância. — Então, como é que sei que ele chamou Tonha a seu quarto, fingindo uma indisposição, e pediu-lhe para preparar-lhe um chá? Como é que sei que não havia ervas em casa, e que ela veio colhê-las aqui no terreiro?

Fausto voltou-se para Tonha e indagou:

— Isso é verdade?

— Sim, sinhô — respondeu em lágrimas, fitando Rodolfo com mágoa.

— É mentira! — insistia Rodolfo.

— Não é não — protestou Constância. — Fui eu quem lhe disse para entrar no quarto de Júlia, naquela noite, fingindo-se passar por Fausto. Disse-lhe que usasse suas roupas, que imitasse sua voz, seus gestos, seus carinhos. Foi o que ele fez, e a tola, ingênua, pensando que se entregava ao amado, entregou-se ao rival!

Antes que Fausto pudesse alcançá-lo, Rodolfo fugiu. Sumiu no meio da noite. Fausto quis ir atrás dele, mas Camila não permitiu.

— Deixe-o — disse. — Estará a sós com sua consciência.

O dia mal clareara e Camila, em companhia de Dário, partiu rumo à fazenda Ouro velho. Precisava falar com Júlia o quanto antes, contar-lhe o que havia acontecido.

Quando chegaram, foram informados de que Sara ainda estava dormindo, e Dário sobressaltou-se. Teria ela piorado? Rebeca, contudo, tranquilizou-o:

— Não foi nada disso, meu filho. É que ontem Sara resolveu nos brindar com um concerto ao piano, e ficamos até tarde a escutá-la.

— É mesmo? — fez Dário surpreso. — Ela tocou para vocês?

— Sim. E com que alegria!

— Mas isso é maravilhoso! Pena que não pude estar presente.

— Realmente, foi uma pena. Mas não se preocupe, não faltarão oportunidades.

— Com certeza não faltarão — interrompeu frei Ângelo, que ia chegando. — Sara está muito melhor, e tenho certeza de que, em breve, poderão se casar.

— Fala sério?

— Você mesmo poderá dizer. Então não notou como ela vem melhorando ultimamente?

— É verdade. E tudo isso graças ao senhor.

— Tudo isso graças a ela mesma, a sua fé, a sua enorme capacidade de compreender as coisas.

— Mas que coisas são essas? — indagou Rebeca. — Vocês ficam o tempo todo por aí, cochichando, e eu não sei de nada...

— Ora, dona Rebeca — protestou Dário —, o que importa é que Sara está melhorando, não é mesmo?

— Tem razão, meu filho. Só o que quero é ver minha filha feliz e saudável.

— Rebeca — acrescentou Camila —, nem pode imaginar o quanto essa notícia também me deixa feliz. A felicidade de Sara e de Dário é um de meus maiores desejos.

— Quanto a isso, não precisa se preocupar. Sara está readquirindo a alegria de viver, principalmente de viver em família. Aos poucos ela vai saindo daquela solidão que a estava matando e integrando-se ao ambiente familiar.

— Oh! Mas ela sempre esteve integrada à família.

— De corpo, podia ser. Mas de alma...

— Não entendo o que diz.

— Quero dizer que Sara sempre viveu junto de vocês fisicamente, mas seu interior, sua essência, sempre se sentiu sozinha e abandonada.

— Ora essa, mas por quê?

— Quem pode saber? — fez frei Ângelo, ergueu os ombros em sinal de dúvida, não querendo revelar-lhes os segredos de Sara. — A alma humana é um mistério que só Deus é capaz de compreender.

— Bem — atalhou Camila —, seja como for, o importante é que Sara está praticamente curada.

— Sim, isso é o que importa, não é mesmo?

— É sim — concordou Rebeca.

Pouco depois Sara chegou. Estava bem mais corada e chegara a ganhar alguns quilinhos, perdendo aquelas feições cadavéricas que lhe roubavam a beleza. Vendo Dário ali presente, correu para ele e, abraçando-o, cumprimentou:

— Bom dia, meu querido. Que bom encontrá-lo aqui, logo pela manhã.

— Estava com saudades.

Dário tomou-lhe o braço e saiu com ela para o jardim, a fim de aproveitar o Sol da manhã.

— Ah, os jovens! — exclamou frei Ângelo. — Como é bom vê-los apaixonados!

— E Júlia, onde está? — perguntou Camila, logo que eles se afastaram.

— No jardim — respondeu frei Ângelo. — Estive até agora conversando com ela.

Camila pediu licença. O que tinha a falar com Júlia não podia esperar.

Júlia estava sentada de costas, fitando as montanhas, quando Camila se aproximou, tocando-a gentilmente no ombro.

— Júlia, querida, como está?

A moça levantou-se apressada e atirou-se nos braços da cunhada, exclamando:

— Camila! Que bom vê-la!

— Trago boas notícias.

— Boas notícias?

— Sim. Sente-se que lhe contarei tudo.

Minuciosamente, Camila contou a Júlia tudo o que se passara na noite anterior. Júlia ficou abismada. Aquele Rodolfo era mesmo uma praga. E Constância, então? Uma víbora. Mas, e Fausto? O que pensaria disso tudo?

— Fausto ainda está profundamente abalado e confuso.

— Não vai me perdoar, não é mesmo?

— Dê tempo ao tempo. Ele só precisa se acostumar. Tenho certeza de que, logo, logo, irá, não perdoá-la, porque, como disse, você não fez nada de errado. Mas aceitá-la.

— Será que posso sonhar com isso?

— Pode. Verá como seu sonho está a um passo de se realizar.

Capítulo 26

Deixando o local onde se desenrolara todo aquele drama, Rodolfo embrenhou-se no mato, com medo da reação de Fausto. O irmão, na certa, o mataria. No dia seguinte, Palmira foi avisada de que faltava um cavalo na cocheira e concluiu que o filho, provavelmente, fugira para a vila. Mais tarde, quando Terêncio chegou, disse que vira o cavalo de Rodolfo parado em frente à estalagem, e que ele passara a noite lá.

— E Constância?

— Entreguei-a ao chefe da guarda e contei-lhe tudo o que aconteceu.

— O que ele disse?

— Disse que, pelo tempo, acha que não poderá fazer mais nada. Os crimes, provavelmente, já estão pescr... presc...

— Prescritos — completou Palmira, e ele assentiu.

Ela mordeu os lábios e não disse mais nada. Ainda que estivessem prescritos, dado o enorme transcurso de tempo, ela arranjaria um jeito de fazer com que Constância apodrecesse na cadeia. Não havia nada que o dinheiro não pudesse comprar. No momento, porém, estava mais preocupada com seu filho, Rodolfo. Ele errara, traíra o irmão. Mas aquela Júlia... na certa que o provocara. E agora, os filhos não se falavam por causa daquela mulher. Isso não estava direito.

— Mande preparar a carruagem — ordenou. — Quero ir à vila.

— Sim, senhora.

Palmira foi ter com o filho e ficou surpresa com seu estado de quase demência. Ele estava diferente, o olhar vidrado, o rosto afogueado, suando frio. Ela tocou sua testa e certificou-se: Rodolfo estava doente, muito doente. Mandou que Terêncio saísse à procura do médico e, quando ele chegou, examinou o rapaz e confirmou: ele estava com muita febre e começava a delirar. Em sua loucura, balbuciava:

— Não... somos diferentes... O duelo!... Maldito!...

A mãe, sem entender que ele rememorava fragmentos de outra vida, julgava que aqueles delírios fossem resultado da febre e não lhes deu muita importância. Mas era preciso tirá-lo dali. Precisava levá-lo de volta a casa. Só lá poderia tratá-lo como devia, no o conforto de seu lar. Quando a carruagem chegou, Fausto foi receber a mãe e estacou, estarrecido ante a visão do irmão, deitado no banco, com a cabeça pousada no colo dela.

— O que significa isso, mamãe? — indagou, cheio de ódio. — Ainda tem coragem de trazer esse patife aqui?

— Quieto, Fausto, e escute-me. Seu irmão está doente.

— Doente... ele está é fingindo, isso sim.

— Deixe de besteira e ajude-me aqui.

Fausto não se moveu, e Terêncio deu a volta à carruagem, parando perto de Palmira. Ele estendeu os braços, tentando erguer

Rodolfo, mas já estava velho, e o moço era muito pesado para ele carregar sozinho.

— O que está esperando? — tornou ela. — Não vê que Terêncio não pode com ele?

— Sinto, mamãe, mas se quer acreditar nesse canalha, o problema é seu. Não conte comigo.

— Fausto, por favor, ajude seu irmão. Ele não está nada bem.

— Se ele entrar por aquela porta, eu saio por outra. Não vou dividir o mesmo teto com um crápula, um canalha, um patife, um cínico, um poltrão!

— Acabou o seu vocabulário de imprecações? Agora ajude-me.

— Mamãe, estou falando sério! Se a senhora permitir a entrada desse biltre em nossa casa, juro que nunca mais vai me ver. Vou-me embora daqui agora mesmo!

— Fausto, pelo amor de Deus! — gritou ela, já impaciente. — Aquiete essa têmpera e olhe para seu irmão. Ele está muito doente. O que quer que eu faça? Que o deixe morrer sozinho, atirado no quarto imundo de qualquer estalagem barata? Olhe para ele, vamos! Olhe para ele!

Ainda contrariado, Fausto fitou o rosto do irmão. Reparando melhor, viu que havia gotículas de suor banhando sua testa, e que seus lábios tremiam. Ele estava pálido feito cera, os olhos semicerrados parecendo sem vida. Aproximou a mão de sua têmpora e tocou-a de leve. Ele estava ardendo em febre. Em silêncio, fitou a mãe, já penalizado, e ela considerou:

— Fausto, meu filho, sei que o que Rodolfo fez foi muito grave e não lhe tiro a razão de estar zangado com ele. No entanto, é meu filho também, tem o seu sangue. Gostaria de ver morrer seu próprio irmão?

Ele engoliu em seco e retrucou:

— Não... claro que não... mas é que... pensei que ele estivesse fingindo...

— Como vê, não está. Rodolfo está muito doente. O médico já o examinou, e o caso dele é grave. Se a febre não baixar, ele não vai resistir.

— Sinto muito...

— Agora vamos, ajude Terêncio a levá-lo de volta ao quarto.

Coração bondoso, Fausto ajudou o capataz a instalar o irmão de volta em seu quarto, e o médico todos os dias ia visitá-lo, levando-lhe elixires e infusões amargas, fazendo-lhe ventosas e sangrias, tudo na esperança de salvá-lo.

No dia seguinte à chegada de Rodolfo, Marta apareceu e montou guarda junto ao leito. Sabia de tudo o que tinha acontecido, mas não se importava. Amava-o de qualquer jeito e estava disposta a ficar ao lado dele, ainda que ele não a quisesse.

O tempo foi passando, e a recuperação de Rodolfo seguia lentamente. A febre custava muito a ceder, e ele vivia delirando, falando de coisas estranhas, que ninguém conhecia. Apesar das reservas que tinha quanto à posição social de Marta, Palmira não pôde deixar de observar a sua dedicação. Ela, efetivamente, montara guarda à cabeceira do doente e raramente se ausentava, fazendo suas refeições no quarto. À noite, depois que Rodolfo dormia, ela ia para casa, retornando no dia seguinte, bem cedo, para que ele, ao despertar, já a encontrasse ali. Aos poucos, Palmira foi se acostumando com a presença da moça. Ela era de uma amorosidade sem igual, e Palmira ficou extremamente grata. Já estava velha e cansada, e não tinha mais forças para cuidar do filho doente.

À medida que Rodolfo ia melhorando, Marta ia introduzindo novos métodos no auxílio à sua convalescença. Conhecendo já o dom que possuía, todos os dias elevava o pensamento a Deus e colocava suas mãos sobre o rapaz, o que fazia com que ele se sentisse bem melhor. Não raras eram as vezes em que vomitava, e Marta lhe dizia baixinho, com extrema ternura:

— Isso, meu querido, deixe sair todo esse ódio que invadiu seu coração e abra espaço para receber o meu amor.

Rodolfo, pouco a pouco, ia se sentindo melhor. A presença de Marta causava-lhe imensa alegria, e ele só conseguia dormir com ela a seu lado. No dia seguinte, se despertava muito cedo, ficava ansioso, remexendo-se na cama à espera de que ela chegasse. Ela era seu alento.

Mais tarde, quando ele conseguiu reunir forças para se levantar, Marta levou-o a passear no jardim e lia para ele os novos romances que a mãe mandava vir da corte. Ele a escutava extasiado, bebendo suas palavras e admirando sua graça e beleza. Marta, por sua vez, exultava! Estava certa de que conseguiria conquistar seu coração.

Quando Fausto descobrira o que o irmão fizera, tivera vontade de esganá-lo. Mas, vendo-o assim, totalmente dependente, sentiu um aperto no coração e compadeceu-se de seu sofrimento. Rodolfo enlouquecera, era a única explicação que conseguira encontrar. Em sua bondade e ingenuidade, Fausto concluíra que Rodolfo se apaixonara por Júlia e, ao contrário do que dissera, não conseguira esquecê-la. Movido pelo ciúme e pelo despeito, deixara-se arrastar por aquele desatino e se entregara à indignidade. Era uma pena!

Ao ver o irmão sentado no banco do jardim, com Marta a seu lado lendo para ele, Fausto pensava em Júlia, e seu coração se apertava. Ele a amava muito e queria perdoá-la. Mas como passar por cima do orgulho e da hombridade e desposar uma mulher que já pertencera a outro homem? Júlia, a cada dia esperava ansiosa que ele fosse buscá-la, mas Fausto não aparecia. Cada cavalo, cada charrete, cada carruagem fazia seu coração se sobressaltar, e ela corria para a porta, na esperança de que fosse ele. Em seguida, voltava tristonha e decepcionada e já começava a acreditar que ele não a amava. Os Zylberberg se condoíam e faziam de tudo para animá-la. Até Sara parecia melhorar, vendo na dor da amiga uma oportunidade para se fazer mais presente em sua vida. Elas passavam longas horas a conversar e, às vezes, frei Ângelo juntava-se a elas. Tinha, então, duas almas para orientar. Muitas vezes, quando Júlia chorava de mansinho, ele lhe dizia:

— Não perca as esperanças, minha filha. Tenho certeza de que ele virá.

Mas Júlia já não acreditava mais. Fausto se fora para sempre, não queria mais vê-la, não a amava mais.

Certa vez, Fausto observava da janela o irmão passeando com Marta, que o amparava pelo braço, quando Camila chegou perto dele. Durante algum tempo também ficou a acompanhar o andar vagaroso e inseguro de Rodolfo, e comentou:

— Ele está sofrendo muito, não acha?

Sem desviar os olhos da janela, Fausto respondeu:

— Está pagando pelo que fez.

— Não diga isso, Fausto. Ele é nosso irmão. Apesar de tudo, tem nosso sangue. Seu sangue ainda mais que o meu.

— Eu sei, Camila. Não quis parecer insensível ou cruel. Sinto muita pena dele e compreendo que está louco. Mas não posso negar que, pensando em tudo o que ele fez, sinto um grande ódio. Ele me estragou a felicidade, destruindo todas as chances que tinha de ser feliz ao lado de Júlia.

— Por quê?

— Você sabe.

— Sei, mas não compreendo e não aceito. Você não a ama?

— Você sabe que sim. Todavia, ela já não é mais moça e já não serve mais para o casamento.

— Isso é uma infâmia. Você se esquece, meu caro, de que eu também não me casei virgem?

— É diferente.

— Sim, muito. O canalha que me roubou a honra iludiu-me, fingindo amar-me, e depois sumiu, entregando-me nas mãos de outro, que só queria o meu dinheiro. Por isso fui para um convento. Porque não aceitei me casar com um aproveitador só para salvar minha reputação. Mas, hoje, sou feliz ao lado de Leopoldo. Ele se apaixonou por mim e me aceitou do jeito que sou. Casamo-nos e somos felizes, sem que ele nunca tenha me atirado na face o mau passo que dei. E dei porque quis, porque fui tola, porque me apaixonei pelo homem errado. Mas Júlia, não. Ela foi enganada não por um homem que dizia amá-la, mas por um homem que se fez passar por aquele que é o seu verdadeiro amor — Fausto ficou pensativo, e ela prosseguiu: — Então, por que não vai falar com ela?

— Não posso, Camila. Por mais que queira, não posso perdoá-la.

— Fausto, meu irmão, não pense em perdão. Pense em reencontro. Se conseguir entender que Júlia não errou, mas que agiu movida por uma ilusão, vai conseguir aceitá-la. Ela o ama.

— Eu sei. Sei também que ela foi vítima. Contudo, jamais poderei esquecer aquela mancha de sangue no lençol. Sangue que deveria ter sido derramado por mim, em nossa noite de núpcias.

— É isso o que ela representa para você? Uma mancha de sangue? Isso é que é importante em Júlia? E o amor, onde fica? Pensa que Júlia teria se entregado a Rodolfo? Não. Ela se entregou a Fausto. Naquela noite, foi a Fausto que viu, foi por ele que se deixou tocar, foi a Fausto que amou. Não Rodolfo.

— Mas era Rodolfo!

— Só que ela não sabia. Ela pensou que fosse você, e só disse o que disse, só fez o que fez porque pensou que era você. Será que você é tão cabeça-dura que não consegue entender?

Fausto suspirou e tornou a olhar para o irmão, que também olhava em sua direção. Quando seus olhos se cruzaram, teve um estremecimento, mas Rodolfo não esboçou nenhum tipo de reconhecimento. Parecia alheio a tudo e só dava sinais de vida ao lado de Marta.

— Por favor, Camila, deixe-me pensar — tornou ele. — Quero ter Júlia de volta, mas não consigo.

— Seu orgulho fala mais alto do que seu amor. Sabe, Fausto, você é mais digno de pena do que Rodolfo.

— O quê?

— Ao menos Rodolfo fez o que fez porque está adoecido, profundamente adoecido. Você não. É um homem são e desperdiça a felicidade por orgulho e preconceito.

Em seguida, sorriu para ele e rodou nos calcanhares, sumindo no interior da casa. Ela estava certa. Mas, por mais que se esforçasse, era difícil aceitar.

Capítulo 27

Aquele dia chegou sombrio, e Tonha sentiu um arrepio estranho ao passar pela porta do quarto que Constância ocupara. Tinha ido levar o café para Rodolfo na cama e sentiu como se um hálito frio lhe percorresse a espinha. Instintivamente, persignou-se e seguiu avante. Aquilo parecia um presságio.

Mesmo sabendo que fora Rodolfo quem a entregara a Constância, Tonha não conseguia sentir raiva dele. Ao contrário, sabia-o enfermo, muito enfermo. Não do corpo, mas da alma. Tonha via em Rodolfo um ser doente que envenenara sua própria alma em troca de alguns momentos de prazer. E, por ironia ou por destino, estava praticamente entrevado, sem nem sombra do rapaz robusto e ativo que costumava ser.

Ao entardecer, um homem bateu à porta. Vestia trajes estranhos e pediu para falar com Palmira. Tonha não o conhecia, mas sabia tratar-se de gente honesta, ou Aldo não o teria deixado passar. Palmira desceu às pressas, cumprimentou o estranho e trancou-se com ele na biblioteca. Vendo-se a sós, foi logo dizendo:

— E então? Conseguiu?

O homem olhou para ela, enfiou a mão no bolso e puxou uma bolsinha de couro, dela retirando um punhado de moedas de ouro.

— Isso não será mais necessário — disse com voz rouca e vibrante.

— Por quê? O que houve? Não vá me dizer que o magistrado se recusou a receber, digamos, a oferta que lhe mandei.

— Não, senhora, não se trata disso.

— Trata-se de que, então?

O homem tossiu meio sem jeito e prosseguiu:

— Senhora, lamento informar que sua sobrinha faleceu...

— Faleceu?

— Enforcou-se hoje cedo, em sua cela.

Palmira debruçou-se sobre a mesa, escondendo o rosto entre as mãos. No fundo, era bem-feito. Teve o que merecia. Ela ergueu a cabeça, os olhos secos, e começou a recolher as moedas, que serviriam de suborno para que o juiz local arranjasse um meio de trancafiar Constância para sempre. Antes de colocar tudo de volta na bolsinha ela parou, escolheu uma moeda e colocou-a na mão do homem, dizendo:

— Muito obrigada por seus serviços.

O homem olhou a moeda e sorriu.

— Eu é que agradeço, senhora, por sua generosidade.

— Digamos que é apenas um agrado, em reconhecimento a sua boa vontade. E agora pode ir. Não preciso mais de seus serviços.

Depois que o homem se foi, Palmira mandou reunir a família. Apenas Rodolfo não estava presente. Depois que todos se acomodaram, ela tomou a palavra e, com voz solene, anunciou:

— Mandei reuni-los aqui para informar que minha sobrinha, Constância, suicidou-se hoje pela manhã, enforcando-se em sua cela.

Apesar de Constância não ser bem quista por ninguém, aquela notícia era muito triste, e todos lamentaram aquele seu último gesto de desespero. Camila, penalizada, ainda desabafou:

— Pobre Constância...

Ninguém disse mais nada. Nem Palmira, que até sentira certo prazer com a morte da infeliz, teceu mais nenhum comentário. Apenas disse a Fausto:

— Meu filho, é preciso providenciar a remoção do corpo.

— Deixe tudo por minha conta, mamãe. Não precisa se preocupar com nada.

— Ótimo. Sabia que podia contar com você.

— Onde quer que a enterre?

— Enterrá-la? Não, não quero que a enterre. Não aqui, entre nossos entes queridos. Quero que leve seu corpo para a corte e entregue-o a sua mãe, minha irmã Zuleica.

— Não estavam viajando?

— Já estão de volta. Outro dia mesmo recebi uma carta de Berenice. Eu ia escrever-lhe em resposta, contando-lhe o ocorrido, mas, em vista das circunstâncias...

— Não acha que será um choque?

— Sinto muito, mas o que posso fazer? Constância não é minha filha. Entregue-a para os seus.

— Está bem, mamãe, se é o que deseja.

— E depois, nunca mais quero escutar o nome daquela assassina nesta casa. Ela teve o fim que mereceu, e quero apagar de minha memória sua passagem por aqui.

Fausto fez como prometeu. Contratou um carro fúnebre e partiu primeiro sozinho, a cavalo, a fim de levar a notícia funesta. Depois que o corpo chegou, ele ficou para o enterro, só voltando à fazenda após o sepultamento.

Vinha ele voltando a cavalo, sozinho, e já quase alcançando a cancela que dava para a estradinha da fazenda quando avistou uma mancha branca correndo contra o Sol. Estreitou a vista, quase cego pela luminosidade, até que conseguiu distinguir o porte elegante e garboso de um cavalo branco. A visão foi rápida demais, e o cavalo dobrou a curva, desaparecendo de sua vista. O coração de Fausto disparou. Embora não pudesse ver o cavaleiro, sabia tratar-se de uma dama. Tinha a impressão de ter visto um pequeno lenço azul esvoaçando ao vento. Seria Júlia? Só podia ser Júlia. Ele pensou em seguir avante e atravessar a cancela, mas algo em seu íntimo fez com que desistisse. Tinha que se certificar.

Fez meia-volta e deu rédea ao animal, disparando estrada acima. Perto da curva, estacou, procurando pelo lenço, até que o encontrou caído no chão, perto de uns arbustos. Imediatamente, saltou de seu alazão e apanhou o lenço, levando-o às narinas. Que perfume suave! Ele conhecia aquele perfume. Era de Júlia. Pensou em soltar o lenço ali mesmo e fugir, quando ouviu o ruído de cascos batendo no solo e se virou. Júlia ali estava, montada em belíssimo cavalo branco, os olhos a cintilar. Ao vê-la, seu coração tornou a disparar, mas tão forte e com tanta intensidade que ele pensou que Júlia o estivesse ouvindo. Ele não sabia o que dizer, e Júlia, tentando conter a emoção, apontou para o lenço e disse:

— Obrigada por apanhar meu lenço.

Fausto ficou a encará-la, embevecido, e balbuciou:

— O... o... quê...?

— Meu lenço. Vejo que o encontrou.

— Hein? Oh! Sim... o lenço.

Fausto estendeu para ela o objeto procurado, tocando de leve em suas mãos. Júlia, trêmula, apanhou o lenço e murmurou:

— Obrigada.

Em seguida, voltou-se bruscamente e chicoteou de leve o animal. Estava chorando e não queria que ele a visse chorar. O cavalo iniciou a marcha, e ela começou a se afastar. Fausto, olhando-a de costas, sentiu um desespero, uma sensação de que, se a deixasse partir, a perderia para sempre. Mas ele a amava. E como a amava! Enquanto não a via, era mais fácil resistir. Mas, vendo-a ali, ao seu alcance, não pôde suportar a ideia de não tornar a vê-la. Mais que depressa, desatou a correr e chamou:

— Júlia! Júlia!

Ela virou-se para ele, ainda chorando. Eram lágrimas de felicidade, que Fausto logo reconheceu. Estendendo-lhe os braços, ajudou-a a descer. Ela trazia ao pescoço o lenço azul, que ele segurou e levou aos lábios. Em seguida, puxou-o pelas pontas e trouxe para perto de si o rosto de Júlia. Soltou o lenço, segurou-lhe as faces coradas e pousou-lhe um beijo doce e suave, que ela correspondeu com ternura. Depois olhou-a bem fundo nos olhos e estreitou-a de encontro ao peito. Chorou. Ambos choraram. Sem nada dizer, permaneceram ali abraçados, apenas sentindo a enorme emoção que os unia. Naquele momento não precisavam de palavras. Só o que precisavam era de amor.

Camila exultou ao saber que Júlia e Fausto haviam feito as pazes e pretendiam marcar a data do casamento. Imediatamente, correu ao seu quarto e escreveu uma carta a Leopoldo. Era imperioso que o marido estivesse presente nas bodas da irmã. Júlia concordou em esperar a volta do irmão. Também não queria casar-se sem a presença dele. Não tinha pai, e queria ser conduzida ao altar por Leopoldo, que a criara desde menina.

Apesar de também não guardar ódio de Rodolfo, Júlia preferiu permanecer na fazenda Ouro Velho até o dia do casamento. Chegaria bem cedinho e iria para seu antigo quarto se arrumar. Camila já teria deixado tudo pronto, e ela teria tempo de dar uma olhada nos preparativos para a festa e de vestir-se com calma. Júlia queria evitar o encontro com Rodolfo. Sabia que ele estava doente e que não poderia mais fazer-lhe nenhum mal. Fausto dissera-lhe que ele estava meio apatetado e quase não falava. Embora Júlia se apiedasse dele, alguma coisa dentro dela fazia com que o evitasse. Era um desconforto, um mal-estar, um instinto de defesa que despontavam logo que ouvia seu nome. Camila e Fausto acharam natural sua reação. O que ele lhe fizera fora muito grave, e Fausto até que preferia mantê-la afastada do irmão. Depois do casamento, quando voltassem da lua de mel, mudar-se-iam para a fazenda Ouro Velho. Ezequiel concordara em hospedá-los até o fim do contrato de arrendamento, quando então partiriam, e o jovem casal poderia assenhorear-se de sua nova residência.

Rodolfo parecia alheio a tudo e a todos. Olhava para as pessoas e as reconhecia, mas não demonstrava por elas qualquer tipo de sentimento. Era como se fossem estranhas. Pouco falava, quase sempre por monossílabos, e só se sentia à vontade em companhia de Marta. A moça era incansável.

A notícia do casamento de Fausto e Júlia aparentemente não lhe causara nenhum impacto. Rodolfo permaneceu impassível, sem dar a menor importância ao fato, o que levou todos a crer em seu total estado de alheamento. Palmira, se bem que um pouco contrariada, não se opôs. Fausto casar-se-ia com a moça de qualquer jeito, e era melhor que fosse ali, junto dela.

Rodolfo assistia aos preparativos do casamento sem maior interesse. Um tal de frei Ângelo celebraria a cerimônia, mas isso não fazia a menor diferença. Só o que parecia interessá-lo era a presença de Marta. Era como se ele soubesse que só Marta era capaz de compreendê-lo e amá-lo, e ele podia sentir-se seguro junto dela.

No entanto, um fato extraordinário abalou a tranquilidade que então se instaurara na fazenda. Alguns dias antes do casamento, quando Marta lia para Rodolfo no jardim, ela se espantou ao ouvir com clareza sua voz, que dizia:

— Marta, quero que me faça um favor.

Ela se assustou e soltou o livro, encarando-o perplexa. Pensando que ele começava a recobrar o juízo, retrucou confusa:

— Rodolfo... sua voz... Oh! Graças a Deus!

— Ouça, Marta, não tenho tempo para isso — redarguiu ele, com uma certa rispidez.

— Mas, Rodolfo... o que foi que houve, meu amor?

— Não houve nada. Sinto-me melhor agora, é só.

— Mas assim, de repente?

— É, por quê? Não está feliz?

— Não se trata disso. Mas é que eu pensei...

— Pensou que eu estava inválido?

— Não, claro que não. Pensei, isto é, pensamos que você estava...

— Louco? Ora, minha cara, mas o que é isso? Louco, eu? Loucos são vocês de acreditarem numa tolice dessas.

— Mas, então...?

— Então nada. Passei um tempo doente e agora estou curado.

— Simples assim?

— Simples assim. Mas por que o espanto? Até parece que me preferia alienado. Não está feliz?

— Estou, claro. Foi só a surpresa do momento, mas já passou.

— Ótimo.

Ela se levantou e anunciou:

— Sua mãe precisa saber disso. É o casamento de seu irmão e...

— Não! — cortou ele com exasperação. — Não conte nada a ninguém por enquanto.

— Mas por quê? Sua mãe ficará muito feliz ao ver que você já está curado.

— Por isso mesmo. Não quero precipitar as coisas. Não sei se estou curado ainda.

— Não sabe? Mas o que é isso que diz? Não estou entendendo.

— Não precisa entender. Quero apenas que confie em mim.

— Confiar em você? Para quê?

— Para fazer-me um favor.

Marta estava profundamente desconfiada. Aquela história estava ficando muito estranha.

— Favor?

— Sim, um favor.

— E que favor seria esse?

— Você me ama?

— Ainda duvida?

— Não. Sei que me ama, e é por isso que só posso contar com você.

Marta olhou-o magoada. Nenhuma palavra de gratidão, nenhum gesto de carinho. Nada que pudesse demonstrar o reconhecimento por tanta dedicação. Fazendo beicinho, tornou sentida:

— O que quer que eu faça?

— Isso, assim está melhor. Muito bem. Quero que traga Túlio até aqui.

— Túlio. Para quê?

— Não lhe interessa. Faça apenas o que estou pedindo.

Sem responder, Marta pousou o livro no banco e saiu, deixando Rodolfo com aquele ar idiota no rosto. Na verdade, desde que a febre baixara, ele recobrara suas faculdades mentais e tinha perfeita consciência do que acontecia ao seu redor. No entanto, era mais prudente fingir. Se todos soubessem que se curara, teria que se explicar e não conseguiria ultimar sua vingança.

Pouco depois, Marta voltou levando Túlio pela mão, e Rodolfo foi logo dizendo:

— Agora, deixe-nos a sós.

Marta rodou nos calcanhares, e Túlio, erguendo as sobrancelhas em sinal de espanto, indagou:

— Você não estava louco?

— Isso não vem ao caso.

— Estava fingindo, não é mesmo?

— E daí?

— Eu devia imaginar. É bem típico de você.

— Sou esperto, não sou?

Túlio deu um sorriso de ironia e revidou:

— O que quer?

— Você sabe.

— Será possível que você não desiste? Por que não me deixa em paz? Não vê que seus truques não surtem mais efeito? Que ninguém mais vai acreditar em você?

— Escute aqui, rapaz, não se faça de besta comigo. Ainda posso contar a sua mamãezinha que você continua matando as negrinhas...

Túlio fitou-o com raiva. Até quando seria presa daquele tormento?

— O que quer que eu faça?

— O combinado.

— Quando?

— Na manhã do casamento de Fausto.

— Quer impedir o casamento?

— Sim.

— Não vê que não conseguirá? Acha que alguém acreditará em você?

— Em mim, não, em você. Estou louco, lembra-se?

— Está mesmo.

— Cale essa boca, idiota, e escute-me. No dia do casamento, reúna a família em meu quarto e conte tudo, do jeitinho que combinamos. Dê um jeito de trazer Trajano e mande-o confirmar essa versão. O depoimento daquele negro imbecil será fundamental para aqueles tolos acreditarem.

— Acha mesmo que isso dará certo?

— Acho bom que dê. Para o seu bem, é melhor fazer tudo direitinho. Ou então, posso melhorar subitamente e contar a história verdadeira. Não tenho nada a perder, mas você...

O dia do casamento rapidamente chegou, e pouco antes do horário marcado para a cerimônia, Túlio foi ao quarto de Júlia. Camila atendeu e mandou-o entrar. O que poderia ele querer?

— Túlio! — exclamou Júlia. — O que faz aqui?

— Júlia, preciso falar-lhe.

— Agora não, querido. Estou me aprontando para a cerimônia. Frei Ângelo já deve estar chegando.

— Mas é importante.

— Nada pode ser mais importante do que meu casamento.

Júlia podia perceber o nervosismo na voz do sobrinho e imaginou que algo de muito grave deveria estar acontecendo. Caso contrário, ele não iria procurá-la justo no dia de seu casamento. Ela pousou na penteadeira a escova com a qual estava se penteando, encarou-o e indagou:

— Muito bem. Do que se trata?

— Será que pode me acompanhar ao quarto de tio Rodolfo? Por favor, é importante, principalmente para você. Disso vai depender toda a sua felicidade.

Ela estranhou aquele pedido e hesitou. Ir ao quarto de Rodolfo? Era pedir-lhe demais. Já ia protestar quando escutou a voz de Camila:

— Está tudo bem, querida, não se preocupe. Irei com você.

Júlia deu de ombros e aquiesceu. Com Camila a seu lado, não tinha o que temer. Saindo para o corredor, encontraram Fausto que, ao lado de Trajano, já os aguardava.

— Alguém pode me explicar o que é que está acontecendo? Túlio pediu-me que o aguardasse aqui com Trajano. O que é que há? Seja o que for, não pode esperar?

— Por favor, tio Fausto, venha comigo e não faça perguntas. Acredite, é importante. Se não fosse, não os reuniria logo hoje, no dia do seu casamento.

Todos se calaram e seguiram para o quarto de Rodolfo. O rapaz estava sentado na cama, com Marta a seu lado, servindo-lhe uma xícara de chá. Pouco depois, Palmira apareceu, seguida de Leopoldo e Dário. Vendo a família toda ali reunida, mais aquele escravo insolente, perguntou atônita:

— Mas o que significa isso?

— Tenha calma, vovó. Logo ficará sabendo de tudo. Todos ficarão. Por favor, escutem-me. Tenho uma revelação muito importante a fazer.

Logo que todos se acomodaram, Túlio encarou Fausto e começou:

— O assunto que me fez reuni-los aqui é deveras grave. Como todos sabem, tio Rodolfo perdeu o juízo e não poderá falar por si mesmo. Além disso, sua imagem está comprometida por seus atos ignóbeis, mas é preciso que não o condenemos por tudo o que acontece de ruim, só porque ele já errou uma vez. Não. Ele não é o único aqui a errar, e não deve agora também ser considerado culpado pelos erros dos outros. Eu, como seu sobrinho, não posso me calar, e sinto-me no dever de expor a todos a verdade sobre alguns fatos que aconteceram aqui.

— Que fatos?

— Trata-se de um crime.

— Um crime? Mas que crime?

— Um crime ao qual ninguém deu muita importância, mas que deve ser revelado antes de seu casamento, Júlia, para que você saiba tudo a respeito do homem com quem vai se casar.

— Túlio, pare já com isso! — explodiu Palmira. — Isso não é hora para brincadeiras desse tipo.

— Não, vovó, não são brincadeiras.

Rodolfo não mexia um músculo sequer. Nem piscava. Estava louco para pular daquela cama e atirar na face do irmão toda sorte de impropérios, mas se conteve. Júlia, indignada, retrucou:

— Não estou entendendo nada do que diz. Aonde quer chegar?

Sem tirar os olhos de Fausto, Túlio continuou:

— Quero chegar ao crime que meu tio cometeu, ou melhor, aos crimes que ele cometeu, violentando e matando uma pobre escrava indefesa, e depois ameaçando seu próprio sobrinho, caso ele contasse a verdade a alguém.

Um raio não os teria atingido com mais violência. Fausto abriu a boca perplexo, sem saber o que dizer. Nem sequer podia imaginar de onde Túlio tirara aquela história. Será que enlouquecera também?

— Túlio, você bebeu? — tornou indignado.

— Gostaria de ter bebido. Só assim poderia esquecer aquela monstruosidade. Mas não se espantem. Sei o que digo e posso provar. Há testemunhas.

— Testemunhas? — perguntou Júlia indignada — Quem? Testemunhas de que, meu Deus?

— Em primeiro lugar, eu mesmo.

— Você?

Ele olhou para Júlia rapidamente e, escolhendo bem as palavras, suspirou e começou a dizer:

— Sim, Júlia, eu presenciei a morte de Etelvina.

— Você o quê?

Túlio fitou o rosto estarrecido de Fausto e disparou, sem desviar o olhar do tio.

— Vi, com meus próprios olhos, meu tio matar Etelvina.

— O quê? — indignou-se Fausto. — Por acaso enlouqueceu? Por que está fazendo isso?

— Túlio — repreendeu Palmira severamente. — Eu o proíbo de falar sobre esse assunto. Você diz que Etelvina foi morta, embora isso nunca tenha ficado provado. E embora ela fosse apenas uma escrava, não acredito na participação de meu filho nesse episódio. Contudo, isso não vem ao caso agora, e eu lhe ordeno que se cale e não estrague o casamento de seu tio.

— Não, dona Palmira — objetou Júlia. — Embora também não acredite, Túlio diz que Fausto teve participação na morte da moça. E se Fausto tem mesmo alguma coisa a ver com isso, tenho o direito de saber.

— Mas esse assunto não é importante e pode esperar.

— Não — insistiu Júlia. — O assunto envolve Fausto, e quero saber do que se trata.

— Júlia, não vá me dizer que você acredita que eu tenha algo a ver com isso.

— Por favor, por favor — interrompeu Túlio. — Por que não me deixam terminar? Afinal, ainda não acusei ninguém.

— Isso é que não — disse Palmira. — Não vou permitir.

— Por favor, mamãe — interrompeu Fausto —, deixe que Túlio nos conte sua história. Não tenho nada a temer.

O rapaz suspirou e retomou a narrativa. Mas, para surpresa de Rodolfo, ele começou falando a verdade, desde o dia em que brigara com Trajano por causa da moça:

— Eu estava louco da vida. Louco com Trajano, que me batera, louco por Etelvina, que me parecia apetitosa. Foi então que meu tio me procurou com uma ideia. Iria me ajudar a deitar com a negrinha, ao mesmo tempo em que eu poderia vingar-me de Trajano. Nós sabíamos que ele estava apaixonado por Etelvina, e ela por ele, e meu tio pensou que seria uma boa ideia fazer com que ele presenciasse sua amada sendo ultrajada por mim.

Ele fez uma pausa e olhou para Rodolfo, que não tirava os olhos dele. Se Túlio resolvera contar de sua participação naquele episódio, tanto melhor. Dava até mais autenticidade. Só o que ele não podia era revelar seu nome. Rodolfo, porém, começou a sentir-se pouco à vontade. Por que estaria ele se incriminando, se tudo o que fizera fora exatamente para salvar a pele? E por que não falava logo o nome de Fausto, referindo-se ao autor do crime apenas por tio?

Túlio, engolindo em seco, prosseguiu:

— Bem, logo depois que eu me servi da negrinha, sob o olhar agoniado de Trajano, meu tio também resolveu aproveitar e deitou-se sobre ela. Mas Etelvina não parava de se debater, e ele começou a apertar seu pescoço, até que a esganou...

— Meu Deus! — exclamou Júlia horrorizada.

— Pois é. Depois disso, deu ordens para que Trajano a enterrasse e ameaçou-nos, a ele e a mim, caso falássemos alguma coisa.

— Túlio — interrompeu Fausto. — Por que está fazendo isso? Diga a verdade.

— Oh! Mas eu disse a verdade.

— Túlio! — gritou Palmira. — Essa história já foi longe demais. Exijo que essa reunião seja encerrada agora mesmo.

— Mas, vovó...

— Nada de mas. Não quero ouvir nem mais uma palavra dessa infâmia. Seu tio jamais mataria alguém, ainda que uma escrava. E depois, deitar-se com uma negra? Isso é ultrajante, e meus filhos jamais se prestariam a esse papel.

— Lamento, vovó, mas essa é a verdade. Meu tio não só se deitou com a escrava, como também a matou.

Fausto, não podendo mais suportar aquela agonia, agarrou Túlio pelos punhos e, sacudindo-o, explodiu:

— O que deu em você, Túlio? Por que não conta logo a verdade? Você diz que foi seu tio quem fez isso. Mas que tio?

Ele encarou Rodolfo com um brilho de satisfação nos olhos e, calmamente, declarou:

— Tio Rodolfo.

— É mentira! — gritou Rodolfo, dando um salto da cama, para espanto geral. — Mentira!

— Rodolfo, meu filho, o que significa isso? Como pode...?

Mas Rodolfo não escutava. Em sua loucura, só conseguia pensar em desmoralizar o irmão e continuou:

— Fausto o ameaçou, só pode ser isso. Mas o escravo sabe, ele viu. Vamos, Trajano, conte a verdade ou eu o mato!

Trajano, ante o olhar inquisidor dos presentes, respondeu com voz humilde:

— O sinhô sabe que sinhozinho Túlio disse a verdade.

— Mentira! Você também está mentindo. Passou para o lado deles! Fausto ameaçou-o também? Não acredite neles, mamãe! É tudo uma farsa. Um plano para acabar comigo e me impedir de contar-lhe a verdade! Fausto não quer ser desmascarado! Ele a enganou esse tempo todo, mamãe, e sabe que eu sou o único que conhece toda a verdade!

Palmira, sem entender bem por que obra miraculosa Rodolfo recobrara o juízo, retrucou surpresa:

— Mas que verdade? Do que é que você está falando?

Rodolfo, sem saber o que fazer, tentou sua última e desesperada cartada:

— Dos Zylberberg! É isso: os Zylberberg. Nossos vizinhos. São judeus.

Palmira olhou para o filho, penalizada. Ele pulava e gritava na sua frente, confirmando sua loucura. Seus olhos encheram-se de lágrimas e ela, tentando acalmá-lo, segurou-lhe a mão e disse com tranquilidade:

— Eu já sabia.

Ele recuou estarrecido. Estava perdido. Tudo dera errado. Fora desmascarado e desmoralizado diante da mãe e de toda a família. Desesperado, virou-se para a porta e desatou a correr. Não lhe restava mais nada. Só o que lhe restava era morrer.

Rodolfo atravessou o quarto feito um furacão, e Marta saiu atrás dele. Ele alcançou a estradinha e desatou a correr sem destino, com Marta em seu encalço, chamando por ele, mas ele não respondia. Só queria morrer. Por fim, extenuado, Rodolfo parou e se ajoelhou no chão de terra batida, ocultando o rosto entre as mãos e chorando em desespero. Marta parou a seu lado, ajoelhou-se junto a ele e envolveu sua cabeça com os braços desnudos, murmurando em seu ouvido:

— Meu querido, por que fez isso?

Rodolfo, em vez de responder, empurrou-a para longe, jogando-a ao chão, e levantou-se, encarando-a com horror e gritando, completamente fora de si:

— Deixe-me em paz! O que veio fazer aqui? Rir da minha vergonha?

Ela se recompôs e ajeitou o vestido, um tanto quanto sujo e amassado pelo tombo, e retrucou:

— Não, claro que não. Vim apenas ajudá-lo.

— Mentira! Veio acusar-me, humilhar-me. Mas não vou permitir, está ouvindo? Não vou permitir!

E começou a gesticular feito louco, ameaçando Marta com os punhos fechados. Ela, porém, calmamente acercou-se dele e, segurando com doçura as mãos fechadas do rapaz, acariciou-as e tentou tranquilizá-lo:

— Psiu! Meu querido, mas o que é isso? Sou eu, Marta, quem está aqui. Não vim aqui para acusá-lo de nada. Eu o amo e estarei sempre a seu lado.

Ele fitou seu rosto sereno e contestou, incrédulo:

— Não acredito! Você veio aqui a mando deles, só para me espicaçar ainda mais.

Em vez de contestar, Marta beijou-o suavemente. Mas Rodolfo continuava ainda desconfiado. Não sabia se podia confiar nela. Ela dizia que o amava, mas não estaria também se aproveitando da situação para vingar-se dele? Contudo, ao penetrar a doçura de seu olhar, não teve mais dúvidas. Marta o amava e jamais o trairia. Ele podia ver naqueles olhos toda a dor por vê-lo sofrer, e teve certeza de que ela estaria disposta a enfrentar tudo e todos só para ficar com ele. Desesperado e não podendo mais conter a frustração por ver malogrado seu plano de destruir o irmão, Rodolfo atirou-se a seus pés, agarrando sua cintura e chorando em desespero:

— Oh! Marta, Marta! Eles me humilharam, escarneceram de mim. Só quero morrer. Por favor, deixe-me morrer!

Ela o ergueu gentilmente e o abraçou, e ele, desesperado, colou-se a ela e a beijou, buscando em seus lábios o sabor de seu beijo. Em seguida, afastou-a por uns instantes, olhou bem fundo em seus olhos e, como se uma sombra de lucidez e reconhecimento lhe perpassasse a mente, sussurrou:

— Marta, eu... sinto muito... você é tão boa... não merece um homem feito eu...

Ela segurou seu queixo entre as mãozinhas alvas e suplicou:

— Eu o amo, Rodolfo, e você é o único homem que já sonhei merecer.

Sem dizer nada, Rodolfo beijou-a novamente, a princípio de mansinho, mas depois com uma paixão avassaladora, um desejo incontido, uma fúria quase animal. Marta assustou-se, mas o amor fez com que cedesse, ela também, ao enorme desejo que sentia por ele, e entregou-se ali mesmo, sobre a relva macia que ladeava a estradinha.

Quando terminaram de se amar, Marta estava feliz. Ele fora um pouco bruto, era verdade, mas aquele ato selara para sempre seu amor. Rodolfo seria somente seu, ela sabia, assim como sabia que ele se casaria com ela.

Rodolfo, por sua vez, apesar de arrasado, sentia-se um pouco mais confiante. A presença de Marta dava-lhe essa confiança, fazendo com que acreditasse que nem tudo estava perdido. Ele sabia que não tinha mais armas contra o irmão. Seus recursos haviam se esgotado, e ele não conseguiria mais separá-lo de Júlia. Casar-se-ia com Marta. Ao menos ela seria capaz de afogar seu despeito, ajudando-o a ostentar uma capa de dignidade e respeito, impedindo que seu orgulho fosse enxovalhado pela vergonha.

Capítulo 28

Apesar desse episódio infeliz e insólito, o casamento de Júlia se realizou. Fausto, já farto das extravagâncias e das loucuras do irmão, recusou-se a adiar a cerimônia. Se Rodolfo quis se fazer passar por maluco, era problema dele. Mas ele não estava mais disposto a adiar sua felicidade por causa de seus desatinos. Era até melhor que ele não estivesse presente. Assim não precisaria ter o desgosto de se casar na companhia de tão abominável criatura.

O casamento foi celebrado por frei Ângelo, e a festa transcorreu normalmente. Para os convidados que estranharam a ausência de Rodolfo, Palmira se justificou alegando que o filho estava doente e que piorara naquela tarde, em virtude da forte emoção.

A festa ia a meio quando Palmira pediu licença aos convidados e se recolheu ao seu quarto, alegando cansaço, deixando tudo a cargo de Camila, que se esforçava para esconder dos convidados o desagradável episódio que ali se desenrolara. Deitada em seu leito, Palmira relembrou a conversa que tivera com Fausto, quando então ficara sabendo da procedência de seus inquilinos.

— Mamãe — começara ele a dizer —, há algo que preciso lhe contar.

— Sim, meu filho, do que se trata?

— A senhora é uma mulher piedosa e temente a Deus, não é verdade?

Ela refletira durante alguns segundos, tentando imaginar o motivo daquela conversa, e retrucara:

— Sim, sou, por quê?

— Porque o que tenho a lhe contar vai exigir sua piedade e compreensão, e será uma boa oportunidade para testar seu espírito cristão.

— Fausto, vá logo ao assunto. Não estou entendendo aonde quer chegar.

Enchendo-se de coragem, ele indagara:

— Bem, sabe os nossos inquilinos?

— O que há com eles? Não vá me dizer que estão atrasando o pagamento do aluguel.

— Não, não é isso. O aluguel é pago rigorosamente em dia.

— Então, do que se trata?

— Bem, mamãe, trata-se de sua, digamos, preferência religiosa. Ou melhor, de sua raça.

Palmira inquietara-se. Não estava gostando nada do rumo que aquela conversa estava tomando. Primeiro fora Rodolfo, pedindo-lhe que os convidasse para sua festa de aniversário, à qual, inclusive, eles nem foram, e agora era Fausto, que parecia saber algo comprometedor sobre aquela gente.

— Mas o que é que está tentando me dizer? Por acaso eles não são católicos?

— Não, mamãe.

— São protestantes?

— Também não.

— Mas o que são, então? — diante do silêncio do filho, ela completara, atônita: — Não vá me dizer que são judeus!

Olhando fundo em seus olhos, Fausto respondera:

— Sim, mamãe.

Ela ficara estarrecida. Se fossem protestantes, a situação seria ruim. Sendo judeus, era praticamente insustentável. Mal contendo a indignação, retorquira:

— Fausto, como pôde fazer uma coisa dessas comigo, sua própria mãe? Então não sabe que essa gente não presta, não tem escrúpulos ou moral?

— Mamãe, isso não é verdade. Os Zylberberg são pessoas honestas e decentes, e possuem elevados valores morais.

— Não acredito. Todos sabem que os judeus são imprestáveis, interesseiros e mesquinhos.

— No entanto, vêm pagando regiamente os aluguéis.

— Isso é outra história. Podem ser honestos, admito, mas a moral deles é outra.

— Que outra? Por acaso não pautam sua conduta pelos mesmos costumes sociais que nós? Por acaso não se vestem como nós? Não se sentam à mesa como nós? Não trabalham como nós? Não consigo ver onde possa estar a diferença.

— Meu filho, os judeus não prestam. Não acreditam no Nazareno.

— E daí, mamãe?

— E daí que Jesus morreu na cruz por causa da maldade deles.

— Não acha que é muito preconceito julgar e condenar a todos só porque alguns, há séculos e séculos passados, cometeram um ato que, pelos nossos padrões de conduta, seria considerado um crime medonho?

— Mas eles crucificaram Jesus. Isso não lhe parece medonho?

— Mamãe, isso é um fato histórico, como tantos outros. Por acaso os padres católicos, há bem pouco tempo, não levaram centenas de pessoas à fogueira só porque tinham algum tipo de crença ou de conhecimento que, pelos padrões da época, foi julgado imoral e ofensivo às leis divinas? E as Cruzadas? Quantos não padeceram em nome da Cruz? Acha justo que alguém tenha que morrer só por pensar ou agir diferente?

— Isso é outra coisa...

— Não é, não. É a mesma coisa. A única diferença é que os judeus, como você diz, crucificaram um homem só, ao passo que os católicos, em nome desse mesmo Jesus, assassinaram inúmeros inocentes. E se quer saber, não creio que Jesus tenha ficado nada satisfeito com isso.

— Fausto, não blasfeme!

— Não estou blasfemando. Acredito em Jesus e em sua maravilhosa missão aqui na Terra. Mas se foi ele mesmo quem pregou o amor, como podemos nós, séculos depois, pretender selecionar aqueles que são ou não são dignos de ser amados? Ao que me consta, Jesus não fazia essa distinção. Ao contrário, amou a todos igualmente: ricos e pobres, cristãos e romanos, sadios e leprosos...

— Por favor, Fausto, pare! — gritara Palmira. — Você só está tentando me confundir.

— Não, mamãe. Estou apenas tentando chamá-la à razão. Os judeus, assim como quaisquer outras pessoas, são seres humanos. Têm os mesmos sentimentos, as mesmas necessidades, os mesmos desejos, os mesmos medos. Sujeitam-se às mesmas vicissitudes e alegrias que nós. Amam-se, casam-se, têm filhos. Em que são diferentes de nós?

— Não sei, meu filho. Mas Jesus morreu para nos salvar...

— Para que aprendêssemos a nos amar e respeitar, e não para que nos odiássemos ou discriminássemos.

— Amar, sim. Mas não aos judeus.

— Por que não? Onde está escrito que católicos, judeus, protestantes, ne... — ia dizer negros, mas mudara de ideia e se corrigira — ...árabes e turcos não podem se amar?

— Isso que está dizendo é uma heresia.

— Será mesmo? Por que se julga tão superior? Por que acha que Deus só tem olhos para os católicos? Deus não tem religião e é cultuado em todas as religiões, até nas africanas. Nossos escravos também não cultuam seus deuses?

— Fausto, como pode comparar Nosso Senhor aos deuses africanos? Eles são pagãos, politeístas!

— Mas por quê? Porque alguém convencionou que só devemos amar a Deus da maneira como foi por uns concebida? A concepção de Deus não deve ser limitada, mas de acordo com a crença e o coração de cada um.

— Meu filho, de onde tirou essas ideias?

Fausto olhara-a assustado. Nem ele sabia de onde surgiram aqueles pensamentos. Só o que sabia é que eles, de repente, afloraram em sua mente, clareando-a e tornando-a mais lúcida, como se o véu do obscurantismo fosse aos poucos caindo, descortinando ideias para as quais, até então, não havia ainda despertado. Como se retornasse à realidade, ele respondera:

— Não sei, mamãe. Confesso que isso me ocorreu agora. Mas não importa. O que importa é que essas ideias me parecem bastante lógicas e sensatas. Por que distinguir onde Deus não distingue?

Palmira estava perplexa. Apesar de sua patente aversão às pessoas não católicas, tinha que concordar que não sabia responder às perguntas que Fausto lhe fazia. Acostumara-se a rejeitar os judeus porque assim lhe ensinaram no catecismo, mas nunca lhe ocorrera pensar neles como pessoas de carne e osso. Contudo, era difícil abandonar tantos conceitos preconcebidos assim, de forma tão repentina, conceitos há muito estabelecidos e aos quais já estava apegada pela força do hábito. Ela o encarara seriamente e, balançando a cabeça, acrescentara:

— Fausto, não tenho ideia do que está falando. Contudo, fui criada na Igreja e não me cabe discutir seus dogmas.

— Por que não? Por acaso não pensa, não tem raciocínio?

— Não nos é lícito raciocinar sobre verdades que a Igreja nos ensina.

— Mas que verdades? Como pode alguém intitular-se dono da verdade, se a verdade absoluta é privilégio de Deus? Ou será que alguém está tentando igualar-se a Deus?

— Fausto, que horror! Isso é uma blasfêmia.

— Não, mamãe, isso é raciocínio. Deus nos deu a faculdade do raciocínio e não nos impôs limitações para usá-la. Não estaria de acordo com a natureza divina possuirmos um dom ou faculdade para não o utilizarmos. De que vale o violino se não há ninguém que o saiba tocar? Para que o dom da pintura se o artista não se dispõe a expressar-se nas telas? Não seria isso um desperdício?

— Meu filho, não sei o que lhe dizer. Nunca havia pensado nessas coisas e nem sei se é direito pensar nelas agora.

— Mamãe, por favor, seja razoável. Os Zylberberg são pessoas de bem. Cumprem suas obrigações conosco em dia. Têm uma filha doente, que está se recuperando em parte graças ao ar puro de nossa região. O que pretende fazer? Expulsá-los daqui só porque não acreditam que Jesus seja o Messias?

— Não sei, meu filho, confesso que não sei o que fazer. Não quero parecer insensível, mas ter contato com judeus... já é demais.

— E se eu lhe disser que alguns membros de nossa família mantêm estreitas relações com eles?

— Refere-se a Camila e Júlia? Eu sei, mas o que posso fazer? Embora lamente muito, Camila é adulta, e não posso obrigá-la a cortar relações com essa gente. Só o que posso lhe pedir é que não me peça para aceitar sua presença em minha casa. E quanto a Júlia, bem, ainda não é parte da família.

— Não é a Camila que me refiro. Nem a Júlia.

— Não? E a quem mais?

— Mamãe, Dário está comprometido com a moça, Sara, e quero que saiba que pretendem se casar.

Ela quedara mortificada. Aquilo já era demais. Seu neto misturar seu sangue ao sangue de uma judia? Nunca! Só passando por cima de seu cadáver.

— O que está me dizendo? — indagara atônita. — Isso só pode ser alguma brincadeira.

— Pois posso assegurá-la de que não é brincadeira alguma. Dário e Sara estão apaixonados e vão se casar assim que ela melhorar.

— Não, isso não pode ser verdade. Não vou admitir. Vou falar com Camila, fazer com que veja o absurdo desse romance.

— Pare, mamãe. Não há absurdo algum, e a senhora não vai fazer nada. Lembre-se do que aconteceu a Inácio. Acha justo deixar que seu neto também sofra por causa de um amor incompreendido?

Palmira calara-se e ficara a pensar. Já estava ficando velha e cansada, e talvez nem vivesse para ver o casamento dos netos. Será que valeria a pena desgostar-se com eles só para fazer valer sua vontade?

— Não quero fazer ninguém sofrer.

— Pois então, mamãe, aceite e verá que Sara é uma excelente moça, e que seus pais são pessoas bondosas e decentes. Tenho certeza de que gostará muito deles.

— Não sei, Fausto. Não sei se conseguirei.

— Por favor, mamãe, tente. Dário ama a moça e vai se casar com ela, quer a senhora queira, quer não. Se a senhora não aceitar, ele com certeza partirá daqui magoado com a senhora. É isso o que quer?

— Tem razão, meu filho. Amo meu neto e não quero desgostar-me com ele — ela ficara pensativa por alguns segundos, até que continuara: — Apenas não entendo uma coisa.

— O que é?

— Por que resolveu me contar isso agora? Por que não antes ou nunca?

Ele acercara-se dela, segurara-lhe as mãos com firmeza e dissera:

— Porque vou me casar com Júlia, e é importante a presença deles em nosso casamento. E se é importante para Júlia, é importante para mim também.

— Entendo.

Diante disso, Palmira achara melhor não insistir. Ainda não sabia que a doença de Rodolfo era uma farsa e não queria indispor-se com Fausto. Por isso, resolvera tolerar aquela gente. O que mais poderia fazer?

Logo que marcaram a data, Fausto, a pedido de Júlia, acompanhara Dário em uma de suas visitas a Sara. Queria formalizar o convite para seu casamento. Esperara que Sara e Dário terminassem de se abraçar, chamara Rebeca e Ezequiel, e anunciara:

— Meus amigos, vim aqui para, juntamente com Júlia, fazer-lhes um convite especial. Gostaríamos de convidá-los para o nosso casamento, que se realizará dentro de um mês, aproximadamente.

— O quê? — indagara Ezequiel. — Mas já?

— Sim, já. Não temos por que esperar.

— E onde será o matrimônio? — perguntara frei Ângelo.

— Lá mesmo na fazenda — respondera Júlia. — E gostaríamos que o senhor, frei Ângelo, celebrasse a cerimônia.

— Ora, será um prazer.

— E vocês irão, não é mesmo, Rebeca?

— Gostaríamos muito, mas não sei se devemos. Dona Palmira, na certa, não aprovará nossa presença.

— Quanto a isso, não precisam se preocupar — objetara Fausto. — Já conversei com mamãe e contei-lhe tudo sobre vocês.

— Quer dizer que ela já sabe que somos judeus?

— Já, sim.

— E o que ela disse?

— Não vou mentir. No começo, ficou um pouco chocada. Mas depois acabou concordando que os convidássemos.

— Posso perguntar como foi que conseguiu essa proeza?

— Nem eu mesmo sei, seu Ezequiel. Só o que sei é que mamãe acabou se convencendo, ao menos parcialmente, de que esse preconceito não tem fundamento.

— Será que não a constrangeremos com nossa presença?

— Em absoluto. Podem ir sem se preocupar. Mamãe não os importunará e nem se sentirá ofendida com a presença de vocês. Ao contrário, irá tratá-los muito bem. Ainda mais agora, que sabe que Dário e Sara vão se casar.

— Você contou a ela? — indagara Sara, perplexa.

— Sim, meu bem — dissera Dário. — E ela aceitou. Não é maravilhoso?

— É sim. Oh! Papai, podemos ir? Diga que iremos, por favor.

— Bom, se é assim, iremos — concordara Ezequiel.

— Imaginem se faltaria ao casamento de minha querida Júlia, a quem considero como uma filha — acrescentara Rebeca.

— Obrigada, dona Rebeca. Ficarei muito feliz com a presença de vocês.

Lembrando-se de sua conversa com o filho, Palmira suspirou e fechou os olhos. Estava feliz por Fausto e triste com o comportamento de Rodolfo. Por isso, a festa para ela perdera metade de seu encanto. Não sentia ânimo para fingir mais diante dos convidados. Ela sabia que Camila se desincumbiria bem da tarefa que lhe dera e não se preocupou.

Ao final da festa os noivos se recolheram e, no dia seguinte, bem cedo, partiram para Paris em viagem de núpcias. Apesar de tudo, estavam felizes. Lamentavam o ocorrido, mas Rodolfo escolhera seu próprio destino. Tivera a chance de se reconciliar com o irmão e Júlia e de desfrutar de sua companhia. Em vez disso, optara por atirar-se naquele precipício de ciúme e inveja, de onde já não podia retornar.

Marta e Rodolfo ficaram até altas horas assistindo de longe o movimento do casamento do irmão. Depois que o último convidado se retirou, ele tornou a beijá-la, levantou-se e estendeu-lhe a mão, perguntando em seguida:

— E agora? O que faremos?

Ela não sabia bem a que ele se referia. Se ao fato de tê-la deflorado ou se ao episódio de ainda há pouco. Ela estalou-lhe um beijo na testa e retrucou:

— Por que não vamos até minha casa? Tenho certeza de que papai não se importará que você passe a noite lá. Pode dormir na poltrona...

— Você acha melhor?

— Acho, sim. O que aconteceu em sua casa foi muito grave, e é melhor que você não volte lá por enquanto.

— Tem razão.

Puseram-se a caminhar de mãos dadas, e Marta acrescentou:

— Por que fez isso?

Rodolfo suspirou e chutou uma pedrinha, respondendo com voz sumida:

— Não sei. Não sei se você entenderia.

Ela parou, virou-se para ele e, apertando forte suas mãos, decretou:

— Ouça, Rodolfo, quero que compreenda uma coisa. Hoje, tornei-me sua mulher e quero continuar sendo sua mulher pelo resto de nossas vidas. Mas quero que saiba que, acima de tudo, serei sempre sua amiga.

Rodolfo encarou-a, emocionado, e disse-lhe do ódio que sentia pelo irmão, cuja origem ou razão desconhecia. Estranhamente, sabia que podia confiar em Marta e no seu amor. Ela jamais o julgaria ou trairia, e isso lhe dava certo conforto, como se ela passasse, de repente, a representar a figura do abrigo seguro em noites de tempestade. Marta ouviu tudo em silêncio, sem esboçar nenhum tipo de reação. Quando chegaram à porta de sua casa, sua fisionomia continuava serena, e ela o beijou de leve nos lábios, dizendo bem de mansinho:

— Obrigada por confiar em mim.

No dia seguinte, quando Anita acordou, ficou extremamente surpresa ao encontrar Rodolfo adormecido na poltrona da sala, todo torto, e correu a chamar o marido. Aldo chegou sem nada entender, sentou-se ao seu lado e, cutucando-o devagar, tentou despertá-lo. Rodolfo abriu os olhos um pouco aturdido e, logo que se lembrou de tudo o que havia acontecido, pulou da poltrona e ficou a olhar o capataz, meio sem jeito. Aldo, surpreso, disse:

— Seu Rodolfo, o que foi que aconteceu? O que está fazendo aqui? Não está doente? Sente-se bem? Precisa de ajuda?

Marta, ouvindo vozes na sala, levantou-se apressada, jogou o penhoar por cima da camisola e correu para onde eles estavam, chegando bem a tempo de ouvir as emocionadas palavras de Rodolfo:

— Aldo, peço que me perdoe a intromissão. Vim aqui para pedir-lhe a mão de Marta em casamento e ficaria muito feliz se a concedesse.

Foi uma surpresa. Anita, a princípio, quedou boquiaberta, e Aldo, atônito, retrucou:

— Seu Rodolfo, há pouco estava doente, mal falava...

— Para você ver, Aldo. Foi o amor de sua filha que me curou.

Aldo e Anita se entreolharam, e ele prosseguiu:

— Seu Rodolfo, tem certeza de que é isso mesmo o que quer? O senhor é o patrão, e Marta é apenas uma menina pobre...

— Sim, Aldo, tenho certeza. Sua filha e eu nos amamos e queremos nos casar.

Diante disso, Aldo não teve outro remédio senão consentir no casamento. Ele não sabia de nada do que acontecera, mas não gostava muito de Rodolfo. Contudo, tinha que concordar que ele era um excelente partido, membro de uma das mais importantes famílias da região. E depois, se Marta o amava, que direito teria ele de impedir que fosse feliz? Ele só esperava que ela realmente conseguisse ser feliz.

Túlio, por sua vez, vendo que Rodolfo o ameaçava, tentando forçá-lo a executar seus planos sórdidos, primeiro contra Trajano e depois contra Fausto, achara que já era hora de acabar com aquilo. Desesperado e arrependido, enchera-se de coragem e acabara por procurar a mãe, abrindo-se com ela, e Camila o orientara a dizer a verdade, pois só a verdade seria capaz de libertá-lo, não só da culpa, mas também do medo de ser descoberto. Seria um passo difícil, ela sabia, mas a coragem era uma virtude nobre, e assumir seus erros, um ato de bravura e dignidade. Túlio se arrependera e, com isso, dera o primeiro passo para sua regeneração. Mas era preciso enfrentar seus medos e sua culpa, assumindo seu erro com coragem e sinceridade. Só assim conseguiria o respeito por si mesmo e conquistaria o respeito dos demais.

Fingindo concordar com as ideias do tio, a conselho da mãe, Túlio saíra em busca de Trajano, colocando-o a par do acontecido e instruindo-o para que, ao ser chamado à sua presença, falasse apenas a verdade, sem medo de ser humilhado ou castigado. Trajano ficara muito feliz com a atitude de Túlio. Ainda mais porque pudera se reconciliar com ele, por quem nutria sincera afeição.

No entanto, Túlio estava envergonhado de si mesmo, e depois de tudo o que fizera, não se sentia com ânimo de encarar Fausto e Júlia. Afinal, não fora a primeira vez que se metera em situação semelhante e começara a julgar-se um réprobo, merecedor de todo desprezo que lhe pudessem endereçar. Com isso, foi se tornando cada vez mais acabrunhado e tristonho. Evitava a companhia dos demais e voltara a se trancar no quarto. Por mais que a mãe, a avó, o irmão, Júlia e Fausto tentassem animá-lo, ele não conseguia se livrar da culpa. Túlio, a todo instante, lembrava-se de Etelvina, cuja morte fora diretamente de sua responsabilidade. Sua própria consciência atormentava-o dia e noite, acusando-o de estuprador e assassino. Ninguém conseguia animá-lo, a não ser Trajano, que o visitava regularmente. Palmira, vendo o abatimento do neto, a quem adorava, acabara por consentir que o escravo o visitasse, e era só na presença de Trajano que Túlio dava vazão à culpa, chorando e implorando-lhe que o perdoasse. Túlio estava sinceramente arrependido e, se pudesse, tudo faria para reparar os crimes que havia cometido. Tão sincero era seu arrependimento, que o espírito de Etelvina, alma nobre e generosa, acabara por se aproximar dele, e Túlio sonhara.

Em seu sonho, ele estava novamente no local em que tudo acontecera, chorando à beira do riacho. De repente, ouvira ruído de passos na relva e, quando se virara, quase caíra de susto. Etelvina estava ali, parada diante dele, um sorriso nos lábios, convidando-o para um passeio. Túlio sentira medo e quisera fugir, mas ela docemente o chamara:

— Por que foge, Túlio? Não se lembra mais de mim?

— Lembro-me sim. Você é Etelvina, a quem vi morrer aí mesmo onde está parada.

— Não, Túlio. Não se lembre de Etelvina. Lembre-se de sua antiga criada.

De repente, Etelvina como que desaparecera, e em seu lugar surgira uma moça bonita, muito loura, de seus dezenove anos, vestida em trajes de serviçal. Túlio assustara-se, e ela correra para dentro da mata. Sem pensar, ele correra atrás dela e atravessara uma porta, indo parar na imensa cozinha de um castelo medieval. Atônito, olhara em volta e vira Etelvina ajudando a cozinheira a rechear um faisão. Ele se aproximara mais da moça e ela olhara para ele, abaixando os olhos e sorrindo maliciosamente. Em seguida, cochichara alguma coisa no ouvido da cozinheira e saíra por uma porta lateral, e Túlio saíra atrás dela.

Nessa época, Túlio e Rodolfo eram irmãos, e Trajano, capitão da guarda de seu pai. Rapaz orgulhoso e frio, morria de inveja dos patrões. Era filho bastardo de um tio dos rapazes, e o máximo que conseguira na vida, por condescendência do patrão, fora aquele cargo de guarda pessoal. No entanto, apaixonara-se por Etelvina e pretendia casar-se com ela. Mas eram pobres, e a vida que se lhes apresentava era uma vida simplória, sem qualquer tipo de luxo ou conforto. Etelvina e Trajano, extremamente ambiciosos, armaram um plano. Roubariam os patrões e fugiriam. Como chefe da guarda, seria fácil arranjar uma fuga, assim como seria fácil para Etelvina entrar na sala de tesouros do castelo.

Para isso, Etelvina contava com o desejo e a paixão de Túlio. O moço vivia seguindo-a com o olhar e só não a forçara a entregar-se a ele com medo de que o pai descobrisse. Um dia, porém, a sorte lhe sorrira. A moça estava polindo a prataria quando vira Túlio se aproximar. Conhecedora de sua influência sobre o rapaz, logo o seduzira, tornando-se sua amante. A partir daí, encontravam-se todas as noites, e ela sempre insinuava que muito lhe apreciaria entrar na sala de tesouros de seu pai. No princípio, ele recusara. Era muito perigoso. Mas depois, quando a paixão dominara-o por completo, não pudera mais se furtar. Etelvina ameaçava deixá-lo caso não atendesse àquele seu capricho.

Marcaram a visita para o dia seguinte, e Etelvina prevenira Trajano, que, esgueirando-se pelos corredores do castelo, ocultara-se nas sombras, à porta do quarto de Túlio. Já era madrugada quando saíram, e Trajano os seguira de longe, sem produzir um só ruído. O rapaz entrara num salão, chegara perto da pintura de sua mãe, ladeada por duas tochas, e torcera a da esquerda. Imediatamente a parede se abrira, e eles passaram. Etelvina estava assustada, mas não dissera nada. Caminharam por um corredor escuro, até que chegaram diante de outra porta, cuja chave Túlio tirara do quarto do pai. Ele abrira a fechadura e empurrara. Etelvina ficara maravilhada. Aquele tesouro era incalculável. Havia ali pratarias, tapeçarias e um baú cheio de joias e pedras preciosas.

Trajano, que vinha logo atrás, esperara cerca de dez minutos e repetira o gesto de Túlio, abrindo a passagem secreta e caminhando pelo corredor até chegar à sala dos tesouros. Quando entrara, Túlio se espantara vendo a lâmina que reluzia em sua mão. Olhando para Etelvina, compreendera tudo e quisera fugir. Tarde demais. A lâmina cortara-lhe a garganta, e ele tombara morto sem pronunciar um ai sequer.

No dia seguinte, Rodolfo, irmão de Túlio, saíra a sua procura. Os dois eram íntimos, combinavam em tudo e tudo sabiam a respeito um do outro. Rodolfo sabia que Túlio e Etelvina haviam se tornado amantes, e até o estimulara. Mas quando o irmão lhe contara que pretendia mostrar a ela a sala de tesouros, não concordara. Pensara até em contar ao pai, mas Túlio implorara. Estava apaixonado pela moça e não queria perdê-la. E depois, que mal haveria? Ela era apenas uma mulher e nada poderia contra ele. Rodolfo, a contragosto, não tivera outro remédio senão concordar.

Quando ele abrira a porta do quarto de Túlio e não o encontrara, correra para a sala de tesouros. Atravessara a passagem secreta e, quando vira a porta entreaberta, seu coração disparara. Túlio jazia morto sobre o chão de pedra, a garganta cortada, olhos fitando o vazio. Olhando ao redor, vira que o baú estava aberto e que várias peças haviam sido retiradas. Aquilo enchera-o de ódio. Teria Etelvina agido sozinha?

Dado o alarme, constatara-se que o capitão da guarda havia sumido, bem como Etelvina, e não fora difícil adivinhar o que havia acontecido. O pai de Túlio enviara seus homens por toda parte, mas ninguém conseguira encontrá-los, e os criminosos permaneceram impunes.

Rodolfo, no entanto, não se conformava. O ódio o consumia cada vez mais, e ele sempre se lembrava da aterradora visão que tivera do irmão morto. Aquela cena macabra o acompanhava por toda parte, e ele fizera um juramento. Faria com que Etelvina e Trajano pagassem tudo na mesma moeda.

Estarrecido diante desse sonho, ou melhor, dessa visão, Túlio sentira-se envolvido por uma nuvem perfumada, e logo fora transportado de volta ao seu quarto, onde Etelvina o aguardava. Ela o beijara suavemente e partira e, desde esse dia, Túlio tornara-se um rapaz mais alegre, embora comedido e discreto. Sorria com moderação, largara os vícios, deixara de molestar as escravas. Concentrara-se no futuro, ávido por retornar a sua cidade e dedicar-se a auxiliar o pai com os negócios. Tencionava casar-se e ter filhos. Queria ser um homem normal, levar uma vida normal, porque já era outro homem: digno, honesto, gentil. E tudo graças a um estranho sonho que tivera, cuja lembrança lhe parecia um pouco nebulosa, mas que fora capaz de acender em sua alma a chama da esperança e do perdão.

Capítulo 29

Desde que frei Ângelo chegara à fazenda Ouro Velho, Sara começou a se sentir melhor. Todos os dias bebia as infusões que ele mandava preparar para ela, que pareciam fortalecê-la cada vez mais. Além disso, a companhia dos amigos e as conversas que tinha com o frei foram aos poucos animando-a. Ela sempre falava de seus sonhos, de seus temores e de suas dúvidas. Abria seu coração para ele, revelando-lhe suas angústias e seus sentimentos, e já estava consciente de que o mal de que sofria realmente tivera uma causa no passado, e que essa causa estava mesmo ligada a sua relação com seus pais em outra vida.

Naquele dia, ao sair para o jardim, frei Ângelo lá estava, olhos fechados, banhando-se ao Sol. Ela chegou e o tocou levemente, dizendo sorridente:

— Bom dia, frei Ângelo. Desculpe-me se o desperto do sono...

— Oh, não, minha menina, não estava dormindo. Apenas aproveitava o Sol da manhã. Mas vamos, sente-se aqui junto de mim e diga-me: como se sente esta manhã?

Ela sentou-se a seu lado, encheu os pulmões com o ar fresco da manhã e respondeu com jovialidade:

— Maravilhosamente!

— Ótimo. Seu progresso tem mesmo sido notável.

— Graças ao senhor.

— Graças a você mesma. Ao seu desejo de se curar. A sua enorme capacidade de compreender, aceitar e modificar as coisas.

— Sabe, frei Ângelo, sinto como se, de repente, pudesse compreender por que meus pais são como são, e por que eu sinto tanta insegurança.

— E por quê?

— Pelo que pude compreender de todos os sonhos que já tive, minha mãe ficou viúva logo cedo, mas não se conformava em viver só. Por isso, vivia flertando com vários homens, sempre na esperança de arranjar novo marido. Mas os homens, logo que descobriam que ela tinha uma filha, em sua maioria se afastavam, e ela ficava aborrecida comigo. Passou então a quase me ignorar. Tratava-me bem, cumpria com seus deveres de mãe, ou seja, alimentava-me, dava-me roupas, brinquedos... mas nenhum carinho. Não tinha tempo para isso. Creio mesmo que ela tentava compensar sua falta de amor comprando-me presentes caros e bonitos. Bem, o fato é que eu fui me sentindo cada vez mais sozinha, fui me isolando, pensando que não era amada.

Ela suspirou e prosseguiu:

— Agora compreendo a antipatia que minha mãe sentiu por Marta. Ela afeiçoou-se muito a mim e tratava-me como se eu fosse sua filha. Dava-me coisas também, mas, em especial, dava-me atenção, carinho, amor. Era bondosa e compreensiva, e eu fui me apegando a ela e, com o tempo, passei a não ligar mais para minha mãe. Eu era também pequenina, devia ter uns seis anos no máximo, e substituí o amor de minha mãe pelo de Marta, feliz por haver encontrado alguém que me fizesse sentir amada. E minha mãe, quando se deu conta do que havia acontecido, ficou furiosa.

Ela nem teria notado, não fosse pelo fato de haver conhecido meu pai, que passou a cobrar-lhe que me desse atenção, e ela, para agradá-lo, procurava a minha companhia. Mas eu, cada vez mais distante, não queria estar junto deles, mas sim de minha tia, o que deixou minha mãe furiosa. Daí o sentimento que ela tem por Marta e nem sabe explicar.

— É verdade. E como você se sentiu com tudo isso?

— Eu fiquei extremamente infeliz. Apesar de procurar minha companhia, eu sentia que aquele interesse não era sincero. Minha mãe só queria impressionar seu novo marido. Na frente dele, dava-me beijos, abraços. Mas depois que ele saía, colocava-me no chão e voltava a me ignorar. Segundo dizia, não tinha paciência para manhas de crianças.

— Você deve ter se sentido extremamente só.

— E como! Minha tia foi proibida de me ver, e eu sofria muito com isso. O que mais desejava no mundo era poder estar junto de Marta. Com o tempo, fui me fechando cada vez mais. Não saía para brincar e me alimentava muito mal. Até que, um dia, bastante enfraquecida pela má alimentação, apanhei um golpe de ar e adoeci. Tossia sem parar e ardia em febre. Minha mãe se apavorou e chamou o médico, mas já não havia muito o que fazer. A pneumonia já havia tomado conta de meu pulmão, e só o que se podia fazer era esperar. Poucos dias depois, vim a falecer, deixando minha mãe entregue a um profundo abatimento, sentindo-se culpada por minha morte. Mas, não querendo admitir sua culpa, passou a acusar Marta, dizendo que ela havia colocado coisas na minha cabeça na esperança de roubar-me dela. Marta e ela cortaram relações e, durante anos, não mais se falaram. Até que, mais tarde, por conveniências políticas, passaram a manter uma relação fria e artificial. Minha mãe nunca pôde perdoá-la e morreu levando consigo muita mágoa e ressentimento.

Sara calou-se e frei Ângelo ficou olhando-a, profundamente emocionado com o que acabara de ouvir. Toda a história fazia sentido, e ele estava feliz por ver que a moça conseguira, sem muito esforço, chegar àquelas conclusões. Depois de alguns instantes, segurou-lhe a mão e indagou:

— E agora, o que pretende fazer? Vai contar a verdade a seus pais?

— Não, absolutamente não. Meus pais jamais entenderiam. Principalmente minha mãe.

— Bem se vê que ela carrega muita culpa no coração.

— Por isso mesmo. Se ela acreditasse nessa história, passaria a se culpar. Isso sem falar que poderia aumentar sua antipatia por Marta.

— Tem razão, minha filha. É muito sábia essa decisão. Foi por isso que Deus permitiu que você descobrisse essas verdades, porque sabia que você já estava preparada para entendê-las e aceitá-las. Seus pais, contudo, ainda precisam de mais amadurecimento. Revelar essas coisas agora poderia causar-lhes mais mal do que bem, visto que eles não conseguiriam alcançar a magnitude da justiça de Deus.

— Minha mãe entenderia justiça como vingança. Pensaria que Deus a estaria castigando por haver me rejeitado.

— Como se Deus castigasse alguém...

— Vê como é melhor deixar tudo como está?

Nesse instante, Dário se aproximou. Ia sorrindo, vendo a alegria de Sara. Era impressionante sua melhora, e Dário pensou que frei Ângelo operara um verdadeiro milagre. Acercando-se mais dela, segurou sua mão e beijou-a na face, falando sorridente:

— Sara, minha querida, como está alegre!

— Sim, Dário, sinto-me muito bem.

— Isso é maravilhoso!

— É sim.

— Em breve poderemos nos casar.

Ele olhou para frei Ângelo, que se levantou, pediu licença e se retirou. Era hora de entrar e deixar que os moços aproveitassem a juventude e o amor. Dário sentou-se ao lado de Sara, e ela o encarou com ar enigmático. Lembrou-se de outro sonho que tivera, talvez de uma vida anterior, quando ele fora seu marido e morrera bem velhinho a seu lado. Ela sorriu para ele e, segurando-lhe o queixo entre as mãos, disse cheia de ternura:

— Sabe que o amo há muito, muito tempo?

Dário, pensando que ela se referia ao tempo em que se conheciam, abraçou-a com ternura, estreitando-a de encontro ao peito, certo de que ela viveria para continuar a amá-lo por muito, mas muito mais tempo ainda.

Até a partida de Fausto e Júlia em viagem de lua de mel, no dia seguinte ao casamento, Rodolfo permaneceu oculto na casa de Marta. Aldo e Anita estranharam, mas não disseram nada. Ele era o patrão e não convinha contrariá-lo.

Quando a carruagem levando os recém-casados saiu da estradinha que ligava à casa grande, o capataz foi avisá-lo, e Rodolfo voltou para casa cabisbaixo e desconfiado. Entrou sem falar com ninguém e foi direto para o quarto. Poucos minutos depois, escutou batidas na porta. Era a mãe, que ia ver como estava passando.

— Como está, meu filho? Por onde andou? Fiquei preocupada.

Ele virou o rosto para a janela e retrucou:

— Por quê? Pensei que também quisesse ver-me longe daqui.

— Não diga isso. Você é meu filho. Haja o que houver, será sempre meu filho.

Encarando-a, Rodolfo declarou:

— Mamãe, sei que errei, mas errei porque pensava amar Júlia. — mentiu — No entanto, agora vejo que não a amava tanto assim. Por causa dela, quase destruí meu irmão. Quase me destruí...

— Não pense mais nisso. O importante agora é que vocês se reconciliem. Ele partiu para a Europa, vai demorar a voltar. É o tempo de que necessitamos para que tudo se ajeite.

— Acha mesmo?

— Tenho certeza. Fausto é um bom rapaz, e Júlia também me parece ter bom coração. Irão perdoá-lo e esquecer o ocorrido. Mas você tem que me prometer que nunca mais tentará nada contra eles. Promete?

Ele ainda hesitou, mas acabou concordando.

— Prometo.

— Muito bem.

— Eles vão continuar morando aqui?

— Não. Eles vão para a Ouro Velho. É melhor assim.

— Sim, é. Escute, mamãe, não quero mais saber de Júlia. Por isso, gostaria de anunciar que pretendo me casar com Marta.

— Fico muito feliz, meu filho, que tenha decidido se casar com ela. Confesso que, no começo, não a julgava digna de você. Mas depois, vendo a dedicação da moça, comecei a rever meus conceitos. Marta tem muito valor, e sei que o ama.

— Quer dizer, então, que nos dará sua bênção?

— Sim. E ficarei muito feliz se continuarem vivendo aqui. Com Fausto na outra fazenda, e Camila de volta a São Paulo com meus netos, vou me sentir muito só.

— Nada me dará mais prazer, mamãe. E não se preocupe. Pretendo encher esta casa de crianças.

Ela sorriu e deu um tapinha de leve em seu braço.

— Agora diga-me, meu filho, apenas por curiosidade. Desde quando estava se fingindo de doente?

Ele abaixou os olhos e suspirou com amargura.

— Há muito tempo, mamãe. Tanto que nem posso me lembrar.

Palmira achou estranha aquela resposta e mudou de assunto:

— Vou mandar providenciar um novo quarto para vocês. Este aqui é muito pequeno para acomodar um casal.

— Como quiser, mamãe. Ah, já ia me esquecendo. Prometi a Aldo que lhe daria um pequeno sítio, para que possa se aposentar e viver com a mulher. Não fica bem meu sogro trabalhando para mim de capataz.

— Fez bem.

O casamento se realizou conforme o esperado, em cerimônia simples, só com a presença dos familiares. Nenhum amigo, nenhum fazendeiro da região ou pessoa ilustre foi convidada. Rodolfo não tinha ânimo para festas, e Marta não fazia questão de luxo. Ele apenas quis receber a noiva no altar, toda de branco. Depois da cerimônia, partiram para a corte em lua de mel e só retornaram dali a um mês.

Quando voltaram, Marta parecia feliz, apesar de mais madura e vivida. Camila já havia partido em companhia de Leopoldo e Túlio, e apenas Dário permanecera. Não queria ir sem Sara. A moça frequentava a fazenda São Jerônimo e lá ia quase todos os dias em companhia de frei Ângelo. Vendo a amizade entre um frei e uma judia, Palmira se espantou. Frei Ângelo, porém, dissera-lhe:

— Dona Palmira, Deus não se preocupa com raça, cor ou credo. Ele enviou seu filho não para que desagregasse os homens, impondo-lhes diferentes crenças e conceitos, mas para que, reconhecendo suas próprias diferenças, pudessem se amar e se reconhecer como irmãos.

— Mas... e a crucificação?

— Jesus foi crucificado pela incompreensão de uns, e não pela maldade de todos. Não é justo nos julgarmos melhores do que ninguém, ainda mais porque os cristãos surgiram do meio dos judeus. Não é verdade?

— Sim... pensando bem, Jesus também nasceu judeu.

— E então? Viu? Não perca a oportunidade, dona Palmira, de conhecer pessoas maravilhosas que muito têm a oferecer, só porque seguem uma crença diferente.

A exemplo de Marta, Sara era também uma boa moça. Um pouco pálida, talvez, mas muito franca e generosa.

— O que será dela? — tornou Palmira. — O que será dela quando voltar a São Paulo?

— Não sei. Esperamos que sua doença não volte a evoluir longe do ar puro das montanhas. Sara tem a doença sob controle, mas não se pode afirmar que esteja propriamente curada.

— Mas por que ela tem que voltar? Por que não pode ficar aqui? Por acaso não gosta da vida na fazenda?

— Não sei dizer. Por que não pergunta a ela?

Sara amava a vida na fazenda, mas ela não lhe pertencia. Pertencia a Fausto e a Júlia, que se mudariam para lá tão logo voltassem de sua viagem. E ela não tinha o direito de tomar-lhes o lugar. Palmira, porém, já se afeiçoada à moça e, com medo de que ela piorasse se voltasse para São Paulo, tomou uma decisão. Falaria com Fausto. Se ele concordasse, pediria a Ezequiel e Rebeca que se mudassem em definitivo para lá com a menina depois do casamento. Apesar da tristeza que a partida de Fausto lhe causaria, Palmira pensou que aquela seria a decisão mais acertada a tomar. Fausto e Júlia tinham saúde e viveriam bem em qualquer lugar.

Capítulo 30

Fausto e Júlia voltaram cerca de seis meses depois. Chegaram felizes, cheios de presentes, novidades e muitas saudades. A alegria foi geral, e Júlia ficou espantada ao saber que Marta e Rodolfo haviam se casado. Depois que se acomodaram, Júlia foi ter com a amiga e acariciou seu ventre, que já começava a se avolumar.

— Está feliz? — perguntou Júlia.

Marta fitou o horizonte e respondeu:

— Sim. Era o que eu queria, não era?

— Ele a trata bem?

— Ele é gentil e carinhoso. E está feliz com o bebê.

— Fico feliz por você também, Marta. Torço para que tudo dê certo.

— Quando vão partir?

— Daqui a uns dias. Logo após o casamento de Dário e Sara.

— Vocês foram muito generosos cedendo-lhes a fazenda Ouro Velho.

— Eles merecem. E Trajano ficará com eles.

— Vocês também não poderiam ficar?

— Não, Marta. Fausto e eu já havíamos mesmo decidido partir. Ainda que Sara não precisasse da fazenda, nós partiríamos. Para nós é difícil estar perto de Rodolfo.

— Sei disso e compreendo. Mas sentirei muito sua falta.

— Em breve não sentirá — gracejou, apontando para sua barriga.

— Tem razão. Rodolfo e eu queremos ter muitos filhos.

— Isso é ótimo.

Naquela noite, quando Marta se recolheu, teve um sonho estranho. Sonhou que era irmã de Rebeca e que havia brigado com ela por causa de Sara, sua sobrinha, a quem amava como se fosse sua filha. Depois que a menina morrera, Marta sentira-se muito só e casara-se logo em seguida. Tivera, então, três filhos, sendo Rodolfo e Túlio os mais novos. Mas Rodolfo era seu preferido, era a razão de sua existência, e ela se desvelava por ele. Amava-o profundamente e cuidava dele com muita dedicação. Quatro anos depois, ao dar à luz novamente, Marta não resistira ao parto difícil e desencarnara logo após o nascimento de Túlio. Liberta da carne, Marta continuara a amparar Rodolfo, a quem já amava havia muitas e muitas vidas.

Rebeca, sua irmã, após perder a filhinha, tivera uma outra menina, fruto de seu segundo casamento com Ezequiel. A menina, Júlia, era prima de Rodolfo e Túlio, e fora crescendo com eles, até que, um dia, conhecera Fausto, filho de Palmira, nova madrasta de Rodolfo. Júlia era então namorada de Rodolfo, mas acabara por apaixonar-se por Fausto, que pedira sua mão em casamento. Mas Rodolfo, cheio de ciúme, desafiara-o para um duelo, e ele só não fora morto porque Júlia intercedera, o que o cobrira de vergonha, e ele acabara seus dias desmoralizado e desonrado, só em seu castelo.

Marta despertou suando frio. Lembrava-se parcialmente do sonho, mas ficara com uma sensação estranha a oprimir-lhe o peito.

— O que foi? — indagou Rodolfo, despertando assustado. — É o bebê?

— Não foi nada, querido, durma.

Depois do casamento de Dário e Sara, Fausto achou que já era hora de partir. Aproveitando a companhia de Camila, aprontou suas coisas e se foi com Júlia, ansioso por uma nova vida. Era um bom negociante e, com a ajuda de Leopoldo, não seria difícil se estabelecer.

Assim que a carruagem sumiu na estrada, Rodolfo, em casa, teve um estremecimento. Não pudera ver quando eles deixaram a fazenda, mas sentira que se distanciavam e começou a chorar. Não estava triste. Ao contrário, sentia-se aliviado por não precisar mais dividir o mesmo teto com o irmão. Mas era uma sensação estranha; um misto de alívio e de perda, como se, de alguma forma, uma parte de sua vida estivesse partindo com ele.

Palmira, depois das despedidas, sentou-se à janela e pôs-se a observar as carruagens, até que desaparecessem e, depois disso, continuou ainda sentada ali. Estava tão absorta em seus pensamentos que nem percebeu quando Terêncio entrou. Depois que

Aldo se estabelecera com a mulher, o cargo de capataz ficara vago, e fora logo ocupado por um rapaz jovem e robusto.

— Dona Palmira — começou —, será que eu poderia falar com a senhora?

— O que quer? — respondeu ela, sem olhar para ele.

— Bem, dona Palmira, é que os meninos se casaram, veio um novo capataz, e eu estava pensando. Já estou velho, não aguento mais a labuta. Será que a senhora também não pode me substituir? Conheço um rapaz muito bom que poderia ficar em meu lugar.

— Está bem, Terêncio, o que pede é justo.

— A senhora concorda?

— Concordo sim. Mande-o vir amanhã para falar com Rodolfo.

— Mais uma coisa, dona Palmira.

— O que é?

— Será que eu poderia morar na casa que foi de Aldo? É que fica um pouco mais afastada e é mais sossegada.

— Como quiser, Terêncio. Apesar de tudo o que se passou, você foi fiel a Licurgo durante muitos anos. É justo que receba uma recompensa.

— Obrigado, dona Palmira — agradeceu com os olhos rasos d'água.

Terêncio nunca fora um homem bom. Ao contrário, sempre fora cruel e sanguinário, gostava de bater nos escravos e de se deitar com as negras. Além disso, era venal e egoísta, e só pensava em si mesmo. Terêncio era capaz de tudo por dinheiro, até mesmo de trair e matar. Só nunca traíra Licurgo, a quem era exageradamente leal, algo que beirava o absurdo. Terêncio amava e respeitava Licurgo acima de qualquer coisa, e seria capaz de matar e morrer por ele.

Na verdade, Terêncio era filho de Licurgo, embora nunca tivesse ficado sabendo disso. Palmira também não sabia. Só descobrira a verdade quando o marido, sentindo a aproximação da morte, confidenciara-lhe esse segredo, pedindo-lhe que o mantivesse bem guardado. Da mãe, uma costureira pobre que ele deixara na Bahia, nunca mais ouvira falar. E, como último desejo, Licurgo pedira a Palmira que não desamparasse o capataz, como ele fizera durante todos aqueles anos em que o protegera em silêncio. Terêncio nunca desconfiara de sua origem, e não seria conveniente revelá-la nesse momento. E depois, ele também já era um velho. Para onde iria?

Depois que ele saiu, Palmira continuou ali, até que a noite chegou, e quando Tonha entrou para acender as velas, assustou-se com a sinhá, sentada ali no escuro, fitando as trevas que se estendiam sobre o horizonte. Ela deu um salto para trás e, levando a mão ao coração, exclamou:

— Sinhá Palmira! O que faz aí no escuro?

Palmira voltou-se lentamente para ela e sorriu. Já não lhe tinha mais ódio. Chegava mesmo a ter certa admiração por ela. Ainda sorrindo, chamou:

— Deixe isso, Tonha, e sente-se aqui ao meu lado.

Tonha, sem entender, balbuciou:

— Como... como disse, sinhá?

— Disse para sentar-se junto a mim. Vamos, venha, não tenha medo.

Um tanto quanto confusa, Tonha obedeceu e sentou-se junto dela. Palmira tornou a fitar o horizonte e foi só após alguns minutos que disse:

— Sabe, Tonha, hoje sinto que renasci...

Tonha voltou a cabeça para ela, cada vez entendendo menos, mas ela parecia dormir. Os olhos semicerrados pareciam voltados para dentro de si, e ela, adormecida, sonhou.

Palmira caminhava por entre os escombros de uma fazenda que parecia em ruínas, sentindo nas narinas um forte odor de cinzas. Fora andando vagarosamente, passando as mãos por cima dos móveis semidestruídos, experimentando na pele a sensação porosa da fuligem. Onde estaria? Aquele lugar lhe parecia familiar, mas não atinava onde fosse. Só o que podia perceber era que os cômodos por onde andava estavam praticamente destruídos, vigas e pilastras derrubadas no chão, as paredes cobertas por uma crosta negra e grossa.

Chegara perto de uma janela e olhara para fora. Era quase noite, mas a paisagem que se ia descortinando despertara sua lembrança. Como não havia percebido antes? Estava na fazenda Ouro Velho, caminhava por seus corredores, adentrava seus quartos, e era a floresta exuberante que se estendia diante de seus olhos. No entanto, estava diferente, destruída, como no dia em que aquele incêndio nefasto havia tirado a vida de Inácio, Cirilo e Aline.

Mas como era possível? Apesar dos escombros, Palmira tinha certeza de que aquele incêndio havia acontecido mais de trinta anos antes. E a fazenda havia sido reformada. Como podia então estar ainda destruída? Sem entender, ela entrara por um corredor comprido, que levava à sala, e estacara quando lá chegara. Sentados em uma poltrona de veludo, dois rapazes a fitavam com um sorriso no rosto. Eram jovens e bonitos, e vestiam-se com calça e túnica brancas. Por uns instantes, Palmira ficara a olhá-los também. De onde é que os conhecia?

Subitamente, seu coração disparara e ela soltara um grito de euforia:

— Cirilo! Inácio! São vocês mesmo?

Os rapazes se levantaram no mesmo instante, aproximando-se dela e abraçando-a afetuosamente. Palmira, de tão abismada, quase não conseguia falar. Efetivamente, eram seu filho e seu sobrinho que tinha ali diante de si. Mas como podia ser? Eles não haviam morrido? Será que ela morrera também? Ou será que estava sonhando?

— Não, mamãe — apressara-se Cirilo em dizer, lendo-lhe os pensamentos. — A senhora não morreu.

Completamente inebriada com a presença do filho e do sobrinho, Palmira deixara-se abraçar com alegria.

— Meus queridos — balbuciou —, quantas saudades senti de vocês!

— Nós sabemos, mamãe, e estamos aqui para ajudá-la.

— Ajudar-me. Por quê? O que vai me acontecer?

— Tia Palmira, em breve a senhora deixará esse corpo de carne e partirá para uma nova vida. No entanto, é preciso que reveja algumas de suas atitudes, a fim de que sua consciência não a conduza para mundos inferiores.

— Como assim? Serei julgada?

— É claro que não, mamãe. O julgamento que fará de si mesma partirá de seu próprio coração, e não de um tribunal ilusório. Ele poderá até existir se a senhora assim desejar. Mas só será real no seu plano de pensamento, pois que será mera criação mental. No entanto, como disse, é preciso rever suas atitudes. Só assim alcançará a compreensão libertadora.

— Mas... em toda minha vida, fiz apenas o que achava certo.

— A concepção de certo e errado muitas vezes esbarra no sentimento que devemos nutrir por nós e por nossos semelhantes. Antes de os julgarmos ou condenarmos, devemos entender que são nossos iguais, filhos do mesmo Deus que nos criou, nem melhores, nem piores do que nós mesmos. Apenas seres humanos que, como nós, encontram-se em franco processo de evolução. Sejam escravos, judeus, protestantes. Pobres ou ricos, somos todos essência do mesmo sopro divino, que nos dá vida e nos anima, impulsionando-nos a buscar nosso crescimento através das provas e dificuldades que experimentamos, sempre atendendo ao nosso livre-arbítrio e às escolhas que fazemos. A natureza divina é perfeita, e nós, como parte dessa perfeição, devemos libertar o germe da compreensão que trazemos dentro de nós e regá-lo com amor. Só assim poderemos encontrar a felicidade.

Palmira abaixou a cabeça e sussurrou:

— Então estou condenada. Minha consciência me diz que tenho muito que aprender.

— Pois então aprenda. Com humildade, com benevolência, com simplicidade. Ore e peça a Deus uma nova chance. Reconheça seus erros e procure transformá-los em lições para o futuro. Mas não se condene. Não se deixe abater pela culpa ou pelo medo. Tenha fé e confiança, e saiba que todos esses processos de amadurecimento, apesar de dolorosos, são necessários para a compreensão dos verdadeiros valores do espírito. E ame, mamãe. Sobretudo, abra seu coração para o amor. Só ele é capaz de nos libertar...

Gradativamente, Palmira foi abrindo os olhos, ainda escutando as palavras do filho e do sobrinho ecoando em seus ouvidos. Já era noite fechada, mas ela pôde ver na escuridão dois vultos brancos se esvaecendo no ar, e ouviu perfeitamente quando Cirilo disse a Inácio:

— Talvez precise reencarnar... no corpo de uma negra, serviçal, para aprender a reconhecer os verdadeiros valores do espírito e desapegar-se do orgulho...

Reconhecendo naqueles vultos as figuras do filho e do sobrinho, e não compreendendo bem aquela conversa, Palmira arregalou os olhos, estendeu as mãos para a frente e exclamou:

— Inácio! Cirilo! Não me deixem! Esperem-me... esperem-me...

E tombando a cabeça sobre o peito, abandonou o corpo e os seguiu.

Fim

Sucessos de ZIBIA GASPARETTO

Romances mediúnicos, crônicas e livros. Mais de 10 milhões de exemplares vendidos. Há mais de 16 anos, Zibia Gasparetto vem se mantendo na lista dos mais vendidos, sendo reconhecida como uma das autoras nacionais que mais vendem livros.

Romances ditados pelo espírito Lucius

- O Amor Venceu
- O Amor Venceu (em edição ilustrada)
- O Morro das Ilusões
- Entre o Amor e a Guerra
- Laços Eternos
- O Matuto
- Esmeralda
- O Fio do Destino
- Espinhos do Tempo
- Quando a Vida Escolhe
- Somos Todos Inocentes
- Pelas Portas do Coração
- A Verdade de Cada Um
- Sem Medo de Viver
- O Advogado de Deus
- Quando Chega a Hora
- Ninguém é de Ninguém
- Quando é Preciso Voltar
- Tudo Tem seu Preço
- Tudo Valeu a Pena
- Um Amor de Verdade
- Nada é por Acaso
- O Amanhã a Deus Pertence
- Onde Está Teresa?
- Vencendo o Passado
- Se Abrindo pra Vida
- A Vida Sabe o que Faz

Crônicas Mediúnicas — Espíritos Diversos

- Voltas que a Vida Dá
- Pedaços do Cotidiano

Crônicas ditadas pelo espírito Silveira Sampaio

- Pare de Sofrer
- O Mundo em que Eu Vivo
- Bate-papo com o Além
- O Repórter do Outro Mundo

Outros Livros de Zibia Gasparetto

- Conversando Contigo!
- Eles Continuam entre Nós
- Reflexões Diárias
- Pensamentos (com outros autores)

Sucessos de SILVANA GASPARETTO

Obra de autoconhecimento voltada para o universo infantil. Textos que ajudam as crianças a aprenderem a identificar seus sentimentos mais profundos tais como: tristeza, raiva, frustração, limitação, decepção, euforia etc., e naturalmente auxiliam no seu processo de autoestima positiva.

- Fada Consciência

Sucessos de LUIZ GASPARETTO

Estes livros vão mudar sua vida! Dentro de uma visão espiritualista moderna, vão ensiná-lo a produzir um padrão de vida superior ao que você tem, atraindo prosperidade, paz interior e aprendendo, acima de tudo, como é fácil ser feliz.

- Atitude
- Faça Dar Certo
- Prosperidade Profissional
- Conserto Para uma Alma Só (poesias metafísicas)
- Para Viver sem Sofrer
- Se Ligue em Você (adulto)

Série AMPLITUDE

- Você está Onde se Põe
- Você é seu Carro
- A Vida lhe Trata como Você se Trata
- A Coragem de se Ver

Livros ditados pelo espírito Calunga

- Um Dedinho de Prosa
- Tudo pelo Melhor
- Fique com a Luz
- Verdades do Espírito

Livros Infantis

- Se Ligue em Você – nº 1, 2, e 3
- A Vaidade da Lolita

LUIZ ANTONIO GASPARETTO EM CD

Autoajuda. Aprenda a lidar melhor com as suas emoções para conquistar um maior domínio interior.

Série PRONTO-SOCORRO

1 – Confrontando o Desespero
2 – Confrontando as Grandes Perdas
3 – Confrontando a Depressão
4 – Confrontando o Fracasso
5 – Confrontando o Medo
6 – Confrontando a Solidão
7 – Confrontando as Críticas
8 – Confrontando a Ansiedade
9 – Confrontando a Vergonha
10 – Confrontando a Desilusão

Série VIAGEM INTERIOR (vols. 1, 2 e 3)

Exercícios de Meditação

Por meio de exercícios de meditação, mergulhe dentro de você e descubra a força de sua essência espiritual e da sabedoria. Experimente e verá como você pode desfrutar de saúde, paz e felicidade desde já.

Série CALUNGA

- Prece da Solução
- Chegou a sua Vez!
- Presença
- Tá Tudo Bão!
- Teu amigo

Série PALESTRAS

- Meu Amigo, o Dinheiro
- Seja Sempre o Vencedor
- Abrindo Caminhos
- Força Espiritual
- A Eternidade de Fato
- Prosperidade
- Conexão Espiritual
- S.O.S. Dinheiro
- Mediunidade
- O Sentido da Vida
- Os Homens (somente para mulheres)
- Paz Mental
- Romance Nota 10
- Segurança
- Sem Medo de Ter Poder
- Simples e Chique
- Sem Medo de Ser Feliz
- Sem Medo da Vida
- Sem Medo de Amar
- Sem Medo dos Outros

Série REALIZAÇÃO

Com uma abordagem voltada aos espiritualistas independentes, eis aqui um projeto de 16 CDs para você sintonizar-se com o Poder Espiritual para práticas espirituais de prosperidade.

Série VIDA AFETIVA

1 – Sexo e Espiritualidade
2 – Jogos Neuróticos a Dois
3 – O que Falta pra Dar Certo
4 – Paz a Dois

Série LUZES

Coletânea com oito CDs em dois volumes

Este é um projeto idealizado pelos espíritos desencarnados que formam no mundo astral o Grupo dos Mensageiros da Luz. Nesta coletânea, trazemos essas aulas, captadas ao vivo, para que você também possa se juntar às fileiras dos que sabem que o mundo precisa de mais luz.

Série ESPÍRITO

1 – Espírito do Trabalho
2 – Espírito do Dinheiro
3 – Espírito do Amor
4 – Espírito da Arte
5 – Espírito da Vida
6 – Espírito da Paz
7 – Espírito da Natureza
8 – Espírito da Juventude
9 – Espírito da Família
10 – Espírito do Sexo
11 – Espírito da Saúde
12 – Espírito da Beleza

LUIZ ANTONIO GASPARETTO EM MP3

- O Poder Espiritual Inteligente – 4 palestras
- Conexão Espiritual – 4 palestras
- Tudo Tem Seu Preço/Terminar é Recomeçar/A Lei do Fluxo – 3 palestras
- Eu e o Universo/Resgatando o meu Eu/Estou Onde me Pus – 3 palestras
- Se dando a vez/Sem drama/Regras do Amor inteligente/Deus em mim – 4 palestras
- Caminhando na Espiritualidade – curso em 04 aulas

LUIZ ANTONIO GASPARETTO EM DVD

- O Mundo em que Eu Vivo

Este DVD traz momentos inesquecíveis da palestra do Calunga, proferida em 26 de novembro de 2006, no Espaço Vida & Consciência/SP.

- Pintura mediúnica – Narração de Zibia Gasparetto

Luiz Gasparetto e os mestres da pintura em um evento realizado no Espaço Vida e Consciência/SP em novembro de 2009.

OUTROS AUTORES (Nacionais)

Conheça nossos lançamentos que oferecem a você as chaves para abrir as portas do sucesso, em todas as fases da sua vida.

Ana Cristina Vargas

(ditado por José Antônio)
- A Morte é Uma Farsa

(ditado por Layla e José Antônio)
- Em Busca de Uma Nova Vida

Annamaria Dias

- Me Leva nos Braços, Me Leva nos Olhos

Ernani Fornari

- Fogo Sagrado

Evaldo Ribeiro

- Eu Creio em Mim

Liliane Moura

- Viajando nas Estrelas

Lousanne de Lucca

- Alfabetização Afetiva

Lucimara Gallicia

(ditado por Moacyr)
- Sem Medo do Amanhã
- O Que Faço de Mim?

Lucio Morigi e Luiz Gasparetto

- Revelação da Luz e das Sombras

Marcelo Cezar

(ditado por Marco Aurélio)
- A Vida Sempre Vence
- Só Deus Sabe
- Nada é como Parece
- Nunca Estamos Sós
- Medo de Amar
- Você Faz o Amanhã
- O Preço da Paz
- Para Sempre Comigo
- A Última Chance
- Um Sopro de Ternura
- O Amor é para os Fortes
- O Próximo Passo

Maria Aparecida Martins

- A Nova Metafísica
- Conexão – "Uma nova visão de mediunidade"
- Mediunidade e Auto-Estima

Maura de Albanesi

- A Espiritualidade e Você

Mônica de Castro

(ditado por Leonel)
- Uma História de Ontem
- Sentindo na Própria Pele
- Com o Amor não se Brinca
- Até que a Vida os Separe
- O Preço de ser Diferente
- Greta
- Segredo da Alma
- Giselle – A Amante do Inquisidor
- Lembranças que o Vento Traz
- Só por Amor
- Gêmeas
- A Atriz
- De Todo o Meu Ser

Síria Maria Mohamed

- Kiwi – O Pintinho Diferente

Valcapelli

- Amor Sem Crise

Valcapelli e Gasparetto

Metafísica da Saúde - 4 volumes

OUTROS AUTORES (Internacionais):

Arrisque-se para o novo e prepare-se para um surpreendente caminho de autodescoberta.

Bärbel e Manfred Mohr
- Sabedoria do coração

Bärbel Mohr
- Guia do verdadeiro milionário

Charles F. Haanel
- Psicologia nova

Christina Donnell
- Sonhos e transcendência

Catherine Ponder
- Abra sua mente para receber

Cris Griscom
- A evolução de Deus

Deepak Chopra e Kristina Tracy
- No caminho para uma vida feliz

Eli Davidson
- De derrotada a poderosa

Etan Boritzer
- Coleção a descoberta – 10 volumes

Gillian Heal
- O fantástico cachecol do vovô urso

Ian Stevenson
- Reencarnação: vinte casos
- Casos europeus de reencarnação
- Crianças que se lembram de vidas passadas

Joachim Masannek
- Feras do futebol clube – 13 volumes

Joan Solkin
- Desenvolva seus músculos financeiros

John Randolph Price
- O livro da abundância

Marc Allen
- O livro da realização
- Sucesso para um preguiçoso

Mathew McKay e Patrick Fanning
- Autoestima

Michel A. Singer
- Alma livre

Nikki de Carteret
- O poder da alma

Peggy McColl
- A solução

Sandra Ingerman
- Resgate da alma
- Cure pensamentos tóxicos
- Jornada xamânica

Sanhara Saranam
- Deus sem religião

Serge Kahili
- Xamã urbano

Tsultrim Allione
- Alimente seus deuses e demônios

Saiba mais

Acesse o nosso site: **www.vidaeconsciencia.com.br**

ESPAÇO DA ESPIRITUALIDADE INDEPENDENTE

É um centro de cultura e desenvolvimento da espiritualidade independente. Acreditamos que temos muito a estudar para compreender de forma mais clara os mistérios da eternidade.

A Vida parece infinitamente sábia em nos dotar de inteligência para viver com felicidade, e essa me parece a única saída para o sofrimento humano.

Nosso espaço se dedica inteiramente ao conhecimento filosófico e experimental das Leis da Vida, principalmente aquelas que conduzem o nosso destino.

Acreditamos que somos realmente esta imensa força vital e eterna que anima a tudo, e não queremos ficar parados nos velhos padrões religiosos que pouco ou nada acrescentaram ao progresso da humanidade.

Assim, mudamos nossa atitude para uma posição mais cientificamente metodológica e resolvemos reinvestigar os velhos temas com uma nova cabeça.

O resultado é de fato surpreendente, ousado, instigador e prático.

É necessário querer estar à frente de seu tempo para possuí-lo.

Luiz Antonio Gasparetto

Mais informações:
Espaço da Espiritualidade Independente – SP
Rua Salvador Simões, 444 – Ipiranga – São Paulo – SP
CEP 04276-000 – Tel./Fax: (11) 5063-2150
Espaço da Espiritualidade Independente – Rio
Rua Santo Amaro, 119 – Glória – Rio de Janeiro – RJ
CEP 22211-230 – Tel./Fax: (21) 3509-0200
E-mail: espaço@vidaeconsciencia.com.br
Site: www.vidaeconsciencia.com.br

Este livro foi impresso em chenming 75 g/m^2 pela Gráfica Vida & Consciência.
São Paulo, Brasil, 2012.

VIDA & CONSCIÊNCIA
G R Á F I C A

Rua Agostinho Gomes, 2.312 – SP
55 11 3577-3200

grafica@vidaeconsciencia.com.br
www.vidaeconsciencia.com.br